Lendário

STEPHANIE GARBER

LENDÁRIO

UM LIVRO DA TRILOGIA
CARAVAL

3ª edição

TRADUÇÃO: **Lavínia Fávero**

Copyright © 2022 Stephanie Garber
Copyright desta edição © 2025 Editora Gutenberg

Título original: *Legendary*

Todos os direitos reservados pela Editora Gutenberg. Nenhuma parte desta publicação poderá ser reproduzida, seja por meios mecânicos, eletrônicos, seja via cópia xerográfica, sem a autorização prévia da Editora.

EDITORA RESPONSÁVEL
Flavia Lago

EDITORAS ASSISTENTES
Natália Chagas Máximo
Samira Vilela

PREPARAÇÃO DE TEXTO
Fernanda Marão

REVISÃO FINAL
Claudia Barros Vilas Gomes

CAPA ORIGINAL
Alexandra Allden

ADAPTAÇÃO DE CAPA
Alberto Bittencourt

DIAGRAMAÇÃO
Christiane Morais de Oliveira

Dados Internacionais de Catalogação na Publicação (CIP)
Câmara Brasileira do Livro, SP, Brasil

Garber, Stephanie
　　Lendário / Stephanie Garber; tradução Lavínia Fávero. -- 3. ed. ; -- São Paulo: Gutenberg, 2025. -- (Trilogia Caraval; 2)

Título original: *Legendary*

ISBN 978-85-8235-838-2

1. Fantasia 2. Ficção norte-americana I. Título II. Série.

22-123956　　　　　　　　　　　　　　　　　　　　CDD-813

Índices para catálogo sistemático:
1. Ficção : Literatura norte-americana　813

Aline Graziele Benitez - Bibliotecária - CRB-1/3129

A **GUTENBERG** É UMA EDITORA DO **GRUPO AUTÊNTICA**

São Paulo
Av. Paulista, 2.073 . Conjunto Nacional
Horsa I . Salas 404-406. Bela Vista
01311-940 . São Paulo . SP
Tel.: (55 11) 3034 4468

Belo Horizonte
Rua Carlos Turner, 420
Silveira . 31140-520
Belo Horizonte . MG
Tel.: (55 31) 3465 4500

www.editoragutenberg.com.br
SAC: atendimentoleitor@grupoautentica.com.br

Para Matthew, pela pedra-sabão.
Para Allison, por ter me dito que Dashiell não era um bom nome.
E para vocês dois, por serem irmãos incríveis.

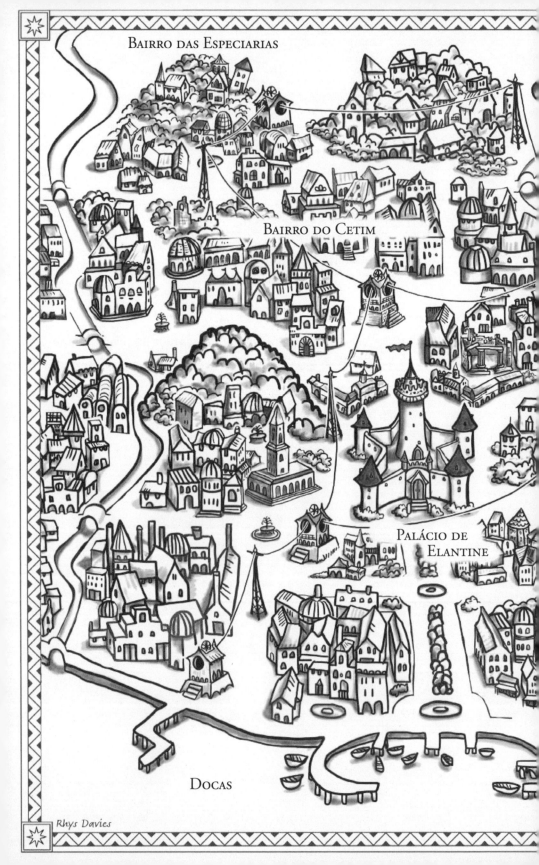

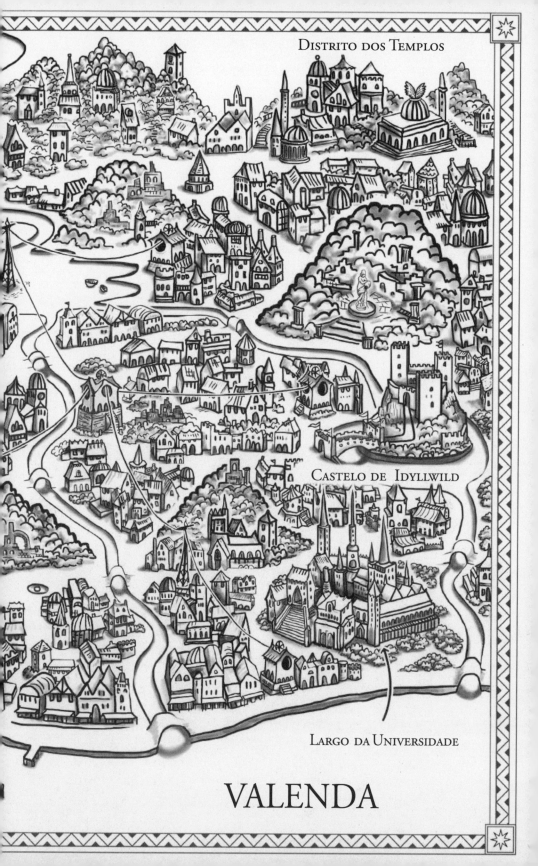

Sete anos antes

Em alguns quartos do palacete, havia monstros escondidos debaixo das camas, mas Tella jurava que o quarto da mãe escondia encantamento. Laivos de luz cor de esmeralda polvilhavam o ar, como se fadas brincassem ali sempre que a mãe saía. O quarto tinha cheiro de flores colhidas em jardins secretos, e, mesmo quando não havia vento, as cortinas transparentes tremulavam em volta da magnífica cama com dossel. No teto, um lustre de citrino dava as boas-vindas a Donatella com música de vidro se beijando, facilitando que ela imaginasse que os aposentos eram um portal enfeitiçado para outro mundo.

Os pezinhos minúsculos de Tella nunca faziam ruído quando ela percorria, na ponta dos pés, o grosso tapete cor de marfim até a penteadeira da mãe. Toda vez ela olhava para trás rápido e, disfarçadamente, pegava o porta-joias. A caixa, feita de madrepérola e revestida por uma filigrana de ouro imitando teia de aranha, pesava e escorregava das mãos de Donatella. A menina gostava de fantasiar que o objeto era encantado: mesmo quando os dedos estavam sujos, nunca ficavam marcas. Ainda bem.

A mãe de Tella não se importava que as filhas brincassem com seus vestidos ou experimentassem seus sapatinhos elegantes, mas pedira às meninas que não mexessem naquela caixa. O que só a tornou ainda mais irresistível para Donatella.

Scarlett podia passar as tardes sonhando acordada com apresentações itinerantes – como o Caraval –, mas Tella gostava de viver aventuras *reais*.

Naquele dia, fingiu que uma rainha malvada mantinha um jovem príncipe elfo em cativeiro. E, para salvá-lo, a menina precisava roubar o anel de opala da mãe, sua joia preferida. A pedra leitosa era bruta e áspera, tinha forma de supernova, uma explosão estelar com pontas afiadas que, às vezes, furavam os dedos. Mas, quando Donatella fazia a luz incidir na opala, a pedra brilhava, enchendo o quarto de brasas em tons luminescentes de cereja, ouro e lavanda que lembravam maldições mágicas e pó de fada rebelde.

Infelizmente, a base de metal era grande demais para o dedo de Tella. Mesmo assim, sempre que abria o porta-joias, ela experimentava o anel, na eventualidade de seu dedo ter crescido. Mas, naquele dia, no instante em que colocou o anel no dedo, Donatella reparou em outra coisa.

O lustre do teto parou de se movimentar, como se também tivesse sido pego de surpresa.

A menina conhecia de cor cada objeto guardado no porta-joias da mãe: uma fita de veludo com bordas douradas, cuidadosamente dobrada; brincos de escarlate vermelho-sangue; um frasco de prata meio manchado que, segundo a mãe, continha lágrimas de anjo; um relicário de marfim que não abria; um bracelete de âmbar negro que combinava muito mais com o braço de uma bruxa do que com o pulso elegante da mãe. O único objeto no qual Tella nunca encostava era um sachê de um cinza sujo, que tinha cheiro de folhas emboloradas misturado com aquele odor adocicado de morte, de sepulcro. "É para afugentar *goblins*", brincou a mãe, certo dia. E o sachê afugentava Donatella também.

O saquinho feio reluziu, atraindo a atenção de Tella. Mais parecia um punhado de podridão e tinha cheiro de decomposição. Em um piscar de olhos, o sachê foi substituído por um baralho cintilante, amarrado com uma delicada fita de cetim. E então, de repente, voltou a ser o saquinho nojento e, em seguida, se transfigurou nas cartas mais uma vez.

Tella abandonou sua missão de brincadeira, pegou a fita sedosa e tirou o baralho do porta-joias. No mesmo instante, o baralho parou de se transformar.

As cartas eram muito, muito bonitas. Em um tom de noite tão escuro que era quase preto, com minúsculas partículas de ouro que brilhavam na luz e espirais de um violeta avermelhado bem escuro, em relevo, que fez a garota pensar em flores orvalhadas, sangue de bruxa e *magia*.

Não eram nada parecidas com as cartas mirradas, em preto e branco, usadas pelos guardas do pai que ensinaram a menina a jogar, sempre valendo alguma coisa. Tella se sentou no tapete. Seus dedinhos ágeis formigaram quando desamarrou a fita e virou a primeira carta.

A jovem retratada a fez lembrar de uma princesa cativa. O vestido branco encantador estava rasgado, e os olhos em forma de lágrima eram belos como vidro marinho polido, mas tão tristes que doía olhar para eles. Muito provavelmente porque a cabeça da moça estava engaiolada, dentro de um globo de pérolas.

As palavras "A Morte Donzela" estavam escritas na parte inferior da carta.

Donatella ficou arrepiada. Não gostou daquele nome e não era muito fã de gaiolas, mesmo que fossem de pérolas. De repente, teve a sensação de que a mãe não queria que ela visse aquelas cartas, mas isso não a impediu de virar mais uma.

O nome escrito na parte inferior da segunda carta era "O Príncipe de Copas".

Retratava um jovem com o rosto todo anguloso e lábios afilados como lâminas. Em uma das mãos, que estava perto do queixo pontudo, segurava o cabo de uma adaga, e lágrimas vermelhas caíam dos olhos, no mesmo tom do sangue que manchava o canto da boca fina.

Tella se encolheu toda, porque a imagem do príncipe tremulou. Estava ali e sumiu, assim como o sachê fétido que havia mudado de forma pouco antes.

Ela deveria ter parado por ali. Aquelas cartas, definitivamente, não eram brinquedo. Mas, em parte, a menina sentia que estava predestinada a encontrá-las. Eram mais reais do que a rainha malvada e o príncipe elfo que imaginara, e Tella ousou pensar que, talvez, o baralho pudesse levá-la a viver uma verdadeira aventura.

Donatella teve a sensação de que a próxima carta que seus dedos viraram estava mais quente do que as outras.

"O Aráculo".

Não sabia o que esse estranho nome significava e, ao contrário das outras cartas, essa não parecia ser violenta. As bordas tinham espirais de ouro fundido, e o centro era prateado, feito um espelho – melhor dizendo, *era* um espelho. O centro reluzente refletiu os cachos cor de mel de Tella e seus olhos castanhos arredondados. Mas, quando a menina olhou com mais atenção, a imagem estava errada. Seus lábios rosados tremiam, e lágrimas bem grandes escorriam pelo rosto.

Tella nunca chorava. Nem quando o pai era ríspido nem quando Felipe a ignorava e dava atenção para sua irmã mais velha.

– Achei mesmo que ia encontrar você aqui, meu amorzinho. – A suave voz de soprano da mãe, que entrou correndo, tomou conta do quarto. – Que aventuras você está vivendo hoje?

A mãe se abaixou para se sentar ao lado da filha no tapete, e seu cabelo caiu em volta do rosto inteligente, formando rios elegantes. As madeixas da mãe tinham o mesmo tom de castanho-escuro que o cabelo de Scarlett, mas Tella puxara a pele cor de oliva de Paloma, reluzente como se tivesse sido beijada pelas estrelas. Só que, bem nessa hora, a garota viu que a mãe ficou pálida feito pedra da lua, porque pousou os olhos nas imagens viradas da Morte Donzela e do Príncipe de Copas.

– Onde você encontrou essas cartas? – Paloma continuou falando com um tom de doçura, mas suas mãos logo pegaram as cartas, deixando a filha com a impressão de que havia feito algo de muito errado. E, apesar de Tella fazer coisas que não devia com muita frequência, a mãe não costumava se importar. Corrigia a filha com delicadeza ou, de vez em quando, explicava como se safar de seus pequenos crimes. Era o pai quem se irritava com facilidade. A mãe era a brisa suave que apagava as faíscas dele antes que virassem chamas. Mas naquele momento pareceu que Paloma queria provocar um incêndio ateando fogo às cartas.

– Encontrei no seu porta-joias. Desculpe, não sabia que eram más.

– Não tem problema. – Paloma passou a mão nos cachos da filha e completou: – Não quis te assustar, mas nem eu gosto de mexer nessas cartas.

– Então por que as tem?

A mãe escondeu as cartas nas saias do vestido e guardou o porta-joias em uma prateleira alta, perto da cama, que Donatella não conseguiria alcançar.

A menina ficou com receio de que a conversa fosse terminar ali – se fosse o pai, sem dúvida, isso teria acontecido. Mas Paloma não ignorava as perguntas das filhas. Assim que guardou o porta-joias em um local seguro, sentou-se no tapete, ao lado de Tella.

— Eu preferia jamais ter encontrado essas cartas – sussurrou –, mas vou falar delas se você prometer que nunca mais vai pôr as mãos nesse baralho nem em baralhos parecidos com ele.

— Mas você falou para mim e para a Scarlett que a gente não deve ficar prometendo coisas.

— A gente não deve prometer o que não vai cumprir. — Um canto do sorriso da mãe voltou a aparecer, como se ela estivesse revelando um segredo muito especial para a filha. Era sempre assim: quando Paloma decidia concentrar sua atenção reluzente em Tella, a menina tinha a sensação de que era uma estrela e que o mundo girava em volta dela e apenas dela. — O que eu sempre falo a respeito do futuro?

— Que todo mundo tem o poder de escrever o próprio futuro.

— Isso mesmo. Seu futuro pode ser como você quiser. Todos nós temos o poder de escolher o próprio destino. Mas brincar com essas cartas, meu docinho, dá aos Arcanos que estão retratados nelas a oportunidade de mudar seu caminho. As pessoas usam Baralhos do Destino, parecidos com esse que você acabou de pegar, para prever o futuro. E, quando um futuro é previsto, se torna uma coisa viva e vai fazer de tudo para se concretizar. É por isso que estou pedindo para você nunca mais mexer nessas cartas. Entendeu?

Tella fez que sim, apesar de não ter entendido completamente: ainda estava naquela idade em que o futuro parece estar longe demais para ser real. E também não deixou de reparar que Paloma não havia contado de onde vinham aquelas cartas. E isso fez seus dedos apertarem com um pouco mais de força a carta que ainda estava em sua mão.

Na pressa de guardar o baralho, a mãe de Tella não reparou que a menina virara uma terceira carta. A carta que ainda estava em poder de Donatella. O Aráculo. A menina a escondeu com cuidado debaixo das pernas cruzadas e disse:

— Prometo que nunca mais vou mexer em um baralho parecido com esse.

ISLA DE LOS SUEÑOS

1

Tella não estava mais flutuando.

Estava no chão molhado, sentindo-se muito, mas muito distante da criatura alegre e radiante que fora na noite anterior, quando a ilha particular de Lenda irradiava uma luz âmbar que exalava encantamento e maravilhamento com um toque de farsa. Uma combinação e tanto. E a garota tinha aproveitado ao máximo. Durante a festa para comemorar o fim do Caraval, dançara até seus sapatinhos ficarem sujos de grama e tomara taças de vinho espumante até praticamente flutuar.

Mas agora estava com a cara no frio e duro chão da floresta.

Sem coragem de abrir os olhos, gemeu e passou os dedos no cabelo para tirar as folhas, querendo que os demais vestígios da noite anterior pudessem ser eliminados com a mesma facilidade. Tudo fedia a álcool azedo, folhas de pinho e erros. A pele coçava e estava arrepiada. A única coisa pior do que a tontura que sentia era aquela dor maldita nas costas e no pescoço. O que tinha na cabeça quando pensou que dormir ao relento era uma ideia brilhante?

– *Argh*.

Alguém grunhiu esse ruído de insatisfação, de quem está prestes a acordar.

Donatella abriu os olhos, olhou para o lado e cerrou as pálpebras imediatamente. *Santos miseráveis*.

Ela não estava sozinha.

Em meio às árvores altíssimas e à vegetação indomável do chão da floresta, Tella abriu os olhos de leve, apenas o suficiente para ver de relance a cabeça com cabelos castanho-escuros, a pele cor de bronze, a cicatriz no pulso e a mão com uma tatuagem de rosa preta. *Dante.*

Tudo voltou correndo em uma onda de lembranças borradas. A sensação de ter as mãos experientes do rapaz em volta dos quadris. Os beijos que ele deu em seu pescoço, no queixo, depois na boca, quando os lábios dos dois se tornaram íntimos.

O que, por todos os infernos, tinha na cabeça?

Claro que Donatella sabia exatamente o que passava por sua cabeça na noite anterior, durante a festa dos artistas do Caraval. O mundo tinha gosto de magia e brilho de estrelas, de desejos que se realizam e sonhos que viram realidade. Mas, por baixo de tudo isso, Tella ainda sentia um gosto de morte na língua. Apesar de todo o champanhe que havia bebido e do calor que sentira de tanto dançar, ainda tremia ao lembrar da sensação arrepiante de ter morrido.

Pular da sacada de Lenda não fora um ato de desespero: fora um salto no escuro. Mas, apenas por uma noite, a garota não quis pensar a respeito nem em por que isso tinha importância. Queria comemorar sua vitória e esquecer de todo o resto. E Dante lhe parecera o jeito perfeito de conseguir essas duas coisas. Era atraente, encantador e já fazia um bom tempo que ela não beijava alguém de verdade. E ai, por todos os santos, como Dante beijava bem...

Com mais um gemido, o rapaz se espreguiçou ao lado dela. Sua mão grande pousou nas costas de Donatella, quente e firme – e muito mais tentadora do que deveria ser.

Tella se convenceu de que precisava fugir antes que ele acordasse. Mas, mesmo dormindo, Dante mandava tão bem com as mãos... Ficou acariciando as costas dela, depois subiu até o pescoço e deu uma puxadinha no cabelo – foi o que bastou para Tella arquear as costas.

Os dedos de Dante pararam de se movimentar.

A respiração dele ficou silenciosa, dando a entender que também estava acordado. Donatella se segurou para não soltar um palavrão e levantou rapidamente do chão, desvencilhando-se dos dedos parados e prendados de Dante. Nem ligou para o fato de que o rapaz perceberia que ela estava saindo de fininho: seria muito menos constrangedor do que ficar trocando palavras cordiais e forçadas até que um dos dois tivesse coragem de dar uma desculpa e ir embora correndo. Tella já havia beijado vários rapazes e sabia que não dava para acreditar, de jeito nenhum, em nada que um garoto dissesse pouco antes ou logo depois de um beijo. E tinha mesmo que ir embora.

As lembranças de Donatella podiam até estar embaçadas, mas, sabe-se lá como, ela não tinha esquecido a carta que recebera pouco antes de a situação com Dante ficar interessante. Um desconhecido, com o rosto escondido pelo manto da noite, colocara discretamente um bilhete no bolso de seu vestido e sumira antes que Tella conseguisse segui-lo. A garota teve vontade de reler o bilhete naquele mesmo instante. Mas, considerando o que estava devendo ao "amigo" que enviara a mensagem, achou que isso não seria muito prudente. Precisava voltar para o quarto.

Terra molhada e agulhas de pinheiro se enfiaram entre seus dedos quando, com todo o cuidado, começou a se desvencilhar do rapaz. Não achava os sapatos, mas não queria perder tempo procurando. Uma luz cor de mel indolente tingia a floresta, pontuada por roncos altos e murmúrios. Tella concluiu que ela e Dante não foram as únicas pessoas a passar a noite sob as estrelas. Não ligava se alguém a visse fugindo do belo rapaz, mas não queria que ninguém contasse para a irmã.

Dante fora bem desagradável com Scarlett durante o Caraval. Como trabalhava para Lenda, a atitude tinha sido apenas uma encenação. Mas, apesar de o jogo ter chegado ao fim, ainda era meio difícil separar os fatos da ficção. E Donatella não queria que a irmã ficasse magoada por ela ter resolvido se divertir um pouco com um rapaz que fora tão cruel com Scarlett ao longo do jogo.

Ainda bem que o mundo ainda estava adormecido quando Tella chegou aos limites da floresta e, em seguida, ao castelinho de Lenda.

O Caraval terminara oficialmente, e todas as velas e lampiões do lado de dentro estavam apagados, a mansão ainda exalava faíscas de uma luz ardente e cativante, que fez Donatella a pensar nas peças que os artistas ainda iriam pregar nos participantes do jogo.

Até o dia anterior, a mansão continha o mundo inteiro do Caraval. As portas de madeira grandiosas levaram visitantes a camarotes elegantes, ornados com cortinas vermelhas exuberantes, que rodeavam uma cidade formada por canais, ruas que tinham vontade própria e lojas insólitas, cheias de prazeres mágicos. Mas, no curto período que havia transcorrido desde o fim do jogo, o castelinho encolhera, e o país das maravilhas efêmero escondido entre suas paredes desaparecera, deixando apenas o que normalmente haveria dentro de uma casa grandiosa.

Tella foi subindo a escadaria mais próxima aos pulinhos. Seu quarto ficava no segundo andar. Não tinha como errar: a porta era arredondada e azul, cor de ovo de tordo. E também foi impossível deixar de ver Scarlett e Julian, parados perto dela, abraçados como se tivessem esquecido como se pronuncia a palavra "adeus".

Donatella estava feliz pela irmã mais velha, que finalmente havia se deixado levar por um pouco de felicidade. Scarlett merecia todas as alegrias do Império, e Tella torcia para que aquilo durasse. Ouvira dizer que Julian tinha fama de nunca convidar garotas para viajar com ele e que o rapaz jamais mantinha um relacionamento depois que o Caraval terminava. Sem contar que nem estava no roteiro ficar com Scarlett depois de levá-la até a ilha de Lenda. Julian ganhava a vida mentindo, e, por isso, Tella tinha dificuldade de confiar nele. Mas o casal estava parado ali, se abraçando, com as testas encostadas, mais parecendo duas metades do mesmo coração.

Os dois continuavam se olhando nos olhos quando Donatella passou por eles, pé ante pé, a caminho do próprio quarto.

– Isso foi um "sim"? – murmurou Julian.

– Preciso falar com minha irmã – respondeu Scarlett.

Tella parou diante da porta. Podia jurar que o bilhete que levava no bolso ficou mais pesado de repente, como se estivesse impaciente para ser relido. Mas, se Julian havia mesmo acabado de perguntar para Scarlett o que Tella torcia para que o rapaz perguntasse, ela precisava participar daquela conversa.

– Sobre o que você quer conversar comigo? – interrompeu Donatella.

Scarlett se afastou de Julian, mas o rapaz continuou com as mãos na cintura dela, entrelaçando os dedos nas fitas rosadas do vestido da garota. Estava claro que Julian ainda não estava preparado para se afastar de Scarlett.

– Perguntei para sua irmã se vocês duas gostariam de ir a Valenda conosco, para a comemoração do 75º aniversário da Imperatriz Elantine. Haverá outro Caraval, e tenho dois ingressos.

O rapaz deu uma piscadela.

Tella sorriu para a irmã. Estava torcendo para que isso acontecesse. Apesar de que, em parte, ainda não conseguia acreditar que os boatos que ouvira na semana anterior fossem verdade. O Caraval só ocorria uma vez por ano, e ela jamais ouvira falar de dois jogos terem sido disputados dentro de um intervalo tão curto. Mas supôs que até Lenda abria exceções para a imperatriz.

Continuou olhando para a irmã mais velha, esperançosa.

– Até me surpreendo com o fato de você ter que perguntar isso!

– Achei que você não gostava do Dia de Elantine, porque sempre tirou o brilho de seu aniversário.

Donatella ficou sacudindo a cabeça, enquanto ponderava sua resposta. Os verdadeiros motivos para querer ir a Valenda tinham muito pouco a ver com o Dia de Elantine, apesar de sua irmã ter razão. Desde que Elantine se tornara imperatriz do Império Meridiano, seu aniversário era feriado. O Dia de Elantine era antecedido por uma semana inteira de festas e bailes, regras desobedecidas e leis infringidas. Na ilha de Trisda, onde as garotas viviam, o feriado só era comemorado por um dia, o 36º dia da Estação Germinal. Mas, mesmo assim, fazia o aniversário de Tella, que tinha a infelicidade de ocorrer no dia seguinte, perder o brilho.

– Vai valer a pena conhecer Valenda – respondeu ela. – Quando partimos?

– Dentro de três dias – respondeu Julian.

Scarlett fez beicinho e declarou:

– Precisamos conversar melhor antes de decidirmos, Tella.

– Não é você que sempre quis conhecer a capital, ver as antigas ruínas e as carruagens que flutuam pelo céu? Esta vai ser a festa do século! Sobre o que precisamos conversar?

– Sobre o conde.

O tom da pele de Julian se acinzentou.

O rosto de Tella pode ter ficado da mesma cor.

– O conde mora em Valenda, e não podemos arriscar que ele te veja – explicou Scarlett.

Ela era a mais cautelosa das duas irmãs. Cautelosa em exagero, mas Tella não podia recriminá-la por esse alerta.

O conde Nicolas d'Arcy era o ex-noivo de Scarlett, e o casamento fora arranjado pelo pai das duas. Antes do Caraval, a garota só trocara cartas com ele, mas acreditava que estava apaixonada pelo conde. Também achava que d'Arcy garantiria a segurança dela e da irmã – até que o conheceu durante o Caraval e descobriu que, na verdade, ele era um ser humano desprezível.

Scarlett tinha motivos para ter receio do conde. Se seu ex-noivo descobrisse que Donatella estava viva, avisaria o pai das duas – que acreditava que a filha mais nova estava morta – e isso arruinaria tudo.

Só que, se Tella não fosse para Valenda, a capital do Império, com Lenda e seus artistas, as coisas também iriam desmoronar. Podia até não ter tido oportunidade de reler o bilhete que recebera do amigo, mas sabia o que ele queria e não conseguiria arranjar isso se não acompanhasse Lenda e seus artistas.

Durante o jogo, Donatella não tinha certeza absoluta de quem trabalhava ou não para Lenda. Mas todos os artistas do Mestre do Caraval estariam a bordo do navio, rumo a Valenda – talvez até o próprio Lenda também estivesse a bordo. E essa seria a oportunidade que Tella precisava para, finalmente, obter a única coisa que o amigo exigia em pagamento.

– O conde é tão autocentrado que, provavelmente, não me reconheceria nem se eu fosse até ele e lhe desse um tapa na cara. Só nos vimos por um instante, e minha aparência não estava das melhores.

– Tella...

– Eu sei, eu sei que você quer que eu fale sério – interrompeu Donatella. – Não estou tentando debochar de você. Tenho plena consciência do perigo, mas acho que não precisamos temê-lo. A probabilidade de morrermos em um naufrágio é igual. Mas, se permitirmos que esse medo nos detenha, nunca sairemos desta ilha.

Scarlett fez uma careta e se dirigiu a Julian:

– Você se importa de me deixar a sós com minha irmã por um instante?

O rapaz respondeu falando no ouvido dela, tão baixo que Tella não conseguiu ouvir nada. O que quer que tenha dito deixou Scarlett corada. Em seguida, Julian foi embora, e o sorriso de Scarlett se desfez. Seus lábios formaram uma linha reta, e as duas se fecharam no quarto de Donatella.

Lá dentro, havia roupas íntimas espalhadas por todo lado. Meias-calças transbordavam das gavetas de uma cômoda cheia de toucas.

Diversas capas, vestidos e anáguas formavam um caminho até a cama, que por sua vez estava coberta por uma pilha desajeitada das peles que Donatella ganhara em um jogo de cartas.

Tella sabia que a irmã achava que ela era preguiçosa. Mas tinha uma teoria: é muito fácil mexer em um quarto todo arrumadinho sem que ninguém perceba, porque não é difícil colocar coisas cuidadosamente arrumadas exatamente no local onde estavam. E os bagunçados, por outro lado, são difíceis de recriar. Com um único olhar, Tella percebeu que ninguém tivera coragem de encostar um dedo que fosse em sua bagunça personalizada. Tudo parecia intocado, apesar de parecer que havia mais uma cama. Cama essa que, na cabeça de Donatella, havia aparecido em um passe de mágica. Ou – o que era mais provável – fora levada até aquele andar para que a irmã dormisse no mesmo quarto que ela.

A garota não sabia por quanto tempo permitiriam que as duas ficassem na ilha. Sentiu-se aliviada por não terem sido expulsas imediatamente. Se tivessem sido despejadas, talvez Scarlett estivesse mais disposta a ir para Valenda. Só que Tella não queria obrigar a irmã a nada: torcia para que Scarlett tomasse a decisão por conta própria. Por outro lado, não conseguia compreender a relutância da irmã mais velha. Donatella havia morrido durante o último jogo. Mas morrer tinha sido uma decisão dela, por um bom motivo, e não pretendia morrer de novo. A experiência fora tão horrível para Tella quanto para Scarlett. E ainda havia tantas coisas que Donatella queria – e precisava – fazer...

– Scar, sei que você acha que eu não estava falando sério, mas acho que precisamos começar a ser felizes em vez de levar tudo tão a sério. Não estou dizendo que precisamos participar do Caraval, mas acho que deveríamos, pelo menos, ir para Valenda, com Julian e o resto do pessoal. Qual é o sentido de toda essa gloriosa liberdade se não a aproveitarmos? O pai vai vencer se continuarmos vivendo como se ainda fôssemos controladas por seus punhos de ferro.

– Você tem razão.

Tella deve ter entendido mal.

– Por acaso você disse que tenho razão?

Scarlett fez que sim.

– Cansei de viver o tempo todo com medo. – Pela voz, ela ainda estava nervosa, mas erguera o queixo, em uma expressão parecida com determinação. – Prefiro não jogar de novo, mas quero ir para Valenda com Julian. Não quero me prender aqui como o pai nos prendia em Trisda.

Donatella sentiu uma onda de orgulho. Em Trisda, Scarlett se apegava ao próprio medo, como se ele fosse garantir sua segurança, mas Tella percebia que a irmã estava se esforçando para abandonar o medo. Scarlett realmente havia mudado durante o Caraval.

– Você tinha razão quando me incentivou a dar mais uma chance para Julian, ontem à noite. Estou feliz por ter ido à festa e sei que vou me arrepender se não formos com ele. Mas você precisa me prometer que terá mais cuidado. Não posso te perder de novo.

– Não se preocupe. Eu juro. – Tella segurou a mão da irmã e apertou, com uma expressão solene. – Gosto demais da minha liberdade para abrir mão dela. E, enquanto estivermos na capital, farei questão de usar vestidos absurdamente chamativos: vai ser impossível me perder de vista.

Scarlett esboçou um sorriso. Donatella percebeu que a irmã estava tentando se segurar para não rir, mas aí o sorriso se transformou em um riso melodioso. A felicidade deixava Scarlett ainda mais bonita.

Tella riu com a irmã até as duas ficarem com o mesmo sorriso, como se preocupações fossem coisas que só acontecessem com outras pessoas. Mas estava difícil esquecer do bilhete que estava no bolso, lembrando-a de que tinha uma dívida a ser paga e que ainda precisava salvar a vida da mãe.

2

Fazia sete anos que Paloma, mãe de Scarlett e Donatella, havia desaparecido.

Houve um período – que começou mais ou menos um ano depois que a mãe foi embora –, em que Tella preferia pensar que Paloma estava morta. A garota chegara à conclusão de que, se a mãe não tinha voltado para as filhas e ainda estivesse viva, isso significaria que Paloma não as amava de verdade. Pensar que Paloma estava morta a fazia imaginar que talvez a mãe tivesse intenção de voltar, só não tivera oportunidade. Se estivesse morta, ainda existia a possibilidade de a mãe amar Scarlett e Donatella.

Sendo assim, por anos, Tella se agarrou à esperança de que a mãe tivesse encontrado a morte. Porque, por mais que tentasse, não conseguia deixar de amar a mãe e doía demais imaginar que ela não retribuía esse amor.

Donatella tirou do bolso o bilhete que recebera do amigo. Scarlett saíra do quarto, para avisar Julian que as duas iriam para Valenda. Como Tella não sabia quanto tempo a irmã demoraria para voltar, leu bem depressa.

Caríssima Donatella,

Parabéns por ter conseguido fugir de seu pai e por ter sobrevivido ao Caraval. Fico feliz que nosso plano tenha dado certo, ainda que eu não tivesse nenhuma dúvida de que você sobreviveria ao jogo.

Tenho certeza de que sua mãe ficará muito orgulhosa, e acredito que você logo poderá vê-la. Mas, antes, precisa cumprir sua parte do nosso trato. Espero que não tenha esquecido do que me deve em troca de tudo o que eu lhe contei.

Pretendo cobrar meu pagamento muito em breve.

Atenciosamente,
Um amigo

A dor de cabeça voltou. E, desta vez, não tinha nada a ver com os drinques que Tella havia consumido na noite anterior. Não conseguia se livrar da sensação de que estava faltando alguma coisa naquele bilhete. Tinha certeza de que havia mais alguma coisa quando o leu, no fim da festa.

A garota segurou o papel contra a luz cor de caramelo que atravessava sua janela. Não apareceu nenhuma frase escondida. Nenhuma palavra mudou de forma diante de seus olhos. Ao contrário de Lenda, seu amigo não imbuía suas cartas com truques de magia. Mas, não raro, Tella torcia para o homem fazer isso. Talvez, então, fosse possível confirmar sua identidade.

Entrara em contato com ele pela primeira vez havia mais de um ano, pedindo ajuda para escapar do pai com a irmã. Mas Donatella não fazia a menor ideia de quem era esse amigo. Por um tempo, imaginou que, na verdade, o correspondente fosse o próprio Lenda. Mas seu amigo e o Mestre do Caraval não podiam ser a mesma pessoa: o pagamento que ele comentara na carta lhe dava certeza disso.

A garota ainda precisava obter o tal pagamento. Agora que ela e Scarlett iam para Valenda com os artistas de Lenda, Tella se sentia mais confiante: ia conseguir. Tinha que conseguir.

Sua pulsação acelerou quando escondeu a carta e abriu o menor de seus baús: o único que proibira os artistas de mexer durante o Caraval. Tella havia enchido o bauzinho de dinheiro, afanado do pai. Mas esse não era o único tesouro que ele escondia. A parte de dentro fora forrada com um brocado laranja queimado e verde-limão sem atrativos. A maioria das pessoas jamais prestaria atenção nele, muito menos ao ponto de reparar na fenda que havia na bainha do forro, onde estava escondido o catalisador de toda aquela situação: *O Aráculo*.

Os dedos de Tella formigaram, como sempre acontecia quando ela tirava aquela carta tão pequena e malvada dali. Depois que a mãe desapareceu, o pai enlouqueceu de raiva. Não era um homem violento antes disso, mas, quando foi abandonado pela esposa, mudou quase que instantaneamente. Jogou as roupas de Paloma na sarjeta, transformou a cama dela em lenha para a lareira e queimou tudo o mais até virar cinza. Os únicos objetos que escaparam foram os brincos escarlate que Paloma havia dado para Scarlett, o anel com a opala de fogo bruta que Tella havia roubado e aquela carta insólita que estava em sua mão.

Se não tivesse pegado a carta e o anel pouco antes de a mãe ir embora, a garota não teria nada para se lembrar dela.

O anel de opala havia mudado de cor pouco depois do desaparecimento da mãe, ficando com uma combinação ardente de tons de vermelho e roxo. As bordas da carta do Aráculo ainda eram de ouro fundido, mas a imagem do centro reluzente mudava constantemente. Tella não sabia o que a carta fazia quando a roubou do Baralho do Destino da mãe. Mesmo dias depois, quando se olhou no espelho e viu grandes lágrimas correndo pelo próprio rosto – recriando a imagem que o Aráculo revelara pela primeira vez –, não ligou os pontos. Só percebeu depois de um bom tempo que, quando o Aráculo revelava uma imagem, a premonição sempre se concretizava.

De início, as imagens eram inconsequentes: uma criada experimentando o vestido preferido de Tella; o pai roubando em um jogo de cartas. E aí as visões do futuro foram se tornando mais inquietantes. Até que, um dia, logo depois de Scarlett ter ficado noiva do conde, Donatella viu uma imagem das mais perturbadoras.

A irmã mais velha estava usando um vestido de noiva branco como a neve, bordado de rubis, pétalas de flor e uma renda fina como um sussurro. Era para ser uma imagem bonita. Mas, na visão do Aráculo, estava sujo de lama, de sangue e de lágrimas, e Scarlett chorava de soluçar, tapando o rosto com as mãos.

A terrível imagem permaneceu por meses, como se a carta estivesse pedindo para Donatella impedir o casamento arranjado da irmã e mudar o futuro – não que ela precisasse de incentivo para isso. Já estava tramando um plano para fugir do pai controlador com a irmã, um plano que envolvia Lenda e o Caraval. Tella sabia que, se tinha uma coisa que deixava a irmã avessa a correr riscos com vontade de tentar outra vida, essa coisa era o Caraval. Mas Lenda não respondera a nenhuma das cartas enviadas por Donatella, assim como jamais havia respondido as cartas enviadas por Scarlett.

A imagem do Aráculo incitou Tella a procurar mais informações a respeito do Caraval. Ouvira boatos estapafúrdios de que Lenda matara uma pessoa durante um dos jogos, anos antes. A jovem esperava descobrir mais a esse respeito para convencê-lo a lhe dar atenção.

Para concretizar sua busca, Tella cobrou todos os favores que lhe deviam, até que alguém disse que ela devia escrever para um estabelecimento chamado Os Mais Procurados de Elantine. Supostamente, era um estabelecimento comercial em Valenda, capital do Império Meridiano. Ninguém lhe informou que tipo de estabelecimento comercial era. Mas, depois que Tella pediu informações sobre Lenda, o local respondeu com a seguinte mensagem:

> *Encontramos um homem disposto a ajudá-la,*
> *mas fique sabendo que ele costuma pedir pagamentos*
> *que não envolvem apenas dinheiro.*

Quando Donatella respondeu, perguntando o nome deste homem, o próprio respondeu, simplesmente:

> *É melhor você não saber.*
> *Um amigo*

Tella sempre achou que essa resposta queria dizer que seu "amigo" era um criminoso, mas o homem se revelou um correspondente fiel e inteligente. As informações que forneceu a respeito de Lenda não eram as que ela esperava. Mas, munida dessas informações, escreveu para o Mestre do Caraval novamente, suplicando ajuda.

E, desta vez, foi bem-sucedida. Lenda respondeu à carta e, assim que ele concordou em ajudar as duas irmãs a fugir do pai, o Aráculo mudou: Scarlett não mais usava um vestido de noiva destruído, mas estava em um baile extravagante, com um longo cor de rubi que atraía os olhares de todos os rapazes pelos quais passava. Era *este* o futuro que Donatella queria para a irmã, cheio de *glamour*, festas e opções.

Infelizmente, no dia seguinte, a visão foi substituída por outro vislumbre do futuro que, desde então, não havia mudado.

Tella não sabia se, naquele dia, a carta encantada mostraria a mesma imagem terrível. Depois de tudo o que havia acontecido durante o Caraval, ela torcia para que tivesse mudado.

Mas ali estava ela, igualzinha.

Todo o ar e toda a esperança foram expulsos dos pulmões de Tella.

A carta ainda mostrava sua mãe. Que mais parecia uma versão surrada da Dama Prisioneira, uma das cartas do Baralho do Destino. Paloma estava coberta de sangue, presa atrás das duras barras de ferro de uma cela mal iluminada.

Foi esse futuro que motivou Tella a fazer mais um pedido para o amigo, perguntando se ele também poderia ajudá-la a encontrar a mãe. Das outras vezes que tentara procurar Paloma, Donatella não chegou a lugar nenhum. Mas o amigo, que não estava limitado a uma ilha no meio do nada como Tella, obviamente tinha mais condições de procurar.

A garota decorou a resposta do homem.

Caríssima Donatella,

Estou verificando seu pedido em relação à sua mãe e já tenho uma pista concreta. Acredito que você não a encontrou até agora porque Paloma não é o verdadeiro nome dela. Entretanto, só poderei levá-la até sua mãe se você me pagar pelas informações que lhe enviei a respeito do Mestre-Lenda do Caraval.

Caso tenha esquecido, preciso saber o nome verdadeiro de Lenda. Todas as pessoas que incumbi dessa tarefa fracassaram. Mas, já que você ficará um tempo na ilha particular dele, tenho certeza de que conseguirá. Assim que tiver o nome, podemos discutir qual será meu preço para encontrar sua mãe.

Sinceramente,
Um amigo

Essa notícia sobre o nome de Paloma foi a única informação que Tella obteve da mãe desde que ela partira, há sete anos. E isso lhe deu uma verdadeira esperança. A garota não fazia ideia do porquê o amigo queria saber o nome verdadeiro de Lenda, se era para uso próprio ou uma informação que outro cliente tentava obter. Mas Tella não se importava: faria tudo o que fosse preciso para descobrir o verdadeiro nome do Mestre do Caraval. Acreditava que, se conseguisse, finalmente veria a mãe de novo. Até então, o amigo jamais a decepcionara.

– Ai, meu bom Deus!

Donatella ergueu a cabeça e deu de cara com os olhos grandes da irmã, que ficaram arregalados assim que entrou no quarto.

– Onde você conseguiu todas essas moedas? – perguntou Scarlett, apontando para o baú aberto da irmã.

Mas, ao ouvir a palavra "moedas", os pensamentos de Tella, de repente, foram parar em outro lugar. O amigo colocara uma moeda estranha dentro da última carta que enviara. Era isso que estava faltando! Devia ter caído do bolso enquanto ela se refestelava na floresta com Dante.

Donatella precisava voltar para a floresta e encontrar a moeda. Escondeu o Aráculo no bolso e foi correndo até a porta.

– Aonde você vai? – gritou Scarlett. – Não me diga que roubou esse dinheiro todo!

– Não se preocupe. Roubei tudo do pai, e ele acha que eu morri.

Antes que a irmã tivesse tempo de responder, Tella saiu correndo do quarto.

E foi tão rápida que já estava fora do castelinho, em uma rua cheia de lojas em forma de caixa de chapéu, quando se deu conta de que ainda estava descalça. Um erro que ela *sentiu* que havia cometido.

– Pelos dentes do Altíssimo! – gritou Tella. Não percorrera nem metade do caminho até a floresta e já era a terceira vez que batia o dedão do pé. Desta vez, lhe pareceu que uma pedra pulara da rua pavimentada e atacara seu pé descalço de propósito. – Juro que, se mais uma de vocês morder meus dedos do pé, vou afogar todas no mar, onde as sereias podem usá-las para limpar a...

Tella ouviu uma risadinha grave, baixa e irritante que ela conhecia bem.

Ela disse a si mesma para não virar. Para não ceder à curiosidade. Mas ouvir um "não" – mesmo vindo de si mesma – só deixava Tella com vontade de fazer o contrário.

Com todo o cuidado, olhou para trás muito discretamente e se arrependeu do que fez no mesmo instante.

Dante vinha andando do outro lado da rua silenciosa, de peito estufado e com os olhos fixos nela, com cara de quem estava achando graça.

Tella desviou o olhar, na esperança de que, se ignorasse o rapaz, ele continuaria do outro lado da rua e fingiria que não acabara de vê-la gritando com uma pedra.

Mas ele atravessou a rua e foi ao encontro dela, determinado, movimentando as pernas absurdamente compridas e dando um sorriso largo, como se tivesse um segredo para contar.

3

Tella tentou se convencer de que aquele frio na barriga era porque não comera nada naquela manhã. Dante podia até ter dormido no chão da floresta, mas não havia nem uma folhinha de grama grudada em suas botas engraxadas. Vestido em tons de preto-nanquim, sem se dar ao trabalho nem de amarrar um lenço no pescoço, mais parecia um anjo de puro breu sem asas que fora atirado do céu e pousara de pé.

A garota recordou, de repente, de como o rapaz havia se aproximado dela na festa da noite anterior, e suas entranhas se reviraram novamente. Quando cumprimentou Dante na chegada, o artista reagiu com tamanho desinteresse que praticamente a ignorou. Mas, depois, Donatella pegou Dante olhando para ela do outro lado da festa — só uns olhares fortuitos, de quando em quando — até que, do nada, o artista surgiu do seu lado e a beijou até ela ficar de pernas bambas.

— Por favor, não interrompa esse discurso tão interessante por minha causa — disse o jovem, fazendo-a voltar para o presente. — Tenho certeza de que já ouvi xingamentos muito mais obscenos.

— Por acaso você acabou de insultar meu modo de usar palavrões?

— Pelo contrário, estou pedindo para você continuar, quero ouvir mais.

Dante disse isso com uma voz tão grave que Tella jurou ter sentido as fitas que caíam nas costas do vestido se enrolarem.

Mas Dante era assim. Falava daquele jeito com todas as garotas, revelando aquele sorriso devastador e dizendo coisas maldosas e intrigantes até fazê-las desabotoar as blusas ou levantar as saias. Depois, fingia que não existiam. Tella ouvira histórias durante o Caraval. Então, até aquele momento tinha certeza de que, depois da noite anterior, aquele rapaz jamais falaria com ela de novo, e era isso que Donatella queria.

Gostou de beijá-lo e, talvez, em outra época, ficaria tentada pela ideia de ter algo a mais. Mas o problema com o algo a mais é que também pode trazer mais sentimentos, tipo amor. Tella não queria ter nada a ver com o amor, aprendera havia muito tempo que isso não fazia parte de seu destino. E se dava a liberdade de beijar quantos rapazes quisesse, mas nunca mais do que uma vez.

– O que você quer? – perguntou.

Dante arregalou os olhos, deixando transparecer que ficara surpreso com a rispidez de Donatella, mas continuou falando em um tom agradável:

– Você deixou cair isso na floresta, ontem à noite.

Ele estendeu a mão grande, mostrando uma moeda grossa e dourada, com uma imagem cortada, em relevo, que parecia a metade de um rosto.

Dante estava com a moeda! Tella poderia ter pulado em cima dele para pegá-la, mas achava que não seria prudente ser tão afoita.

– Obrigada por tê-la guardado – respondeu, friamente. – Não vale nada, mas gosto de andar com ela, feito um talismã.

E então fez que ia pegar a moeda.

Dante afastou a mão, jogou o disco de metal dourado para cima e o pegou de volta.

– Que escolha interessante de talismã. – Ele ficou sério, e as sobrancelhas grossas se aproximaram, emoldurando os olhos pretos como carvão. Ficou rolando a moeda sem parar, fazendo-a dançar entre os dedos tatuados. – Já vi muita coisa estranha acontecer no Caraval, mas nunca vi ninguém carregando uma moeda dessas para ter sorte.

– Acho que gosto de ser original.

– Ou talvez não faça ideia do que é – pelo tom de sua voz grave, o rapaz parecia estar achando ainda mais graça do que antes.

– E o que você acha que é?

Dante atirou a moeda para cima mais uma vez e respondeu:

– Dizem que foram forjadas pelos Arcanos. Eram chamadas de "moedas sem sorte".

– Não é para menos que nunca funcionou.

Tella conseguiu dar uma risada, mas algo a cutucava – tolice, talvez – por não ter reconhecido o objeto.

Ela era obcecada pelos Arcanos desde que descobrira o Baralho do Destino da mãe. Eram trinta e dois, um conjunto de dezesseis imortais, oito lugares e oito objetos. Cada Arcano era conhecido por um poder em especial. Mas esse não era o único motivo para terem governado boa parte do mundo, séculos atrás. Também diziam que os Arcanos não podiam ser mortos por mortais e que eram mais rápidos e mais fortes também. Há séculos, antes de desaparecerem, os Arcanos retratados nos Baralhos do Destino governaram boa parte da Terra, como se fossem deuses – deuses cruéis. Como Tella lia tudo a respeito deles que caía em suas mãos, ouvira falar das moedas sem sorte. Mas se sentia ridícula de admitir isso.

– Chamavam essas moedas de sem sorte porque encontrar uma delas sempre era sinal de mau agouro – explicou Dante. – Diziam que as moedas tinham o poder mágico de localizar pessoas. Os Arcanos as colocavam disfarçadamente no bolso de seus criados humanos, de seus amantes ou de qualquer pessoa que quisessem seguir, manter por perto ou controlar. Até hoje, eu nunca tinha posto as mãos em uma, mas ouvi dizer que, se a gente girar uma moeda sem sorte, consegue ver a qual Arcano pertencia.

O artista colocou a moeda na beirada de um banco próximo.

Um arrepio desagradável percorreu a espinha de Tella. Pelo jeito, Dante sabia muita coisa da história obscura. Só que Donatella não saberia dizer se o rapaz tinha fé no poder dos Arcanos. Mas ela acreditava nesses seres místicos.

Diziam que A Morte Donzela previa a perda de um ente querido ou de uma pessoa amada. E, dias depois de tê-la virado e visto a donzela com a cabeça em uma gaiola de pérolas, a mãe de Tella desapareceu. A garota sabia que era uma infantilidade acreditar que ter virado a carta havia causado o desaparecimento de Paloma. Mas nem todas as crenças infantis são erradas. A mãe alertara que os Arcanos dão um jeito de alterar o futuro. E Tella vira o Aráculo prever futuros que se tornaram realidade, muitas e muitas vezes.

Ela segurou a respiração quando Dante girou a moeda com força.

Rrrr, rrrr, rrrr.

A moeda rodopiou até os desenhos dos dois lados começarem a tomar forma, fundindo-se, como em um passe de mágica, até resultar em uma figura brutalmente conhecida. Um jovem elegante, de sorriso ensanguentado. O tipo de esgar capaz de causar estragos. Aquele sorriso fazia Tella pensar em dentes mordendo corações e lábios chupando veias perfuradas.

Apesar de pequena, pôde ver a imagem claramente. O jovem cruel estava com uma das mãos perto do queixo pontudo, segurando o cabo de uma adaga, tinha lágrimas vermelhas saindo dos olhos, no mesmo tom de sangue que manchava o canto da boca.

O Príncipe de Copas.

Um símbolo do amor não correspondido e de erros irremediáveis, que nunca deixara de encher Tella tanto de pavor quanto de encantamento mórbido.

Scarlett passara metade da infância obcecada por Lenda e pelo Caraval. Mas Tella era fascinada pelo Príncipe de Copas desde que ele previra seu futuro sem amor, quando tirou a carta no Baralho do Destino da mãe, ainda menina. De acordo com os mitos, valia a pena morrer por um beijo do Príncipe de Copas, e Donatella vivia imaginando como seria a sensação de ganhar um beijo tão mortal. Mas, à medida que foi amadurecendo e beijando rapazes suficientes para entender que não vale a pena morrer por beijo nenhum, começou a suspeitar que essas histórias eram meras parábolas para ilustrar os perigos de se apaixonar por alguém.

Também diziam que o Príncipe de Copas era incapaz de amar porque seu coração havia parado de bater fazia muito tempo. Só existia uma pessoa que poderia fazê-lo bater novamente: o único e verdadeiro amor do Arcano. Diziam que o beijo do príncipe fora fatal para todas, menos para ela – que era sua única fraqueza – e que, tentando encontrá-la, o Príncipe de Copas havia deixado um rastro de cadáveres.

Outro arrepio percorreu a nuca de Donatella, e ela deu um tapa na moeda.

– Suponho que você não seja muito fã do príncipe – comentou Dante.

– Parecia que a moeda ia cair e, aí, eu ia ter que correr atrás dela.

O rapaz ergueu os cantos da boca: não poderia ter deixado mais claro que não estava nem um pouco convencido.

E Tella reparou que Dante acabara de falar do Príncipe de Copas como se ele e os demais Arcanos ainda andassem pelo Império e não tivessem desaparecido há mais de um século.

– Não sei por que você fica andando por aí com essa moeda, mas tome cuidado. Nunca aconteceu nada de bom vindo de algo que um Arcano tenha tocado.

Ele ergueu os olhos para o céu, como se os Arcanos estivessem observando lá de cima, espionando a conversa dos dois.

E aí, antes que Tella tivesse tempo de responder, Dante já estava se afastando, todo confiante, abandonando Donatella com uma moeda que fazia sua mão arder e com a estranha sensação de que, talvez, houvesse mais no belo rapaz do que ela havia suspeitado.

Quando deu por si, Tella estava pensando em amor não correspondido e em beijos pelos quais vale a pena morrer, enquanto girava a moeda sem sorte do Príncipe de Copas no mesmo banco em que Dante havia feito isso. Por que o amigo lhe dera uma relíquia de um mito tão antigo? A garota torceu para que não fosse porque o homem não confiava nela e, por isso, quisesse estar sempre informado de seu paradeiro.

Talvez aquela moeda rara fosse um presente do amigo, para lembrar Tella que tinha uma grande habilidade de obter coisas que a maioria das pessoas teria dificuldade de encontrar – uma forma de lembrar que ele era o único que sabia como localizar a mãe de Donatella.

A sineta de uma loja tocou. Foi apenas um som minúsculo, leve como o bater de asas de uma fada, mas Tella pegou a moeda, olhou para a rua, e viu um jovem saindo, todo empertigado, de uma das lojas. Ela seguiu as linhas vermelhas da casaca do rapaz e foi subindo até ver seus olhos vibrantes, que eram mais verdes do que esmeraldas recém-lapidadas...

E um banho carmim, de raiva, turvou a visão de Tella.

Conhecia aquele rapaz. Havia tirado o tapa-olho que usara durante o Caraval, mas ainda tinha o mesmo cabelo preto cor de nanquim, as mesmas roupas aristocráticas exageradas e a mesma expressão absurdamente fútil do conde Nicolas d'Arcy, o ex-noivo de Scarlett.

Donatella cerrou os punhos com tanta força que suas unhas deixaram marcas em forma de meia-lua na palma das mãos. Oficialmente, só vira o conde Nicolas d'Arcy uma vez, mas o espionara em diversas ocasiões durante o Caraval. Testemunhara aquele rapaz perseguindo a irmã e ouvira que, assim que conseguisse pôr as mãos em Scarlett, estava disposto a fazer coisas inenarráveis para mantê-la ao seu lado. Scarlett dera um jeito de fugir. Mas Tella seria capaz de estrangular o tal conde, de envenená-lo ou de desfigurar seu rostinho bonito, caso Lenda não tivesse jurado, em uma das cartas que trocou com Donatella, que expulsaria Scarlett do jogo se sua irmã mais nova se desviasse do papel que fora escrito para ela e interferisse de alguma maneira.

Sendo assim, Tella foi obrigada a não fazer nada.

Mas, com o jogo terminado, poderia fazer o que bem entendesse.

Naquele momento, d'Arcy estava a várias lojas de distância, concentrado demais no próprio reflexo, em uma vitrine, para reparar em Donatella. A atitude mais prudente seria ir de fininho para outra rua, para que o rapaz não descobrisse que ela ainda estava viva.

Mas, como havia dito, Tella realmente acreditava que o conde não a reconheceria nem se ela se aproximasse dele e lhe desse um tapa na cara. Pelo que fizera à irmã dela durante o Caraval, d'Arcy merecia mais do que um tapa, mas Donatella não tinha veneno nos bolsos.

Ela chegou mais perto. Talvez pudesse dar um chute bem dado e...

Uma mão tapou a boca de Donatella e outra segurou sua cintura. A garota se debateu, mas isso não impediu seu agressor de arrastá-la até um beco tão minúsculo que mais parecia uma felpa.

— *Tirasmãosdemim*!

Tella quase caiu para a frente quando os braços soltaram seu corpo.

— Tudo bem. — A voz era grave, com um sotaque arrastado. — Não vou machucar você, mas não corra.

Donatella se virou.

O cabelo castanho-escuro de Julian ainda estava bagunçado das carícias de Scarlett, mas os olhos não tinham mais aquele tom quente de âmbar líquido que Donatella havia percebido quando o rapaz fitara a irmã dela, pouco antes. Os olhos do jovem estavam espremidos, bem espremidos.

— Julian? Por todos os infernos, o que você está fazendo aqui?

— Estou tentando impedir você de cometer um erro do qual vai se arrepender.

Ele olhou um pouco mais adiante daquele beco estreito de tijolos vermelhos. Para a rua onde o odioso conde Nicolas d'Arcy estava.

– Não. Tenho quase certeza de que, se cometer esse erro, ficarei muito feliz. Muito me surpreende você não querer arrancar sangue desse homem também, pelo que ele permitiu que meu pai fizesse com você.

Donatella inclinou a cabeça, sinalizando a cicatriz saliente no rosto de Julian, que ia do maxilar até o canto do olho. Os artistas do Caraval tinham a capacidade de voltar à vida se morressem durante o jogo, mas as cicatrizes permaneciam. Tella ouvira dizer que, durante o jogo, o noivo de Scarlett ficou parado, só olhando, sem fazer nada para impedir que o pai das duas desfigurasse o rosto do rapaz.

– Pode acreditar – disse Julian, cerrando os dentes. – Quis arrancar sangue de Armando em mais de uma ocasião, mas...

– Armando? – interrompeu Tella. Não "conde". Nem "Nicolas". Nem "d'Arcy". Nem "aquele lixo imundo do conde Nicolas d'Arcy". Julian o chamou de "Armando". – Por que você acabou de chamá-lo de Armando?

– Pela sua cara, acho que você já adivinhou. Armando nunca foi noivo de sua irmã. Ele trabalha para Lenda, assim como eu.

Apesar de estar com os pés descalços firmes no chão, Tella cambaleou, porque o mantra do Caraval, que ela conhecia muito bem, lhe veio à mente: "... devem lembrar que tudo não passa de um jogo... mesmo querendo que vocês sejam arrebatados pelo Caraval, tomem cuidado para não se deixarem arrebatar demais".

Mas que vilão.

Tella acreditava que seria imune a ele, já que se correspondera com Lenda enquanto o Mestre do Caraval planejava o jogo. Mas, pelo jeito, tinha se enganado. Lenda a fizera de boba, do mesmo jeito que havia feito todo mundo de bobo. Nunca havia ocorrido a Donatella que um artista estaria desempenhando o papel de noivo da irmã.

Lenda realmente fazia jus ao nome que escolhera. Tella ficou se perguntando se ele interrompia seus joguinhos em algum momento ou se o mundo do Mestre do Caraval era um labirinto infinito de fantasia e realidade que deixava as pessoas que se enredavam nele suspensas, para sempre, em algum lugar entre essas duas coisas.

Julian, que estava na sua frente, ficou beliscando a própria nuca, com um ar mais nervoso do que envergonhado. O rapaz era impulsivo. Donatella achava que ele não havia pensado direito nas consequências de lhe contar a verdade. Provavelmente, aquela fora apenas uma reação por ter visto Tella prestes a partir para cima de Armando.

— Minha irmã não faz a menor ideia, não é?
— Não. E, por ora, quero que continue assim.
— Por acaso você está me pedindo para mentir para Scarlett?
— Até parece que você nunca fez isso.
Tella ficou mordida e retrucou:
— Fiz isso pelo bem dela.
— Também estou fazendo isso pelo bem dela.
Julian cruzou os braços esguios e se encostou na parede do beco.
Naquele momento, Tella não sabia se gostava do rapaz ou não. Odiou a desculpa que ele acabara de lhe dar. Dizer que algo é pelo bem de alguém, quase sempre, é outro jeito de justificar algo errado. Mas, como tinha dito isso primeiro, não podia repreender Julian tanto quanto gostaria.
— Estamos indo para Valenda dentro de poucos dias — prosseguiu o rapaz. — O que você acha que sua irmã vai fazer se descobrir que nem chegou a conhecer o verdadeiro noivo durante o Caraval?
— Scarlett iria procurá-lo — admitiu Tella.
E isso seria fácil, já que o conde morava em Valenda. Donatella nunca conseguiu entender, mas a irmã mais velha realmente quis se casar com aquele homem que jamais havia visto, nem em retrato. Imaginava o rapaz com coraçõezinhos nos olhos e sempre interpretava suas cartas sem graça e nada românticas da melhor maneira possível.
Scarlett, provavelmente, diria que o procuraria por curiosidade. Mas Donatella conhecia bem a irmã e pensava que, lá no fundo, era bem provável que Scarlett achasse que precisava dar uma chance ao conde, o que poderia ser um desastre. Mais uma vez, Tella viu a imagem de Scarlett, aos prantos, usando um vestido de noiva ensanguentado. O Aráculo havia mostrado que sua irmã apagara esse futuro, mas ainda havia chances de ele se tornar realidade.
— Scarlett não vai gostar nem um pouco quando descobrir que você mentiu para ela.
— Encaro isso como uma maneira de lutar por ela.
Julian coçou a barba por fazer no queixo. Pela postura e pelo modo de falar, parecia um menino um tanto afoito demais para entrar em uma briga de rua, mas Tella sentiu que havia um ímpeto verdadeiro por trás de suas palavras. A garota ainda não sabia ao certo quanto tempo duraria o afeto que Julian tinha por sua irmã mais velha. Mas, naquele

momento, Tella pensou que Julian ultrapassaria todo e qualquer limite moral para conquistar o coração de Scarlett. E, por mais estranho que possa parecer, isso fez Donatella confiar mais em Julian.

Se recusar a manter a mentira poderia ter facilitado sua vida: Scarlett não precisaria mais ficar com medo de que Tella fosse reconhecida pelo conde enquanto as duas estivessem em Valenda, porque o *verdadeiro* conde jamais vira o rosto de Donatella. Mas, por mais que mentir facilitasse as coisas, Tella não podia correr o risco de dizer a verdade para a irmã. A união entre Scarlett e o conde terminaria em um coração partido e em destruição. O Aráculo havia mostrado isso, e a carta jamais mentira para Tella.

– Tudo bem. Concordo em não contar para Scarlett a respeito de Armando.

Julian balançou a cabeça bem de leve, como se soubesse que Donatella concordaria com a farsa.

– Apesar das atitudes que tive durante o Caraval, não gosto de enganar minha irmã.

– Mas é difícil parar depois que a gente começa.

– É assim que as coisas funcionam para você? Você passa tanto tempo mentindo que é incapaz de dizer a verdade?

As palavras saíram mais ríspidas do que Tella pretendia. Mas Julian fez a gentileza de não retrucar.

– Você pode até achar que tudo o que diz respeito ao Caraval é mentira, mas o Caraval é a minha vida, a minha verdade. Este último jogo foi tão real para mim quanto foi para sua irmã. Enquanto Scarlett lutava por você, eu lutava por ela. – A voz de Julian ficou mais rouca, e ele completou: – Posso até ter mentido para sua irmã a respeito de quem eu era, mas meus sentimentos por Scarlett foram verdadeiros. Preciso ficar com sua irmã mais um tempo antes de ela saber qualquer coisa que possa fazê-la duvidar de mim.

– E o que vai acontecer se Scarlett perceber que Armando ainda está na ilha?

– Lenda vai mandá-lo para Valenda na frente, com alguns dos outros artistas.

Que conveniente.

– Já que vou fazer isso por você, preciso de um favor – completou Tella, um tanto inspirada.

Julian ficou balançando a cabeça, como se estivesse ponderando a respeito, e perguntou:

– Que tipo de favor?

– Quero saber o nome verdadeiro de Lenda. Quem é Lenda, *de verdade*?

Julian começou a dar risada antes mesmo de Donatella terminar a frase.

– Não me diga que você também está apaixonada por ele.

– Sei que não devo me apaixonar por Lenda.

– Que bom. E não – disse Julian, parando de dar risada. – Isso não é uma troca justa, longe disso. E, mesmo que fosse, não posso te dizer qual é o verdadeiro nome de Lenda.

Tella cruzou os braços em cima do peito. Nem esperava que Julian respondesse. Os poucos artistas para os quais conseguira perguntar haviam lhe dado respostas parecidas. Muitas risadinhas e sorrisos irônicos. Alguns simplesmente a ignoraram. A garota imaginou que era porque a maioria não fazia ideia de quem Lenda realmente era. Mas a resposta de Julian fora diferente, ao ponto de fazê-la ter esperança de, finalmente, ter encontrado alguém mais bem informado.

– Se não pode me dizer qual é o verdadeiro nome de Lenda, indique alguém que possa. Senão, não vou fazer o que você pediu.

O pouco de bom humor que restava na expressão de Julian desapareceu.

– A verdadeira identidade de Lenda é seu segredo mais bem guardado. Ninguém nesta ilha vai te revelar isso.

– Então, acho que simplesmente terei que contar para Scarlett quem Armando é de verdade.

Tella deu as costas para Julian e já ia saindo do beco.

– Espere...

O rapaz a segurou pelo pulso.

Tella resistiu ao desejo de sorrir. Ele estava desesperado.

– Se você me prometer que não vai contar a verdade a respeito de Armando para Scarlett, vou te dizer o nome de um artista que pode responder a algumas das suas perguntas.

– Pode?

– Ele faz parte do Caraval desde o início e sabe das coisas. Mas não fornece nenhuma informação de graça.

– Eu nem acreditaria se ele fizesse isso. Diga o nome que estamos conversados.

– Nigel – respondeu Julian, baixinho. – É o adivinho de Lenda.

Tella não conhecia Nigel pessoalmente, mas sabia quem ele era. O homem era inconfundível. Cada centímetro do corpo do adivinho, incluindo o rosto, era coberto de tatuagens chamativas e realistas, usadas por ele para prever o futuro. É claro que Julian dera a entender que Nigel tinha um outro papel, que não era somente atender os jogadores do Caraval, mas passar informações para o mestre do jogo.

– Cuidado – completou Julian, como se Tella precisasse desse conselho. – Adivinhos não são como eu e você. Veem o mundo como poderia ser e, às vezes, tentam trazer à tona o que querem que ele seja e não o que deveria ser.

O ar estava repleto de sal e de segredos. Tella respirou fundo, torcendo para que a noite também estivesse imbuída da magia que assombrava o *La Esmeralda*, navio de Lenda.

Tudo na embarcação exalava encantamento. Até suas velas cheias que, em termos náuticos, são sinônimo de vento rápido, pareciam enfeitiçadas. Ardiam em vermelho durante o dia e prateavam à noite, como a capa de um mágico, dando pistas dos mistérios escondidos debaixo delas, mistérios que Tella pretendia desvelar naquela noite.

Um riso bêbado pairava no ar quando ela se embrenhou nas entranhas do navio à procura de Nigel, o Adivinho. Em sua primeira noite na embarcação, Donatella cometera o erro de dormir e só se deu conta no dia seguinte que os artistas de Lenda estavam trocando o dia pela noite, já se preparando para o próximo Caraval. Dormiam ao longo do dia e acordavam depois do pôr do sol. Tella descobrira, em seu primeiro dia a bordo do *La Esmeralda*, que Nigel estava no navio, mas ainda precisava encontrá-lo de fato. Os corredores rangentes debaixo dos deques eram como as pontes do Caraval: levavam a lugares diferentes a cada horário, dificultando saber quem estava em qual cabine. A jovem ficou se perguntando se Lenda havia projetado a embarcação dessa maneira ou se isso era simplesmente algo causado pela natureza imprevisível da magia.

Donatella imaginou o Mestre do Caraval de cartola, rindo dessa pergunta, de alguém achar que a magia poderia ter mais controle do que ele. Para muita gente, Lenda era a própria definição da magia.

Assim que chegou a Isla de los Sueños, Tella suspeitava que qualquer um poderia ser Lenda. Julian tinha tantos segredos que ela desconfiou que o verdadeiro Mestre do Caraval poderia ser um dos artistas. Isso até Julian morrer, ainda que temporariamente. Caspar, com seus olhos reluzentes e sua risada contagiante, interpretara o papel de Lenda no último jogo. E houve momentos em que foi tão convincente que Donatella aventou a possibilidade de o rapaz não estar atuando. À primeira vista, Dante, que era quase lindo demais para ser real, se parecia com o Lenda que Donatella sempre imaginara. Ela conseguia enxergar os ombros largos de Dante preenchendo uma casaca preta e uma cartola de veludo ocultando seu rosto. Mas, quanto mais pensava em Lenda, mais desconfiava que ele nem sequer usava cartola. Achava que esse símbolo poderia ser mais uma das coisas empregadas para despistar as pessoas. Talvez, Lenda fosse mais magia do que homem, e Tella jamais o vira em carne e osso.

O navio balançou, e um riso de verdade interrompeu o silêncio.

A garota ficou petrificada.

O riso parou, mas o ar no corredor estreito se transformou. Aquele cheiro de sal, de madeira e de umidade se tornou mais denso, de uma doçura aveludada. Cheiro de rosas.

Tella sentiu um calafrio: os pelos dos braços à mostra se arrepiaram.

Aos seus pés, havia um monte de pétalas, formando uma trilha vermelha e sedutora.

Donatella podia até não saber o nome verdadeiro de Lenda, mas sabia que ele tinha uma queda por vermelho, por rosas e por joguinhos.

Será que aquela era sua maneira de pregar uma peça em Tella? Será que o Mestre do Caraval tinha conhecimento do que ela estava aprontando?

Quando seu mais novo par de sapatinhos esmagou as delicadas pétalas, os arrepios dos braços subiram pelo pescoço e pelo couro cabeludo. Tella imaginou que, se Lenda soubesse o que ela estava procurando, não lhe indicaria a direção certa. Mas, apesar disso, a trilha de pétalas era tentadora demais para ser ignorada. Levava até uma porta contornada por um brilho acobreado.

Ela girou a maçaneta.

E seu mundo se transformou em um jardim, um paraíso de flores desabrochadas, de um romantismo enfeitiçado. As paredes eram puro luar. O céu era feito de rosas que pingavam em cima da mesa que havia no meio da cabine, repleta de travessas de bolos, luz de velas e vinho de mel espumante.

Mas nada daquilo era para Tella.

Era tudo para Scarlett. Donatella caíra de paraquedas na história de amor da irmã mais velha, que era tão romântica que doía só de olhar.

Scarlett estava parada do outro lado da cabine. Seu vestido, todo rubi, desabrochava com mais intensidade do que as flores. E, quando olhou para Julian, sua pele estava tão radiante que competia com o brilho da lua.

Os dois não encostaram em nada, a não ser um no outro. Scarlett beijou os lábios de Julian, que a abraçava como se tivesse encontrado a única coisa no mundo que nunca mais queria soltar.

É por isso que o amor é tão perigoso. O amor transforma o mundo em um jardim tão fascinante que fica fácil esquecer que as pétalas de rosa são tão efêmeras quanto os sentimentos e que uma hora vão murchar e morrer, deixando apenas espinhos.

Tella deu as costas e saiu daquela cabine antes que pudesse pensar em mais alguma crueldade. Scarlett merecia aquela felicidade e, talvez, essa felicidade durasse. O rapaz talvez provasse que merecia Scarlett e cumprisse suas promessas. E parecia mesmo que Julian estava se esforçando.

Além disso, ao contrário de Tella, Scarlett não fora amaldiçoada pelo Príncipe de Copas. Não estava condenada a jamais ter seu amor correspondido.

O corredor mudou de novo assim que Donatella fechou a porta. A trilha de pétalas desapareceu, e uma nova trilha se formou, de fumaça de gengibre e incenso: os aromas que sempre pairavam no ar quando Nigel estava por perto.

Mais uma vez, Tella teve a sensação de que Lenda estava lhe pregando uma peça, porque a fumaça espiralada do incenso foi se expandindo e tomando a forma de mãos que sinalizavam para ela se aproximar de uma porta aberta.

Ela entrou, e sua pele se aqueceu. Em volta de toda a cabine havia velas de cera amarela. E, no meio de tudo, estava Nigel, esparramado na cama, por cima de uma colcha de veludo no tom escuro do vinho de ameixa. Seus lábios, contornados por uma tatuagem de arame farpado azul, estavam bem espichados, não exatamente dando um sorriso, mais pareciam a entrada de uma armadilha.

— Estava mesmo me perguntando quando você viria me fazer uma visita, senhorita Dragna.

Ele fez sinal para Tella se sentar na montanha de almofadas com borda de pingentes que estavam aos pés de seu trono temporário. Como durante o Caraval, Nigel só usava um pedaço de tecido marrom cobrindo a parte superior das coxas, deixando todas as suas tatuagens vibrantes à mostra.

Os olhos de Tella foram direto para as cenas de circo reproduzidas nas pernas grossas do adivinho e se fixaram na imagem de uma mulher que tinha penas em vez de cabelo e dançava com um lobo de cartola. Como não queria que Nigel interpretasse o significado dessa imagem, foi logo tirando os olhos dela, mas os pousou em seguida no braço do homem, no desenho de um coração partido, de puro breu.

— O que posso fazer por você? — perguntou Nigel.

— Não quero que você preveja meu futuro. Quero informações sobre Lenda.

As tatuagens de estrela em volta dos olhos do adivinho brilharam como tinta fresca, afoitas e intrigadas.

— Quanto você está disposta a pagar por isso?

A jovem tirou um saquinho de moedas do bolso.

Nigel sacudiu a cabeça. Ele não aceitaria dinheiro. Moedas não eram o método de pagamento preferencial no mundo do Caraval.

— Tradicionalmente, nos apresentamos uma vez por ano e temos meses para descansar. Desta vez, Lenda nos concedeu menos de uma semana.

— Não vou lhe dar dias da minha vida.

— Não desejo sua vida. Quero seu descanso.

— Quanto? — perguntou Tella, cautelosa.

Já passara dias sem dormir. Abrir mão de umas poucas noites de sono não lhe parecia ser um sacrifício tão grande. Mas as propostas dos artistas de Lenda sempre eram iguais. À primeira vista, davam a entender que eram inconvenientes insignificantes, mas as coisas nunca eram tão simples assim.

— Vou cobrar na medida do que eu fornecer — explicou Nigel. — Quanto mais perguntas responder, mais descanso receberei. Se eu não lhe der nenhuma resposta útil, você não perde nada.

– E quando você vai pegar meu sono?

– Assim que você sair desta cabine.

Tella tentou avaliar todos os detalhes daquele trato. Estavam na noite do 24º dia da estação, e a previsão era que chegassem a Valenda na manhã do 29º dia. Faltavam quatro dias de viagem. Dependendo de quanto sono Nigel roubasse, estaria exausta quando chegassem ao destino. Mas, se o adivinho fornecesse informações concretas sobre Lenda, valeria a pena.

– Tudo bem. Mas só vou te dar meu sono enquanto estivermos a bordo deste navio. Você não pode tirar nada de mim enquanto estivermos em Valenda.

– Posso me contentar com isso. – Nigel pegou, na mesa de cabeceira, um pincel e uma tigelinha com um líquido cor de laranja ardente. – Preciso de seu braço para completar a transação.

Tella ficou em dúvida.

– Você não vai pintar nada de permanente nele, vai?

– O que eu desenhar vai desaparecer assim que você pagar toda a sua dívida.

Donatella esticou o braço. O adivinho desenhou com habilidade e prática: o pincel gelado rodopiou na pele da garota, porque ele estava acostumado a usar o corpo humano como tela.

Quando terminou o desenho, um par de olhos, iguaizinhos aos de Tella, ficaram olhando para ela. Redondos e castanho-claros. Por um instante, ela jurou que a figura suplicava para que não tomasse aquela decisão. Mas perder um pouco de sono parecia um pequeno sacrifício se resultasse na informação de que precisava para pagar o que devia ao amigo e, finalmente, pôr fim aos sete anos de tormento que haviam começado no dia em que sua mãe fora embora.

– Agora me diga, o que você deseja saber?

– Quero saber qual é o nome verdadeiro de Lenda. Aquele, pelo qual o Mestre do Caraval era chamado antes de se tornar Lenda.

Nigel passou o dedo nos lábios de arame farpado, desenhando uma gota de sangue – ou será que o sangue estava tatuado na ponta de seu dedo?

– Mesmo se eu quisesse, não poderia te dizer o verdadeiro nome de Lenda. Nenhum dos artistas do Mestre do Caraval pode revelar esse segredo. A mesma bruxa que baniu os Arcanos da Terra, há séculos, outorgou os poderes que Lenda possui. A magia dele é muito antiga, mais antiga do que ele, e obriga todos nós a manter segredo.

Apesar de ninguém saber ao certo por que os Arcanos haviam desaparecido, abandonando os seres humanos com a tarefa de governar a si mesmos, havia rumores de que esses seres místicos tinham sido subjugados por uma bruxa poderosa. Mas Tella nunca ouvira falar que era a mesma bruxa que outorgara a Lenda os poderes que ele possuía.

– Isso não me diz nada a respeito da verdadeira identidade de Lenda.

– Não terminei de falar. Eu ia dizer: a magia de Lenda impede que seu verdadeiro nome seja dito ou revelado, mas esse nome pode ser conquistado.

Aranhas dançaram na pele de Tella, e um dos olhos pintados em seu pulso começou a se fechar. A pálpebra baixou rapidamente, a deixando com a sensação de que estava ficando sem dinheiro, mas também estava muito perto da resposta que queria.

– Como faço para conquistar o nome? – ela foi logo perguntando.

– Você precisa participar do próximo Caraval. Se vencer o jogo, ficará cara a cara com Lenda.

Tella jurou que uma das estrelas tatuadas ao redor dos olhos de Nigel caiu quando ele terminou de falar. Devia ser toda aquela fumaça de gengibre e aquele incenso pungente confundindo seu cérebro, fazendo-a delirar e enxergar tatuagens que tinham vida própria.

A garota deveria ter ido embora naquele exato momento. As pálpebras em seus pulsos já estavam fechadas além da metade, e ela conseguira a resposta da qual precisava: se vencesse o Caraval, finalmente saberia o nome de Lenda. Mas algo nas últimas palavras do adivinho a deixou com mais perguntas do que respostas.

– O que você acabou de dizer é uma profecia ou você está me dizendo que o prêmio do próximo Caraval é o verdadeiro Lenda?

– Um pouco de cada coisa. – O arame farpado tatuado que furava os lábios de Nigel se transformou em espinhos, e rosas escuras como breu brotaram entre eles. – Lenda não é o prêmio, mas se você vencer o Caraval, o rosto do mestre será o primeiro que verá. Ele pretende entregar pessoalmente o prêmio para o próximo vencedor do Caraval. Mas esteja avisada: vencer o jogo custará um preço que, mais tarde, você irá se arrepender de ter pagado.

A pele de Tella ficou coberta de gelo, e os olhos pintados em seus pulsos se fecharam. O conselho dado pela mãe lhe veio à cabeça: "Quando um futuro é previsto, se torna uma coisa viva e vai fazer de tudo para se concretizar".

E foi bem nesse momento que algo acertou Donatella em cheio: uma onda de fadiga tão intensa que a nocauteou contra a cama almofadada. A cabeça girou, e os ossos das pernas se transformaram em pó.

– O que está acontecendo? – perguntou, ofegante.

Porque, de repente, ela tentou se sentar e ficou difícil de respirar. Será que havia mais fumaça na cabine ou sua visão estava ficando borrada?

– Pelo jeito não fui claro o suficiente – disse Nigel. – O feitiço que desenhei em seu pulso não tira sua capacidade de dormir. Faz você dormir, para que possa transferir o descanso que receberá para mim.

– Não! – Tella cambaleou ao levantar da cama. Sua visão se turvara ao ponto de só conseguir enxergar relances das tatuagens zombeteiras do adivinho e da luz debochada das velas na cabine. – Não quero dormir até chegar a Valenda.

– Receio que seja tarde demais. Na próxima vez, não se deixe levar com tanta facilidade por o que parece um bom negócio.

6

Existem naufrágios mais graciosos que Tella. Quando a garota saiu cambaleando da cabine de Nigel, suas pernas se recusavam a andar em linha reta. Os quadris não paravam de bater nas paredes. E a cabeça bateu em alguns lampiões pendurados pelos corredores. O caminho até a própria cabine foi tão cheio de obstáculos que ela perdeu os sapatinhos, de novo. Mas estava quase chegando.

A porta balançou diante de seus olhos, o último obstáculo a superar.

Donatella concentrou todas as suas forças para abri-la. E...

Das duas, uma: ou ela entrou na cabine errada ou já tinha começado a sonhar.

Dante tinha asas e, pela sagrada mãe dos santos, eram lindas – de um preto-ônix sem alma, com veios azul-noite, da cor dos desejos perdidos e da poeira estelar que cai do céu. Estava virado para a mesinha de cabeceira, lavando o rosto, ou talvez beijando o próprio reflexo no espelho.

Tella não sabia ao certo o que aquele rapaz arrogante estava fazendo. Sua visão borrada só conseguia enxergar que ele estava sem camisa e sem casaca e que um enorme par de asas de nanquim se abria nas concavidades de suas costas.

— Você bem que podia ser um anjo da morte com essas coisas.

O jovem olhou de soslaio para ela. O cabelo molhado, da cor da pelagem das raposas negras, estava caído na testa.

– Já me chamaram de muitas coisas, mas acho que nunca ninguém disse que sou um anjo.

– Quer dizer, então, que você já foi chamado de morte?

Tella desmoronou na porta, as pernas finalmente cederam. Bateu no chão com uma pancada seca e nada graciosa.

Uma risada delicada, leve e bem feminina veio do outro lado da cabine.

– Acho que ela desmaiou só de ver você.

E *aquilo* a fez sentir que ia vomitar. Havia outra garota na cabine. Tella viu um lampejo nauseante de um vestido verde-jade e de um cabelo castanho bem brilhoso antes que o corpo de Dante entrasse em seu campo de visão.

Ele ficou balançando a cabeça devagar e disse:

– O que foi...

Os olhos do rapaz pousaram no par de olhos fechados desenhados no pulso de Donatella.

Em seguida, ele fez um ruído entrecortado que pode ter sido uma risadinha. Mas Tella não tinha certeza. Sua audição estava quase tão confusa quanto sua cabeça. Seus olhos desistiram e se fecharam.

– Fico surpreso por ele ter conseguido te enfeitiçar.

As palavras de Dante vinham de bem perto e eram graves.

– Eu estava entediada – murmurou Tella. – Achei que seria um jeito interessante de passar o tempo.

– Se foi por isso, você deveria simplesmente ter me procurado.

E então o rapaz, definitivamente, deu uma risada.

Os dias que se seguiram passaram em um borrão de alucinações infelizes. Nigel roubou todos os sonhos de Tella, mas deixou os pesadelos. Imagens aterradoramente realistas do pai tirando sem parar as luvas roxas, assim como visões de sombras e de tons de breu que não existem no mundo dos mortais. Mãos geladas e úmidas fazendo cafuné em seu cabelo e outras arrancando seu coração, enquanto lábios exangues bebiam o tutano de seus ossos.

Antes de vivenciar a morte durante o Caraval, Tella teria dito que esses sonhos davam a sensação de morrer repetidas vezes. Mas nada era igual à sensação da morte, a não ser a Morte em si, personificada no Ceifador. A jovem deveria ter adivinhado que o Ceifador da Morte a assombraria depois que tivesse escapado de suas garras. Tella era incrível: é claro que o Ceifador iria querer ficar com ela.

Mas, apesar de ter sonhado com os demônios da Morte, quando Tella recobrou a consciência, foi recebida por uma deusa.

Scarlett estava parada ao lado da cama, segurando uma bandeja de tesouros, uma bandeja repleta de biscoitos recheados, ovos fritos na manteiga, manjar de noz-moscada, fatias grossas de bacon caramelado em açúcar mascavo e uma caneca de chocolate quente apimentado.

Tella pegou o mais cheio dos biscoitos recheados. Estava meio grogue, apesar de ter dormido vários dias, mas comer a fez se sentir melhor.

– Eu já te disse o quanto te amo?
– Achei que você ia estar com fome, depois do que aconteceu.
– Desculpe, Scar. Eu...
– Não há nada por que se desculpar. Sei o quanto é fácil cair na conversa dos artistas de Lenda. E todos a bordo deste navio acham que Nigel passou da conta com você.

Scarlett ficou olhando para Donatella, como se esperasse que a irmã fosse confessar em detalhes por que fora procurar o adivinho.

Apesar de Tella querer justificar suas atitudes, tinha a sensação de que aquele não era o momento para contar do trato que havia feito com o amigo. Scarlett ficaria horrorizada se soubesse que a irmã andava escrevendo para um completo desconhecido, cujo contato descobrira por meio do Mais Procurados de Elantine. Um estabelecimento que, na melhor das hipóteses, tinha reputação duvidosa.

Donatella fora sincera quando disse para Julian que não gostava de mentir para a irmã mais velha. Infelizmente, o fato de não gostar nem sempre a impedia de mentir para Scarlett. Tella guardava segredos da irmã para que ela não se preocupasse. O desaparecimento da mãe das meninas fez com que Scarlett ainda muito nova deixasse de ser uma garota descontraída para contrair a obrigação de cuidar de Donatella. O que não era nada justo. A jovem odiava aumentar o fardo que a irmã já carregava.

Mas desconfiava que Scarlett já havia descoberto o que Tella tinha feito. Nervosa, não parava de alisar os amassados da saia. E, pelo jeito, a peça de roupa ficava mais amarrotada a cada vez que fazia isso. Durante o Caraval, Lenda lhe dera um vestido mágico que mudava de aparência – e, naquele exato momento, o traje parecia estar tão ansioso quanto ela. As mangas de renda cor-de-rosa estavam ficando cinzentas.

Tella tomou um gole fortificante de chocolate e se obrigou a ficar com uma postura mais ereta, ainda sentada na cama.

– Scar, se você não está chateada por causa do trato que fiz com Nigel, o que está te incomodando?

Os lábios de Scarlett formaram uma careta.

– Queria conversar com você sobre Dante.

Ah, desgraça. Não era isso que Donatella estava esperando, mas tampouco era algo bom. Ela havia esquecido que tinha desmaiado na cabine de Dante. O rapaz devia tê-la carregado no colo até ali, e Scarlett devia tê-lo visto, seminu, segurando a irmã perto do peito.

– Não sei o que você está pensando, Scar. Mas juro que não há nada entre mim e Dante. Você sabe qual é minha opinião sobre rapazes mais bonitos do que eu.

– Então não aconteceu nada entre vocês depois que o Caraval terminou? – Scarlett atravessou a pequena cabine e pegou um par de sapatos prateados, os mesmos que Tella esquecera na floresta. – Ele deixou isso aqui ontem à noite, com um bilhete interessante.

O estômago de Tella se revirou quando ela tirou o fino pedaço de papel enfiado em um dos sapatos.

> *Queria te devolver desde aquela noite que passamos na floresta.*
> *D*

Ele era mesmo um canalha. Tella amassou o bilhete. Dante provavelmente o escrevera só para atormentar Scarlett, que o rejeitou durante o Caraval.

— Tudo bem. Eu confesso: Dante me beijou na noite da festa. Mas foi horrível, um dos piores beijos da minha vida. Com certeza, não gostaria de repetir! E sinto muito se isso te magoou, sei que ele foi horrível com você durante o jogo.

Scarlett apertou os lábios.

Tella, provavelmente, tinha levado a mentira longe demais. Era só olhar para Dante que qualquer garota podia perceber que ele sabia o que fazer com os lábios.

— Não me importo de você ter beijado esse rapaz. Se eu tivesse conhecido Dante antes de Julian, talvez também tivesse feito isso.

Uma imagem muito perturbadora veio à mente de Tella, e ela compreendeu o constrangimento da irmã ainda mais profundamente. Só de pensar em Scarlett e Dante ficando juntos, Donatella tinha vontade de falar para ele ficar longe da irmã, em tom de ameaça. Não que essa possibilidade tivesse passado por sua cabeça. Mas se, só de pensar, Tella — que era super a favor de Scarlett se divertir — ficava preocupada, podia imaginar o quanto a irmã superprotetora ficava incomodada com aquilo.

— Não quero controlar você — prosseguiu Scarlett. — Já fomos controladas demais. Só não quero que você se machuque. O Caraval começa amanhã, à meia-noite. Mas, como aprendi durante o último jogo, Lenda coloca as peças do jogo no tabuleiro com muita antecedência.

Dito isso, Scarlett lançou mais um olhar incomodado para os sapatinhos que Dante havia devolvido.

— Você não precisa se preocupar, Scar. — E, pela primeira vez, Tella disse a mais absoluta verdade. — Confio em Dante menos ainda do que confio na maioria das pessoas. E sei que não posso me deixar arrebatar pelo Caraval.

— Mas você disse que não ia jogar.

— Acho que mudei de ideia.

— Tella, eu gostaria que você não jogasse. — Scarlett alisou a saia, que agora estava completamente cinza. E, desta vez, deixou marcas de suor. — O que aconteceu com Nigel me fez lembrar de uma das coisas que vivenciei e mais me arrependo. Não quero que isso aconteça com você.

– Então jogue comigo. – As palavras de Donatella voaram em um impulso. Mas, mesmo depois de ponderá-las, a ideia lhe pareceu brilhante. Tella assistira ao Caraval dos bastidores, mas Scarlett havia jogado de fato e saído vitoriosa. As duas formariam uma equipe imbatível. – Se estivermos juntas, você pode me ajudar a não ser mais enganada pelos artistas, como fui enganada por Nigel. E te garanto que você vai se divertir. Vamos cuidar uma da outra.

O vestido de Scarlett se animou imediatamente, como se fosse cem por cento a favor da ideia. Sua renda cinza enfadonha assumiu um tom de vermelho-framboesa que se espalhou das mangas pelo corpete. O traje ficou parecido com uma armadura sedutora. Infelizmente, Scarlett ainda parecia ressabiada. Parou de alisar as saias e ficou enrolando a mecha de cabelo branco no dedo, ansiosa. Não tinha como esquecer que ganhara a mecha depois de perder um dia de vida no último Caraval.

Tella chegou a pensar em contar para a irmã o verdadeiro motivo pelo qual precisava jogar e vencer, mas duvidava que mencionar o nome da mãe ajudaria a convencê-la. Scarlett não falava da mãe. Nunca. Sempre que Tella tentava falar de Paloma, a irmã mudava de assunto ou a ignorava completamente. Donatella chegou a achar que falar da mãe era difícil demais para Scarlett, mas depois considerou que a mágoa da irmã havia se transformado em ódio pelo fato de Paloma ter abandonado as duas filhas.

Tella compreendia esse sentimento: preferia jamais falar do pai e evitava pensar nele também.

Só que a mãe delas não era monstruosa, feito o pai.

– Carmim? – Diversas batidas sacudiram a porta da pequena cabine. – Você está aí?

A expressão de Scarlett mudou imediatamente ao ouvir a voz de Julian: as rugas de preocupação se suavizaram, tornando-se rugas de sorriso.

– Chegamos a Valenda – completou o rapaz. – Vim ver se posso levar seus baús e os de sua irmã para o deque.

– Se ele quer carregar minha bagagem, por favor, deixe – respondeu Tella.

Scarlett não precisou ouvir isso duas vezes.

Assim que ela abriu a porta, Julian sorriu feito um pirata que acabara de encontrar o tesouro. Tella podia jurar que os olhos do jovem brilharam de verdade quando viu sua irmã.

Scarlett também ficou radiante. Assim como a renda do vestido, que se avivou, assumindo um tom flamejante de vermelho. A saia mudou de rodada para justa.

Donatella bebeu o chocolate fazendo barulho, interrompendo o casal antes que os olhares cúpidos pudessem se transformar em beijos luxuriantes.

— Julian, por favor, me ajude aqui. Estou tentando convencer Scarlett a ser minha parceira durante o Caraval.

O rapaz ficou sério instantaneamente. Olhou para Tella com uma expressão aguçada e súbita. Foi um olhar rápido como um relâmpago, mas inconfundivelmente claro. Não queria que Scarlett jogasse. E Tella sabia exatamente por quê. Ela também deveria ter pensado nisso.

Se sua irmã mais velha jogasse, descobriria a verdade a respeito de Armando — que ele era um artista que havia interpretado o papel de seu noivo no último Caraval. E as mentiras, tanto as de Julian quanto as de Tella, seriam reveladas. Seria muito pior para o rapaz do que para Donatella, mas a dor maior seria de Scarlett.

— Pensando bem — disse Tella, com um tom leve, tentando corrigir seu erro —, talvez eu deva jogar sozinha. Jogar com você vai me atrasar.

— Que pena. Agora quero jogar. — Os grandes olhos castanho-claros de Scarlett se voltaram para Julian, brilhando de um jeito que nunca haviam brilhado lá em Trisda. — Eu acabei de me lembrar que o jogo pode ser muito divertido.

Tella sorriu, concordando. Mas foi um sorriso tão forçado que ela teve dificuldade para segurá-lo por muito tempo.

Nigel avisara que, se vencesse o jogo, Donatella pagaria um preço do qual, mais tarde, se arrependeria. Scarlett também tentara alertar a irmã a respeito do jogo. Mas, até aquele momento, Tella não tinha a verdadeira dimensão de nenhum desses dois avisos. Uma coisa era ouvir sobre os riscos do Caraval. Mas vê-los concretizados era completamente diferente. Apesar de o último jogo ter chegado ao fim, sua irmã ainda não estava completamente livre de perigo.

Tella não queria terminar assim e não queria arrastar Scarlett para algo que pudesse lhe causar mais dor. Mas, se não jogasse e vencesse, talvez nunca mais visse a mãe.

VALENDA, A CAPITAL DO IMPÉRIO MERIDIANO

De acordo com os mitos, Valenda já tinha sido a cidade ancestral de Alcara, lar dos Arcanos retratados em todos os Baralhos do Destino. Esses seres místicos construíram a cidade com sua magia. Uma magia tão antiga e pura que, mesmo séculos depois de os Arcanos terem desaparecido, ainda havia resquícios dos encantamentos reluzentes que, à noite, faziam os montes da capital brilharem de tal forma que iluminavam metade do Império Meridiano.

Donatella não sabia se esse mito era totalmente verdadeiro, mas acreditou nele quando viu o porto de Valenda no crepúsculo pela primeira vez.

Um pôr do sol violeta lançava sombras de um roxo bem escuro por todos os lados. E, mesmo assim, o mundo diante dela ainda brilhava, desde o alto de suas ruínas primevas formadas por colunas caindo aos pedaços e enormes arcos, até o alto-mar, que fustigava o *La Esmeralda* com suas águas. Os deques meio bambos da ilha de Trisda, onde a garota nasceu, mais pareciam ossos frágeis comparados aos cais largos e cheios de vida que se esparramavam diante dela naquele momento, apinhados de veleiros e escunas, com bandeiras verde-sereia, que tremulavam ao vento. Algumas dessas embarcações eram capitaneadas por marinheiras trajando ousadas saias de couro justas e botas que iam até a altura das coxas.

Tella adorou a cidade imediatamente.

Sua imaginação se alargou quando ela espichou o pescoço e olhou para cima.

Ouvira falar que carruagens aéreas voavam feito pássaros nos céus da cidade cheia de morros, mas era diferente vê-las pessoalmente. Os veículos se movimentavam pelo céu cor de lavanda do entardecer com a graça de nuvens pintadas e balançavam para cima e para baixo em explosões de cor de orquídea, topázio, magenta, lilás, cabelo de milho, menta e outros tons que Tella ainda estava por ver. Não voavam de fato: pendiam de grossos cabos que atravessavam os diversos bairros de Valenda.

– Vamos – pressionou Scarlett, apertando a mão de Julian, quando começaram a percorrer o deque lotado. – Um destacamento especial de carruagens aéreas vai nos levar diretamente ao palácio. Não podemos perdê-las.

Como o navio chegara atrasado, todos estavam tentando se apressar. Ouviu-se muito "Cuidado aí" e "Preste atenção". As pernas curtas de Donatella se esforçaram para acompanhar o ritmo. Nas mãos, levava o baú minúsculo contendo o Aráculo e boa parte de sua fortuna.

– Licença. – Um menino magrelo vestido de mensageiro apareceu, lá no fim do píer. – Você é a senhorita Donatella Dragna?

– Sim – respondeu Tella.

O mensageiro fez sinal para ela ir até um grupo de barris que ficava no final de outra doca.

Tella não estava disposta a segui-lo. Nunca acreditara de fato nas histórias que a vovó contava, dizendo que as garotas corriam vários perigos nas ruas de Valenda. Mas sabia que era fácil fazer uma pessoa desaparecer em uma doca. Bastava arrastá-la até algum navio e empurrá-la para baixo do convés, que ninguém ia nem reparar.

– Não posso me perder de minha irmã.

– Por favor, senhorita, não fuja. Não vão me pagar se você for embora.

O jovem mensageiro mostrou um envelope selado com um círculo de cera dourada, gravado com uma intrincada combinação de adagas e espadas partidas. Tella reconheceu o selo imediatamente. *O amigo.*

Como ele já sabia que Donatella estava em Valenda?

Respondendo à pergunta, a moeda sem sorte no bolso de Tella bateu feito um coração. O amigo devia estar usando a moeda para rastreá-la, mais uma prova de que tinha a habilidade de encontrar pessoas.

Tella gritou para Scarlett e Julian, falando que já iria encontrá-los, e foi de fininho até a outra doca com o mensageiro.

Assim que ficaram escondidos atrás de um conjunto de barris pesados, o mensageiro logo passou o comunicado para a garota e saiu correndo antes que ela tivesse tempo de quebrar o selo.

Dentro do envelope, havia dois quadrados de papel. O primeiro, era uma folha simples, escrita com uma letra bem conhecida.

Bem-vinda a Valenda, Donatella

Peço desculpas por não ter ido recebê-la pessoalmente, mas não se preocupe: não vou continuar sendo um completo desconhecido por muito tempo. Tenho certeza de que você está tão ansiosa para encontrar sua mãe quanto eu estou para descobrir o nome verdadeiro de Lenda.

Se bem te conheço, imagino que irá participar do Caraval. Mas, só para garantir, incluí um convite para as festividades da primeira noite.

Chegue ao baile antes da meia-noite e leve a moeda que lhe dei. Segure-a em sua mão, assim a encontrarei com facilidade. Não se atrase: não ficarei muito tempo por lá.

Até breve,
Um amigo

Tella tirou o outro cartão do envelope, um papel perolado escrito com uma letra ornamentada, em tinta azul-real.

Lenda escolheu você para participar de um jogo que pode mudar seu destino.

Em comemoração ao 75º aniversário da Imperatriz Elantine, o Caraval estará presente nas ruas de Valenda por seis noites mágicas.

Sua jornada começará no Baile Místico, a ser realizado no Castelo de Idyllwild.

O jogo começa oficialmente à meia-noite do 30º dia da Estação Germinal e termina no raiar do Dia de Elantine.

O trigésimo dia da estação seria no dia seguinte.
Cedo demais para Tella encontrar o amigo.
Nigel havia dito que vencer o Caraval era a única maneira de descobrir o verdadeiro nome de Lenda. Donatella precisaria de mais uma semana para jogar – e vencer – o jogo. Com certeza, o amigo lhe daria mais uma semana.
Mas e se ele negasse e não quisesse levá-la até a mãe?
Uma onda rebelde sacudiu a doca. E, mesmo depois que a plataforma se estabilizou, Tella permaneceu instável, como se o destino tivesse piscado e o futuro de seu mundo tivesse mudado de forma.
Ela colocou o pequeno baú que segurava em cima da plataforma. Atrás dos barris, não poderia ser vista. Ninguém a viu abrir o baú. Mas, mesmo que um navio inteiro de pessoas estivesse observando, isso não a teria detido. Tella precisava conferir o Aráculo.
O contato com a carta sempre fazia seus dedos formigarem, mas eles ficaram dormentes quando a garota tocou o centro do papel; na

verdade, *tudo* ficou dormente depois que ela viu a nova imagem que se formara. Sua mãe não estava mais aprisionada em uma cela, de acordo com o que vira dias atrás: agora o rosto dela era de uma palidez pura e os lábios azulados... Paloma estava morta.

A jovem segurou a carta com tanta força que deveria tê-la amassado. Mas, pelo jeito, aquela coisinha mágica era indestrutível. Donatella se recostou nos barris úmidos.

O que teria acontecido para alterar o futuro da mãe? Tella dormira durante os quatro últimos dias. A mudança não parecia ser resultado de atitudes dela, a menos que tivesse alguma relação com a conversa que teve com Nigel.

Julian avisara Tella que Nigel, como todos os adivinhos, manipulava o futuro. Talvez tivesse percebido algo no destino da garota que colocava Lenda em risco. Ou, talvez, Lenda quisesse manipular Donatella por tentar revelar seu segredo mais bem guardado, e os planos do Mestre do Caraval tivessem mudado o destino da mãe dela.

Pensar nisso poderia ter deixado Tella morta de medo. Lenda não era alguém para se ter como inimigo. Mas, por algum motivo perverso, Donatella apenas sentiu ainda mais vontade de participar do jogo. Só precisava convencer o amigo a lhe dar mais uma semana para dar tempo de vencer o Caraval, descobrir o verdadeiro nome de Lenda e, com isso, salvar a vida da mãe.

Quando Donatella chegou ao pavilhão das carruagens, a noite já cobria a cidade com seu manto. Do lado de fora, estava gelado. Mas, dentro do pavilhão, o ar era um bálsamo e tinha uma névoa de luz de lampião cor de âmbar.

Ela percorreu vaga após vaga, todas ocupadas por carruagens coloridas, presas a cabos grossos, que levavam a qualquer parte da cidade. A linha dedicada ao palácio ficava bem no final. Mas não viu Scarlett em lugar nenhum. Tella tinha avisado a irmã que a encontraria depois, mas mesmo assim ficou surpresa por ela não ter esperado.

A carruagem diante de Tella balançou. Um condutor corpulento abriu a porta de marfim e a fez entrar em um compartimento apertado, com assentos cor de manteiga e bainhas grossas azul-real, além de cortinas com o mesmo padrão de cores enfeitando as janelas ovais.

Só havia mais um passageiro, um rapaz de cabelo dourado que a garota não conhecia.

Os artistas de Lenda foram para Valenda em dois navios, e Tella se deu conta de que ainda não conhecia todos os artistas que trabalhavam para o Mestre do Caraval. Mas desconfiou que aquele rapaz apenas alguns anos mais velho do que ela não era um deles. Apesar disso, parecia que ele passara séculos ensaiando falta de interesse. Até sua casaca de veludo amarrotada parecia entediada, e ele estava esparramado nos bancos de couro suntuosos.

Não olhou para Tella de propósito, mordeu uma maçã de um branco intenso e falou:

— Você não pode ir nesta carruagem.

— Como?

— Você me ouviu muito bem. Precisa sair daqui.

O sotaque arrastado era insolente, assim como sua postura de cavalheiro, o que fez Tella pensar que ou o rapaz era completamente sem noção ou estava tão acostumado às pessoas obedecerem às suas ordens que nem tentava falar em um tom mais firme.

Nobre mimado.

Donatella nunca havia conhecido um aristocrata de quem gostasse. Essa gente costumava procurar seu pai para pedir favores ilegais — lhe davam dinheiro, mas jamais respeito, sempre passavam a impressão de que as gotas de sangue azul que tinham os tornavam superiores a todos.

— Se você não quer ir na mesma carruagem que eu, pode sair — disse Tella.

O jovem nobre respondeu inclinando levemente a cabeça, movimentando os cabelos dourados, para em seguida retorcer de leve os lábios finos, como se tivesse mordido um pedaço farinhento da maçã.

Apenas saia da carruagem, alertou uma vozinha na cabeça de Tella. *Ele é mais perigoso do que parece.* Só que Donatella não estava disposta a ser intimidada por um rapaz tão insolente que não tirava o cabelo dos olhos de vermelho-sangue. Odiava quando usavam a riqueza ou o título de nobreza como desculpa para tratar mal os outros: isso a fazia lembrar demais do pai. E a carruagem já estava levantando voo, ascendia mais no céu da noite a cada batida acelerada do coração de Tella.

– Você deve ser um dos artistas de Lenda – disse o jovem com o que talvez fosse uma risada, mas o ruído foi cruel demais para Tella ter certeza disso. Ele se espichou naquele espaço íntimo, fazendo a carruagem ficar com um cheiro azedo de maçã e de irritação. – Será que você pode matar uma curiosidade minha? – prosseguiu. – Ouvi dizer que os artistas de Lenda nunca morrem de verdade. Então estou pensando em empurrar você da carruagem, para ver se os boatos são verdadeiros, que tal?

Donatella não sabia se a ameaça do rapaz era séria, mas foi tão tentador que ela não se segurou e disse:

– Não se eu empurrar você primeiro.

Isso lhe rendeu um esgar, mostrando covinhas que poderiam ser encantadoras. Mas, sabe-se lá como, conseguiam ser rudes, como uma pedra preciosa reluzente no cabo de uma espada de dois gumes. Tella não conseguia definir se achava os traços do rapaz afilados demais para serem atraentes ou se ele tinha exatamente o tipo de beleza que doía só de olhar, um tipo encantador e arrasador, daqueles que passam a faca na garganta da pessoa enquanto ela está absorta, fitando seus olhos frios de relâmpago.

– Cuidado, meu bem. Você até pode ser convidada da imperatriz, mas muitos na corte dela não são tão complacentes quanto eu. E olhe que não sou nem um pouco complacente.

Nhac. Dentes afiados deram mais uma mordida na maçã branca, e então o rapaz a deixou cair da mão. A fruta rolou e foi parar perto dos sapatinhos de Donatella.

A garota chutou a maçã de volta para o rapaz e fingiu que não estava nem um pouco receosa de que ele concretizasse a ameaça. Chegou até a virar a cara e ficar olhando pela janela enquanto a carruagem deslizava pelo céu da cidade. Deve ter funcionado: de canto de olho, Donatella viu que ele fechara os olhos enquanto passavam pelos famosos bairros de Valenda.

Alguns distritos eram mais famigerados do que outros, como o Bairro das Especiarias. Segundo boatos, era possível encontrar ali itens deliciosamente ilícitos. Ou o Distrito dos Templos, onde eram praticadas diversas religiões – parece até que havia uma Igreja de Lenda.

Estava escuro demais para conseguir ver direito, mas Tella continuou observando até a carruagem começar a descer para pousar no palácio. Só aí ela conseguiu vislumbrar mais do que as luzes fracas das estrelas que brilhavam no céu.

Tudo o que ela conseguiu pensar foi: *Os livros de histórias mentiram.*

Donatella nunca ligou para castelos nem para palácios. Das duas, Scarlett era a irmã que fantasiava ser resgatada por um nobre rico ou um jovem rei e levada para uma fortaleza de pedra bem remota. Para Scarlett, castelos eram bastiões de segurança que ofereciam proteção. Tella os via como prisões requintadas, perfeitas para observar, controlar e punir. Para ela, eram como versões maiores do palacete sufocante do pai em Trisda, não passando de gaiolas disfarçadas.

Mas, à medida que o cocheiro ia descendo, bem devagar, Donatella questionou se seu juízo sobre essas construções não fora apressado.

Sempre imaginara os castelos como coisas feitas de pedra cinza, com corredores embolorados e abafados. Mas o palácio coberto de pedras preciosas de Elantine ateava fogo à noite, feito um tesouro roubado da caverna de um dragão.

Pensou ter ouvido o jovem nobre soltar um riso de deboche, talvez por causa das expressões de encantamento que não saíam do rosto dela. Mas Tella nem ligou. Na verdade, tinha pena do rapaz, por não conseguir apreciar aquela beleza.

O palácio de Elantine ficava no topo do monte mais alto de Valenda. Bem no meio, a famosa torre dourada ardia como um farol, em tons de cobre e coral em brasa. Era régia e reta até quase o topo, onde arcos formavam uma coroa, em uma perfeita reprodução da Torre Perdida dos Baralhos do Destino. Tella segurou a respiração. Era a construção mais alta que já vira na vida e, de certa forma, parecia viva. Reinava como um monarca que não envelhece, presidindo cinco alas compostas por arcos cravejados de pedras preciosas que partiam da torre e pareciam as pontas de uma estrela. E Tella viveria dentro daquela estrela por uma semana.

Não se sentia mais tão exausta e quase pulou do assento quando o cocheiro finalmente pousou. O nobre insolente a ignorou quando ela ultrapassou a porta da carruagem e entrou no pavilhão cavernoso.

Tella achou que era a última a chegar. Só ouviu o ruído pesado das roldanas que movimentavam as linhas de carruagens. Não viu nenhum dos artistas de Lenda nem a irmã. Mas, entre as fileiras de carruagens que balançavam, havia diversos guardas de armadura e sem expressão.

Um dos guardas imitava cada movimento que Tella fazia, e o tilintar de sua armadura a seguiu quando ela saiu do meio das carruagens e entrou nos jardins luxuriantes da imperatriz. Os artistas de Lenda podiam até ser convidados de Elantine. Mas, enquanto passava pelos jardins de pedra gastos pelo tempo, com suas elaboradas topiarias, Donatella de repente teve a impressão de que a imperatriz não confiava nos visitantes. Tella ficou imaginando por que Elantine havia convidado o grupo para se hospedar no palácio e se apresentar em seu aniversário.

Ouvira dizer que a Imperatriz Elantine havia sido uma jovem rebelde. Saía escondido do palácio e ia para o proibido Bairro das Especiarias. Fingia ser plebeia para viver todo tipo de aventura escandalosa e escapadas românticas. Infelizmente, durante boa parte da vida de Tella, a imperatriz já era conhecida por ser bem menos ousada. Talvez o convite para os artistas de Lenda se hospedarem ali fosse uma maneira de ser impulsiva novamente. Mas Tella duvidava disso: governar pelo tempo que Elantine comandava o império não permitia ter esse tipo de atitude impensada.

Sabe-se lá como, o interior do palácio era ainda mais magnífico do que a fachada brilhante de pedra preciosa. Tudo era absurdamente grande, como se os Arcanos tivessem construído o palácio só para exibir todo o poder que tinham para, depois, abandoná-lo. O chão reluzente de lápis-lazúli refletia a passagem de Tella conforme ela passava por colunas de quartzo azul maiores do que um carvalho e lampiões a óleo cristalinos do tamanho de uma pessoa.

Subindo e descendo pela enorme escadaria de mármore, criados esvoaçavam feito rajadas de flocos de neve. Mais uma vez, Tella não viu nem sinal da irmã ou dos outros artistas.

— Seja bem-vinda. — Uma mulher vestida em um tom orgulhoso de azul ficou diante de Tella e declarou: — Sou a governanta-chefe da ala de safira.

— Donatella Dragna. Vim com os artistas de Lenda e receio que esteja um pouco atrasada.

— Eu diria que a senhorita está muito atrasada — retrucou a governanta. Mas disse isso com um sorriso, o que fez Tella se sentir um pouco mais aliviada enquanto a mulher conferia a lista que tinha em mãos, cantarolando baixinho. Até que, lentamente, o som agradável foi diminuindo e parou.

O sorriso da governanta desapareceu em seguida.
- A senhorita poderia repetir seu nome?
- Donatella Dragna.
- Vejo uma Scarlett Dragna.
- É minha irmã.

A mulher tirou os olhos da lista e olhou de relance para o guarda que havia seguido Tella quando ela entrou no palácio.
- Sua irmã pode até ser uma convidada bem-vinda. Mas receio que a senhorita não esteja na minha lista. Tem certeza de que foi convidada?

8

Não. Tella não fora convidada para se hospedar no palácio. Mas, se Scarlett estava na lista, Donatella também deveria estar. Lenda estava lhe pregando uma peça. Ele deve ter tirado o nome dela da lista de convidados depois que ela conversou com Nigel.

A garota respirou fundo, recusando-se a ficar nervosa, mas achou que todos os criados daquela ala do palácio conseguiam ouvir seu coração batendo forte. Seria muito simples o guarda que a acompanhou até ali atirá-la ao relento. Ninguém nem perceberia logo de cara, dada a frequência com que Tella desaparecia de livre e espontânea vontade. E já havia se separado de Scarlett, bem como de todo mundo que conhecia em Valenda, lá no cais.

— Minha irmã está hospedada aqui. Posso dormir no quarto dela.

— Isso seria inaceitável — respondeu a governanta, com um tom ainda mais duro.

— Não entendo por que isso teria importância. Muito pelo contrário: minha irmã até iria preferir.

— E quem é sua irmã? Por acaso é uma monarca que dispõe de um quinto do mundo na palma da mão?

Donatella se segurou para não dizer nada que só a faria ser expulsa ainda mais rápido.

— E nas outras alas? — perguntou com toda a doçura. — Deve haver um quarto vago neste palácio tão grande.

– Mesmo que houvesse, seu nome não está na lista. Sendo assim, você não pode se hospedar aqui.

Ao ouvir isso, o guarda se aproximou, e sua armadura ecoou pelo saguão requintado.

Tella precisou reunir todas as forças para não erguer a voz. Então forçou seus lábios a tremerem e os olhos a ficarem lacrimejantes.

– Por favor, não tenho para onde ir – implorou, torcendo para que aquela mulher tivesse um coração escondido debaixo do vestido engomado. – Encontre minha irmã e me deixe ficar com ela.

A governanta espremeu os lábios, examinando Donatella em todo o esplendor de sua humilhação, e falou:

– Não posso permitir que você fique hospedada aqui, mas talvez haja um catre livre ou um cantinho na ala dos criados.

O guarda à espreita de Tella soltou uma risadinha disfarçada.

O coração da garota ficou ainda mais apertado. *Um cantinho na ala dos criados?*

– Com licença.

A voz grave vinha bem atrás dela, um som áspero que roçou em sua nuca.

Sentiu um frio absurdo na barriga. Só existia uma pessoa cuja voz era capaz de fazer isso com Tella.

Como quem não quer nada, Dante apareceu do lado dela. Uma silhueta de um breu asa-de-corvo profundo, do fraque escuro perfeito às tatuagens que cobriam as mãos. A única luz vinha do brilho em seus olhos, um brilho de quem está achando graça.

– Algum problema com suas acomodações?

– Problema nenhum. – Tella tentou convencer as próprias bochechas a não ficarem coradas de vergonha e torceu para que o rapaz não tivesse ouvido a conversa com a governanta. – É só uma pequena confusão, mas já foi resolvida.

– Que alívio. Pensei ter ouvido a governanta dizer que ia colocar você na ala dos criados.

– Só se tivermos lugar sobrando – retrucou a mulher.

Donatella poderia ter ficado verde, de tão mortificada, e se camuflado no chão de lápis-lazúli. Mas, para seu choque, Dante, que gostava de rir da cara dela, nem sequer ergueu o canto dos lábios para esboçar um sorriso. Pelo contrário: voltou toda a força de seu olhar brutal para a governanta.

– Você sabe quem é esta jovem?

– Como? Quem é você?

– Eu supervisiono todos os artistas de Lenda. – A voz de Dante tinha um tom mais arrogante do que de costume. O tipo de tom que tornava impossível Tella discernir se ele estava dizendo a verdade ou inventando uma mentira. – É melhor a senhora não colocá-la na ala dos criados.

– E por quê? – perguntou a governanta.

– Ela é noiva do herdeiro do trono do Império Meridiano.

A mulher franziu o cenho, juntando as sobrancelhas em uma expressão desconfiada. Donatella poderia ter feito a mesma coisa. Mas, imediatamente, disfarçou sua surpresa com uma expressão de altivez que, em sua cabeça, a noiva do herdeiro do trono faria.

É claro que Tella nem sequer sabia quem era o atual herdeiro do trono. Elantine não tinha filhos e seus sucessores eram assassinados com tanta rapidez que nem dava tempo de as notícias chegarem a Trisda, onde a garota morava. Mas Donatella não ligava para quem fosse seu falso noivo, desde que isso impedisse que ela dormisse em um cantinho qualquer.

Infelizmente, a governanta ainda parecia cética.

– Não sabia que Vossa Alteza tinha uma nova noiva.

– É segredo – respondeu Dante, sem hesitar. – Creio que ele pretende comunicar o noivado na próxima festa. Por isso recomendo que você não comente nada com ninguém. Tenho certeza de que já ouviu falar do temperamento de Vossa Alteza.

A mulher ficou rígida. Em seguida, tirou os olhos de Dante e dirigiu o olhar para Tella. Era óbvio que não acreditava em nenhum dos dois, mas o medo do temperamento do herdeiro do trono deve ter falado mais alto que o bom senso.

– Vou verificar mais uma vez se temos algum quarto disponível. O palácio está lotado, por causa da comemoração. Mas talvez alguém que estávamos esperando não tenha vindo.

No instante em que ela saiu, Dante se virou para Tella e se aproximou até ficar bem perto, para que os criados curiosos não pudessem ouvi-lo dizer:

– Não precisa me agradecer agora.

Tella pensou que devia, sim, um pouco de gratidão ao rapaz. Só que aquela interação a fez ficar com a forte sensação de que o artista estava lhe fazendo o contrário de um favor.

– Não consigo distinguir se você acabou de salvar minha pele ou se me meteu em uma situação ainda mais infeliz.

– Consegui um quarto para você ficar, não consegui?

– E também me deu um noivo de temperamento explosivo.

Dante ergueu um dos cantos dos lábios carnudos e falou:

– Prefere fingir que é minha noiva? Cheguei a pensar em dizer isso, mas achei que não seria a melhor opção, já que... O que foi mesmo que você disse para sua irmã? – Ele então tamborilou o dedo no próprio queixo lisinho e completou: – Ah, sim, que me beijar foi horrível, um dos piores beijos da sua vida, algo que com certeza você jamais repetiria.

Tella sentiu que a cor se esvaiu de seu rosto. *Por todas as deusas!* Dante era absolutamente desavergonhado.

– Você estava me espionando!

– Não precisei fazer isso. Você falou alto.

Donatella pensou em responder que não estava falando sério – *Dante devia saber que ela não tinha falado sério* –, mas alimentar o convencimento daquele rapaz era a última coisa que ela queria.

– Então isso foi uma vingança? – perguntou.

Ele se aproximou ainda mais. Tella não conseguiu discernir se o bom humor se esvaíra de seus olhos ou se tinha apenas se transformado em algo mais profundo, mais obscuro e um pouco mais perigoso. Dante roçou os dedos de propósito nas clavículas de Donatella, que ficou sem ar. Mas não se afastou, mesmo quando o artista aproximou tanto os olhos dos dela a ponto de sentir o bater das pestanas de Dante.

– Digamos apenas que agora estamos quites.

Dante aproximou os lábios dos cantos da boca de Donatella.

E aí, segundos antes de encostar, afastou-se e falou:

– Não quero repetir algo que foi tão desagradável para você.

Sem dizer mais uma palavra, foi embora, sacudindo os ombros largos, como se estivesse dando risada.

O sangue de Tella ferveu. Depois do que Dante acabara de fazer, os dois estavam longe de estar quites.

A governanta voltou vários segundos depois, segundos esses nos quais o coração da garota bateu acelerado, com um sorriso mais tenso do que pontos recém-feitos.

– Parece que temos uma suíte disponível na torre dourada de Elantine.

Donatella segurou um suspiro de assombro. Talvez Dante tivesse mesmo lhe feito um favor, no fim das contas.

A torre dourada de Elantine ficava perto das várias ruínas da cidade e era a construção mais antiga do Império. Diziam que tinha paredes feitas de ouro maciço e todo tipo de passagem secreta para que os monarcas pudessem sair do castelo escondidos. E muita gente acreditava que não era apenas uma réplica da Torre Perdida dos Baralhos do Destino, mas a torre em si, que escondia uma magia adormecida.

– Normalmente, não permitimos que visitantes se hospedem na torre – explicou a governanta, enquanto levava Tella da ala de safira até um pátio de vidro.

No pátio, grupos de pessoas vestidas com elegância circulavam sob os arcos opalescentes, entre as árvores de cristal de folhas prateadas. Como não conhecia a cultura do palácio, já que crescera em uma ilha conquistada que não merecia o menor respeito, a garota ficou em dúvida se essas pessoas faziam parte da corte de Elantine ou eram os outros convidados que a governanta havia mencionado.

– Você não pode receber ninguém – prosseguiu a mulher. – Nem mesmo seu noivo pode entrar no quarto.

Tella poderia ter respondido que nem sonhara em permitir que um rapaz entrasse em seu quarto. Mas era melhor não acumular muitas mentiras, senão a coisa toda poderia desmoronar.

No fim do pátio, havia apenas um conjunto de portas que dava acesso à torre dourada, tão grandiosas e pesadas que eram necessários três sentinelas para abrir cada uma delas. Donatella só percebeu que o guarda do pavilhão das carruagens ainda a seguia quando o homem ficou parado do lado de fora e ela e a governanta entraram. Das duas, uma: ou a notícia do "noivado" de Tella já havia se espalhado pelo palácio ou a governanta-chefe era de fato tão importante quanto a mulher achava que era. Tella torceu para que a segunda alternativa fosse verdadeira, pois sabia que, no instante em que o herdeiro imperial descobrisse a artimanha, certamente seria denunciada e expulsa do palácio – ou coisa pior. Então decidiu que, até que isso acontecesse, se divertiria com aquela farsa.

Ao contrário do que diziam as histórias, o interior da torre não era de ouro: era velho. Até o ar tinha um cheiro arcaico, repleto de histórias esquecidas e palavras que caíram em desuso. Os pilares do térreo eram de pedra envelhecida, com colunas rachadas e capitéis decorativos esculpidos em forma de mulheres de duas caras. Tudo isso recebia a iluminação de tochas escuras e crepitantes que soltavam um aroma de incenso e de feitiços.

Partindo daí, a governanta a guiou, subindo por andares e mais andares rangentes, um mais velho do que o outro. A porta diante da qual finalmente pararam parecia tão envelhecida que Tella imaginou que bastaria encostar nela para que se soltasse das dobradiças.

Não é para menos que ninguém fica hospedado aqui.

– Um guarda ficará de vigia do lado de fora da porta o tempo todo. – A governanta tocou a sineta que levava pendurada no pescoço, convocando um sentinela que usava uma impressionante armadura de metal branco. – Odiaria que algo acontecesse com você, já que é noiva do herdeiro do trono!

– Por algum motivo não acredito nisso – disse Tella.

A governanta tornou a sorrir, e seu sorriso foi se espalhando pelo rosto lentamente, feito uma mancha.

– Pelo menos, você é mais esperta do que aparenta ser. Mas, se realmente estiver noiva do herdeiro do trono, não são os guardas de Vossa Majestade que deve temer.

– Na verdade, não acredito em temer coisa nenhuma.

Tella fechou a porta, deixando a mulher sozinha no corredor antes que pudesse fazer mais algum comentário maldoso ou que ela mesma soltasse mais comentários que não deveria fazer.

Indispor-se com os criados não era uma atitude inteligente. Claro, tampouco era prudente mentir que estava noiva do herdeiro do trono. Ela precisava se vingar de Dante por essa.

Só que o rapaz fizera a gentileza de arrebanhar uma suíte fantástica para Tella. A torre até podia ser uma relíquia, mas os aposentos eram maravilhosos.

O luar inundava o ambiente através das janelas, lançando um brilho de sonho em tudo. Alguém já havia deixado uma travessa de guloseimas de boa-noite em cima de uma das graciosas mesas de vidro da saleta. Tella pegou um biscoito em forma de estrela enquanto passava pelas duas lareiras de pedra branca e entrava no quarto suntuoso revestido de carpetes azul-violeta. Da mesma cor das pesadas cortinas que pendiam da convidativa cama de dossel. A garota teve vontade de desmoronar em cima dela e dormir até resolver todos os seus problemas.

Mas, primeiro, precisava escrever para Scarlett e avisar que estava...

Duas vozes se atropelaram, vindas de um canto.

Tella dirigiu o olhar para uma porta entreaberta em uma reentrância do quarto, que devia dar no quarto de banho.

Ouviu os cochichos novamente. Criadas, que talvez não soubessem que Donatella já estava lá. Uma das vozes era leve e alegre; a outra, caridosa e suave. Donatella pensou que estava ouvindo a conversa entre um passarinho e um coelho rechonchudo.

— Sinceramente, tenho pena dela — disse a garota-coelho.

— Por acaso você está dizendo que não gostaria de ser noiva do herdeiro do trono? — chilreou a criada-passarinho. — Já viu a cara dele?

— Não quero nem saber que cara ele tem. É um assassino. Todo mundo sabe que havia dezessete pessoas na linha de sucessão entre ele e a Imperatriz Elantine. E aí, um por um, todos os demais herdeiros do trono morreram, e de formas horríveis.

— Mas isso não significa que o atual herdeiro matou todas essas pessoas.

— Não sei, não — murmurou a coelha. — Ouvi dizer que ele nem é da linhagem nobre, mas matou tanta gente que o verdadeiro herdeiro não quer se apresentar.

— Como você é ridícula, Barley! — A garota-passarinho grasnou uma risada. — Você não deveria acreditar em todos os boatos que ouve.

— E o que dizem de ele ter matado a última noiva?

As criadas se calaram de repente.

Nesse silêncio tenso, Tella pensou ter ouvido a risada rouca do Ceifador da Morte. Um ruído parecido com o raspar de um metal enferrujado serrando um osso. Exatamente o mesmo barulho que a cumprimentou quando pulou daquela terrível sacada durante o Caraval. Um desejo macabro de boas-vindas a um reino pavoroso. E aquilo servia para lembrá-la, de um jeito arrepiante, que já fora possuída pelo Ceifador e que ele a queria levar de volta para os braços da Morte.

Tella ia matar Dante. Lentamente. Com as próprias mãos.

Ou, quem sabe, pudesse matá-lo com as luvas — amarraria os acessórios de cetim no pescoço do rapaz — e então usaria as mãos nuas para terminar o serviço. Aquele desgraçado taciturno não lhe dera apenas um noivo de temperamento terrível: escolhera um assassino. Donatella até poderia admirar um plano de vingança mesquinho tão bem arquitetado se não fosse objeto dele.

9

Na manhã seguinte, quando saiu da cama, Tella continuou pensando em diferentes maneiras de prejudicar Dante ou de fazê-lo passar vergonha. Poderia encontrá-lo à noite, no baile que dava início ao Caraval, e derramar, por "acidente", vinho em cima dele. É claro que, como ele era fã de roupas pretas, isso poderia ser um desperdício de vinho. E, muito provavelmente, só faria Donatella passar por estabanada.

Outra opção seria deixar o artista com ciúme, aparecendo deslumbrante no baile, de braço dado com algum outro rapaz bonito. Só que Tella duvidava que teria tempo para encontrar um jovem bonito para acompanhá-la ao baile. Além disso, deixar Dante com ciúme era para ser a última de suas preocupações.

Precisava se concentrar em encontrar o amigo antes da meia-noite e convencê-lo a lhe dar mais uma semana de prazo, o tempo para participar do Caraval e descobrir o verdadeiro nome de Lenda.

E, aí, veria a mãe de novo.

Fazia muito tempo que não a via... Donatella não conseguia mais recordar da voz de Paloma, mas sabia que era doce e ao mesmo tempo forte. Às vezes sentia tanta falta da voz da mãe que só queria ouvi-la de novo, mais do que tudo.

— Senhorita Dragna? — Um sentinela bateu na porta com força. — Chegou um pacote.

— Só um minutinho.

Tella procurou seus baús, porque precisava trocar de roupa. Mas, pelo jeito, estavam perdidos ou não permitiram que entrassem na torre. Só tinha em mãos o bauzinho feio que trouxera consigo do navio e não havia colocado nenhuma roupa limpa dentro dele.

A jovem abriu a porta assim que terminou de colocar o vestido que usara no dia anterior.

O rosto inteiro do guarda estava escondido atrás de uma caixa branca perolada, da altura de um bolo de casamento, arrematada com um laço de veludo exagerado, grosso como glacê.

– Quem enviou? – perguntou Tella.

– Está no cartão.

O guarda colocou a caixa em cima de um divã capitonê, em um tom de luz de farol.

Assim que ele se foi, Donatella tirou da caixa um envelope de pergaminho transparente. Sua pele não formigou, sinalizando presença de magia, mas algo lhe parecia *estranho*. Apesar de todo o pacote ser branco como beijos castos e intenções puras, ela teve a impressão de que a saleta escureceu assim que o presente entrou no quarto. O brilho do sol não se esparramava mais através da janela, deixando uma penumbra que lançava tons de verde da desconfiança em toda aquela mobília elegante.

Tella abriu o envelope com todo o cuidado. O cartão estava escrito com uma letra forte, em tinta preta.

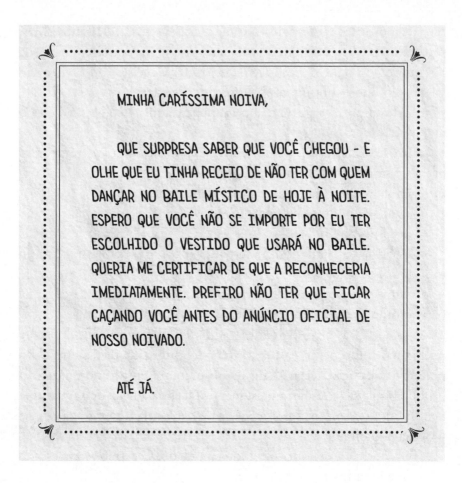

> MINHA CARÍSSIMA NOIVA,
>
> QUE SURPRESA SABER QUE VOCÊ CHEGOU – E OLHE QUE EU TINHA RECEIO DE NÃO TER COM QUEM DANÇAR NO BAILE MÍSTICO DE HOJE À NOITE. ESPERO QUE VOCÊ NÃO SE IMPORTE POR EU TER ESCOLHIDO O VESTIDO QUE USARÁ NO BAILE. QUERIA ME CERTIFICAR DE QUE A RECONHECERIA IMEDIATAMENTE. PREFIRO NÃO TER QUE FICAR CAÇANDO VOCÊ ANTES DO ANÚNCIO OFICIAL DE NOSSO NOIVADO.
>
> ATÉ JÁ.

O cartão não estava assinado, mas Tella sabia quem havia enviado. *O sucessor de Elantine.* Pelo jeito, ele tinha espiões espalhados pelo palácio.

Nada de bom poderia vir disso.

Com os dedos suados, Donatella levantou a tampa da caixa, meio esperando encontrar uma mortalha ou outro modelito igualmente monstruoso. Mas, para sua total surpresa, o vestido não era ameaçador. Longe disso: parecia uma fantasia nascida das lágrimas de um jardim.

A saia era extravagante e bem volumosa, formada por enormes espirais de peônias azuis, em um tom de chuva torrencial. Peônias de verdade, que encheram o ar com uma fragrância doce e fresca. Cada flor era única, tanto em suas sutis diferenças de tom quanto no tamanho. Algumas ainda estavam fechadas, em brotos cor de hortênsia: ainda não estavam prontas para encarar o mundo. Outras já haviam desabrochado em uma explosão de pétalas cheias de vida. Donatella se imaginou dançando e deixando uma trilha de pétalas azuis atrás de si.

O corpete tinha uma aparência ainda mais etérea, em um tom de azul muito claro, quase transparente. A parte da frente tinha um intrincado bordado de miçangas cor de safira que davam voltas e mais voltas, como colares, e pendiam nas costas, que ficavam nuas.

Ela nem sequer deveria ter aventado a possibilidade de usar aquele vestido.

Mas era um modelito tão magnífico, digno da realeza... Tella imaginou a cara que Dante faria quando ela surgisse no baile vestida como uma verdadeira noiva do herdeiro do trono.

Poderia ser a vingança *perfeita*.

Donatella releu o cartão que acompanhava o vestido. Só de saber que o herdeiro do trono o havia enviado dava a impressão de que o traje era uma ameaça. Mas nada naquele cartão era de fato ameaçador. As palavras do sucessor de Elantine davam mais impressão de curiosidade do que qualquer outra coisa – talvez ele tivesse ficado impressionado com a audácia de Tella, por ter inventado que era sua noiva, e só queria conhecê-la pessoalmente. A garota ainda tinha a sensação de que seria arriscado usar aquele vestido. Mas, como gostava de dizer para a irmã, segurança não é tudo na vida.

Mesmo assim Donatella chegou a considerar que, desta vez, estivesse se arriscando demais.

Logo depois de pendurar o vestido, outro guarda bateu à porta e entregou uma carta enviada por Scarlett.

Minha querida Tella,

Fiquei tão aliviada de saber que você conseguiu chegar em segurança ao palácio. E fiquei bem surpresa quando descobri que você foi colocada na torre dourada: mal posso esperar para você me contar como foi que isso aconteceu!

Espero que você não se importe, mas combinei de passar a tarde com Julian. Ainda pretendo ir para o Baile Místico que dá início ao Caraval com você. A gente se encontra no jardim de pedra, na frente do pavilhão das carruagens, uma hora antes da meia-noite.

Com amor,
Scarlett

Donatella ficou mais preocupada com essa carta do que com a missiva do herdeiro do trono, e isso não estava certo. Mas havia quase esquecido que pedira para a irmã participar do jogo fazendo dupla com ela. Fizera esse pedido antes de ficar sabendo que precisava encontrar o amigo no baile.

Tella se encostou na cama, desanimada. Aquilo complicaria tudo.

A menos que confessasse todos os seus segredos para Scarlett.

Era uma ideia apavorante. Sua irmã mais velha não ficaria nem um pouco feliz de descobrir que fora enganada por Armando durante o Caraval. Nem que Tella andava procurando pela mãe das duas. E Donatella não conseguia sequer imaginar o que Scarlett iria achar de seu falso noivo. Mas Scarlett era a pessoa mais companheira que Tella conhecia: ficaria chateada, mas isso não a impediria de ajudar a irmã mais nova a vencer o jogo.

E Tella precisava vencê-lo.

10

Tanto o breu da noite quanto sua amante, a lua, já haviam dado as caras quando Tella chegou ao jardim de pedra iluminado pelas estrelas onde deveria encontrar Scarlett para dar início à grandiosa aventura das duas.

O Baile Místico no Castelo de Idyllwild marcava o início oficial do Caraval. Mas, na mesma noite, haveria comemorações espalhadas por toda a cidade. Em cada uma delas, seriam distribuídos os primeiros conjuntos de pistas, para que pessoas de toda a Valenda pudessem participar do jogo.

Até o ar zunia de tanta expectativa e empolgação. Donatella conseguia senti-lo lambendo sua pele, como se também quisesse beber de suas emoções frenéticas.

Tella não era uma pessoa ansiosa. Gostava da emoção que sentia quando corria algum risco. Adorava a sensação de fazer algo tão ousado que seu futuro ficava sem ar: fechava os olhos e se deleitava com a emoção de ter tomado uma decisão que tinha o poder de alterar o curso da própria vida. Era o mais próximo que chegava de experimentar o verdadeiro poder.

Mas a garota também sabia que nem toda aposta vale a pena.

Passara o dia inteiro pensando nisso enquanto bisbilhotava as instalações do palácio, em uma tentativa vã de encontrar as supostas passagens secretas. Tinha quase certeza de que a noite iria transcorrer de acordo com o que planejara. Scarlett compreenderia quando confessasse todos os seus segredos. O amigo lhe daria uma semana a mais para participar do jogo e descobrir o verdadeiro nome de Lenda, dando a Tella a oportunidade de apagar o terrível futuro previsto pelo Aráculo para, por fim, descobrir quem a mãe realmente era e por que fora embora, tantos anos atrás.

Donatella tivera sucesso em tramas muito mais complicadas e, mesmo assim, não conseguia se livrar do crescente pressentimento de que todos os planos estavam prestes a dar errado.

Passou os dedos na moeda sem sorte escondida no bolso. O amigo havia dito que conseguiria encontrá-la desde que Tella estivesse com ela. E a jovem pensou que o homem talvez já estivesse no Castelo de Idyllwild procurando por ela.

Era possível que o herdeiro do trono também estivesse procurando por ela.

Tella riu, de nervoso. Definitivamente, estava se preocupando sem motivo, mas, pelo menos, logo estaria na companhia da irmã.

Ao longe, um sino dobrou, anunciando que eram 23h15. Faltava menos de uma hora para o início oficial do Caraval. Donatella estava ficando sem tempo.

O amigo queria que ela estivesse na festa antes da meia-noite.

Mas nem sinal de Scarlett...

Algumas pétalas azuis tom de chuva torrencial se derramaram do vestido desabrochante quando Tella percorreu, incomodada, o jardim com os olhos, na esperança de avistar um dos vestidos cor de cereja da irmã. Mas as estátuas imóveis eram sua única companhia.

De acordo com as lendas, as estátuas do jardim de pedra de Elantine, em algum momento do governo indomável dos Arcanos, foram pessoas de verdade. Em sua maioria, eram criados externos que estavam cumprindo seus deveres – podando arbustos, colhendo flores e varrendo as trilhas – quando, sem ter culpa de nada, foram transformadas em pedra. Diziam que isso fora obra da Rainha Morta-Viva. Pelo jeito, ela achava que as esculturas disponíveis naquele momento não eram realistas o suficiente e pediu para outro Arcano transformar um grupo de criados em estátua.

Tella observou os olhos de pedra arregalados de uma jovem criada e pensou que o pânico da garota era um reflexo de seu próprio pânico.

Scarlett não era de se atrasar.

A menos que não fosse aparecer ou algo tivesse acontecido com ela.

A garota foi até o final do jardim, nervosa, e esticou o pescoço para conseguir enxergar além da cerca viva que ladeava o caminho de volta ao palácio. Poderia ter começado a percorrer esse caminho para tentar encontrar a irmã, mas já havia outra pessoa ali.

Dante.

Tella, que já estava com frio na barriga de tanta ansiedade, sentiu um arrepio ainda maior.

O rapaz havia trocado as roupas pretas que costumava usar, por um traje cinza-nunca-mais, lembrando o corvo do famoso poema. Mas as botas de cano alto e o lenço de seda amarrado no pescoço eram de tons escuros de fumaça preto-azulada, combinando com as espirais tatuadas em seus dedos, que não estavam de luvas. Parecia uma tempestade que acabara de acordar ou um lindo pesadelo que havia se tornado realidade só para poder assombrá-la pessoalmente.

Donatella chegou a pensar em correr e se esconder atrás de uma das estátuas. Era para Dante avistá-la no baile, de longe. Era para Dante ficar embasbacado com seu vestido extravagante. Era para Dante ficar com ciúme, quando a avistasse flertando com outro homem. Não era para Dante vê-la parada sozinha e nervosa no jardim.

Torceu para que o rapaz passasse reto pelas estátuas sem notar sua presença. Mas o olhar de Dante já a havia encontrado. Apoderou-se de Tella feito um par de mãos, como se segurasse sua cintura, fazendo-a ficar parada no mesmo lugar enquanto ele se aproximava. Os olhos profundos do jovem foram percorrendo o corpo de Donatella com toda a calma, do cabelo solto à fita amarrada no pescoço, onde se demoraram por um segundo e escureceram, antes de baixar para examinar o restante.

Tella não era de ficar corada, mas sentiu uma onda de cor subindo pelas suas bochechas.

Dante ergueu os olhos e lhe deu um sorriso de estrela caída.

– Você deveria se vestir de flores sempre.

Alguns dos botões de peônia mais tímidos do vestido finalmente desabrocharam, e Tella olhou nos olhos de Dante, dando um de seus sorrisos mais resplandecentes.

– Não estou vestida de flores para você. Esse traje foi um presente de meu noivo.

O artista franziu o cenho, mas não de ciúme, como Tella esperava. O rapaz olhou para o vestido como se fosse uma coisa imunda e, em seguida, olhou para Donatella como se ela tivesse ficado completamente louca.

— Você precisa tomar mais cuidado com o que diz.

— Por quê? Por acaso você está com ciúme e tem medo que outra pessoa além da governanta acredite de fato em mim? Ou ficou nervoso de repente, porque o herdeiro de Elantine, o noivo que *você* arranjou para mim é um monstro assassino que pode me matar por eu ter inventado que sou noiva dele?

Antes que Dante tivesse tempo de responder, Donatella passou voando por ele, seguindo a trilha que levava ao palácio e – tomara! – à irmã. Já eram 23h30, e a meia-noite se aproximava rapidamente. Ela precisava...

— Donatella... – Dante a segurou pelo pulso sem deixá-la dar o segundo passo. – Apenas me diga que você não está indo para o Baile Místico no Castelo de Idyllwild.

— Eu estaria mentindo se dissesse isso.

Os dedos de Dante ficaram tensos em volta do pulso de Donatella.

— Há várias outras festas. Você não devia ir a essa.

— Por que não? – A garota se afastou do rapaz e prosseguiu: – Gosto de beber e de dançar e até você reconhece que estou espetacular. – Ela deu um meio rodopio, deixando as pétalas da saia roçarem nas botas engraxadas de Dante.

O artista lhe lançou um olhar tão fulminante que as flores que tinham acabado de roçar nas calças dele voltaram a ser botões.

— O Castelo de Idyllwild é uma propriedade do sucessor de Elantine. Você sabe o que vai acontecer com você se o herdeiro do trono descobrir que anda dizendo que é noiva dele?

— Não, mas pode ser interessante descobrir.

Donatella deu um sorriso travesso.

Uma linha vermelha de frustração começou a subir pelo pescoço de Dante.

— O sucessor de Elantine é uma pessoa desequilibrada: não matou apenas os outros herdeiros do trono, matou todo mundo que, na cabeça dele, poderia atrapalhar sua coroação. Se desconfiar, por um segundo sequer, que você é uma dessas pessoas, vai te matar também.

Tella resistiu ao impulso de se encolher toda e voltar atrás, de medo. Em parte, reconhecia que usar aquele vestido, correndo o risco de chamar a atenção do herdeiro do trono, poderia ser uma péssima ideia. Mas, como a situação incomodava Dante, preferia acreditar que aquilo não era um erro.

— E por acaso tudo isso que acabou de descrever não é exatamente o que você queria que acontecesse quando inventou essa mentira?

Um silêncio se fez, e um vento gelado percorreu o jardim, fazendo Tella se dar conta, de repente, do quanto havia esfriado. Um frio irracional, como se o clima estivesse tomando o partido de Dante e quisesse aconselhar a garota a voltar para o interior do palácio de Elantine.

— Você estava passando ridículo – disse o rapaz, por fim. – Eu queria ajudar, mas também estava chateado com o que você disse lá no navio. Então escolhi a pior pessoa que pude imaginar, sem pensar direito.

Dante não pediu desculpas, mas franziu as sobrancelhas grossas, e seus olhos ficaram com uma expressão murcha, que parecia ser de sincero arrependimento. As pessoas pedem desculpas com muita facilidade, como se isso valesse ainda menos do que aquele vintém que nem têm no bolso. Tella raramente acreditava, mas se deu conta de que acreditava em Dante. Provavelmente, porque era o tipo de coisa que ela também faria.

— Ora, ora, que par interessante.

Armando surgiu no jardim, batendo com sua bengala de prata em diversas das estátuas, que pareciam estar mais amedrontadas.

— O que você quer? – perguntou Dante.

— Eu ia te fazer uma pergunta bem parecida. – O sotaque aristocrático que Armando empregara para desempenhar o papel do conde durante o Caraval fora substituído por uma voz mais rouca. Ele inclinou a cabeça, exibindo o cabelo e a barba perfeitamente aparados, e olhou primeiro para Tella, depois para Dante e falou: – Achei que você estava interessado na irmã pudica.

A mão de Donatella foi acionada por instinto: tomou impulso e deu um tapa na cara de Armando.

— Você não tem o direito de falar da minha irmã. Nunca.

Armando levou a mão enluvada ao rosto, que já estava ficando roxo.

— Gostaria que você tivesse me avisado disso uma hora atrás. Sua irmã bate ainda mais forte do que você.

Tella ficou completamente alarmada e afirmou:

— Você falou com ela.

— Pelo jeito, sua irmã ainda não entendeu direito o conceito de que o Caraval não passa de um jogo. É bonita, mas não muito inteligente.

— Cuidado aí – advertiu Dante. – Eu não vou te dar apenas um tapa.

Os aguçados olhos de esmeralda de Armando brilharam, como se ele tivesse achado graça.

— Você deve gostar mesmo dessa aí. Ou, por acaso, Lenda mandou você seduzi-la, assim como Julian seduziu a irmã dela?

Donatella teve vontade de bater nele de novo, mas Armando já estava voltando por onde viera.

— Só um conselho antes da festa de hoje: não repita os mesmos erros que sua irmã cometeu no último jogo. E é melhor não ficar aí esperando por ela também. – Armando foi se afastando e disse: – Scarlett não ficou nem um pouco feliz de descobrir que eu não era seu verdadeiro noivo. Quando saí de perto dela e do pobre do Julian, a conversa dos dois estava acalorada. Acho que só vai esfriar depois do baile.

— Seu maldito, imundo... – Tella soltou uma série de palavrões nada elegantes, dirigindo-se às costas de Armando, que foi se afastando e sumindo no meio da noite. Sabia que não dava para acreditar em nada durante o Caraval, mas estava convencida de que, mesmo quando não estava atuando, Armando era tão vil quanto os papéis que interpretava. – Vou rezar para os anjos descerem dos Céus e cortarem a língua dele.

Dante olhou para o céu, e Tella jurou que várias estrelas piscaram e deixaram de existir quando o rapaz falou:

— Tenho certeza de que muita gente iria te agradecer por isso.

Donatella ainda estava fervendo de raiva.

— Por que Lenda permite que ele continue fazendo parte do grupo?

— Toda boa história precisa de um vilão.

— Mas os melhores vilões são aqueles que a gente gosta, mas não admite, e vovó sempre falou que Lenda era o vilão do Caraval.

Os lábios de Dante se retorceram, formando uma espécie de sorrisinho irônico.

— É claro que sua avó disse isso.

— Por acaso você está dizendo que ela mentiu?

— Das duas, uma: todo mundo quer ser de Lenda ou quer ser Lenda. A única maneira de impedir que meninas inocentes fujam de casa para encontrá-lo é dizer que ele é um monstro. Mas isso não significa que não haja um fundo de verdade.

O sorriso de Dante ficou mais largo e zombeteiro, e os olhos castanho-escuros brilharam quando voltou a dirigi-los a Tella.

Aquele patife estava debochando da cara dela. Ou, talvez, o rapaz fosse o verdadeiro Lenda e não conseguia resistir ao ímpeto de ficar falando que os outros eram completamente obcecados por ele. Dante era belo e arrogante o suficiente para ser o verdadeiro Lenda. Mas Donatella pensou que, na primeira noite do jogo, o Mestre do Caraval teria coisas mais importantes a fazer além de atormentá-la.

Outro sino dobrou ao longe. A meia-noite chegaria dentro de quinze minutos. Se não saísse dali naquele exato momento, Tella se atrasaria para o encontro com o amigo.

Ir correndo atrás de Scarlett não lhe pareceu uma boa ideia: Donatella podia imaginar o quanto a irmã estava chateada depois de ter descoberto que fora enganada por Armando e por todo mundo durante o Caraval. Não queria que ela descobrisse dessa maneira. Só que o amigo já estava no baile e, na carta, havia dito que não ficaria esperando por muito tempo depois da meia-noite.

Donatella não gostava da ideia de abandonar a irmã. Mas achava que Scarlett a perdoaria. E não dava para dizer a mesma coisa do amigo, caso chegasse atrasada.

– Por mais encantador que tenha sido este encontro – disse para Dante –, estou atrasada para uma festa e imagino que você tenha que trabalhar.

Antes que o rapaz tivesse tempo de tentar impedi-la, Donatella fugiu do jardim. Mais estrelas piscaram e deixaram de existir no tempo em que Tella levou para chegar ao pavilhão das carruagens reluzentes, onde um criado a ajudou a entrar em um veículo cor de topázio, que ainda guardava o cheiro do perfume do último passageiro.

Dante entrou na carruagem logo depois dela.

– Que tal parar de me seguir?

– Talvez Armando tenha dito a verdade, pela primeira vez na vida, e o meu trabalho seja seguir você.

O artista se esparramou no assento, de frente para Donatella, e suas pernas compridas praticamente tomaram todo o espaço que havia entre os dois.

– Sabe o que eu acho? Que você quer uma desculpa para passar a noite comigo.

Os lábios de Dante esboçaram um sorriso sarcástico, e ele ficou passando o dedão no lábio inferior, bem devagar.

– Odeio ter que partir seu coração, mas, para mim, garotas são o que, imagino, os vestidos de baile sejam para você: nunca é uma boa ideia usar o mesmo mais de uma vez.

Se Tella pudesse ter expulsado Dante da carruagem e posto o nobre mimado do outro dia em seu lugar, teria feito isso. Mas lhe deu o mais doce de seus sorrisos.

– Que coincidência. Também vejo os rapazes dessa forma.

Dante a olhou nos olhos por um instante e deu risada em seguida, o mesmo som grave e delicioso que sempre a deixava com um frio na barriga e fazia seu estômago roncar.

Tentando ignorá-lo, Tella se virou para a janela enquanto a carruagem se erguia no meio da noite sem luz.

Ela não sabia onde as estrelas tinham ido parar. Mas, em algum lugar entre o jardim e a carruagem, haviam desaparecido, transformando o céu em um mar de escuridão. Um breu de fuligem e...

A noite brilhou.

Em uma fração de segundo, o mundo explodiu em prata.

Donatella lançou um olhar para a janela da carruagem bem na hora em que as estrelas perdidas voltaram. Luzindo ainda mais forte do que antes, dançando e formando novas constelações. Contou mais de uma dúzia, e todas formavam a mesma imagem enfeitiçante: um sol com uma estrela dentro e uma lágrima brilhante dentro da estrela. O símbolo do Caraval.

PRIMEIRA NOITE DO CARAVAL

Certa vez, Tella ouviu dizer que, durante uma outra apresentação, Lenda havia mudado a cor do céu. Mas não achava que o Mestre do Caraval tivesse o poder de subjugar as estrelas.

De acordo com os mitos, estrelas não são apenas luzes distantes, são seres mais antigos do que os Arcanos, tão terríveis e poderosas quanto hipnotizantes e mágicas. E, sabe-se lá como, Lenda fora capaz de manipular todas elas.

– Fico até surpresa por Lenda não fazer isso com o céu todas as noites – comentou Tella.

– Provavelmente faria, se pudesse. – Dante falou com um tom bem objetivo, mas Donatella achou ter visto o brilho de alguma emoção profunda no olhar do rapaz, que se virou para a janela da carruagem e explicou: – A magia pode ser alimentada pelo tempo, por sangue e por emoções. Por causa das esperanças e dos sonhos das pessoas presentes no Caraval, o poder de Lenda chega ao auge durante o jogo. As constelações devem mudar de formação a cada noite. Hoje, os símbolos pairam sobre as diversas festas e bailes que marcam o início do jogo. Mas, amanhã, haverá apenas uma constelação, para guiar os participantes até o distrito onde estará escondido o próximo conjunto de pistas.

Tella podia até não ter participado do jogo oficialmente na edição anterior, mas conhecia as regras básicas. A primeira, que não devia ser esquecida, é que o Caraval não passa de um jogo. É disputado à noite e, no início da competição, todos os participantes recebem a mesma pista, que dá início a uma jornada que os leva até outras pistas e, ocasionalmente, ao prêmio. Scarlett teve que encontrar cinco pistas no último Caraval, e Donatella imaginava que, nesta edição, haveria um número semelhante de pistas.

Mas, primeiro, precisava localizar o amigo.

A carruagem fez um pouso ruidoso. Ou talvez tenha sido o coração de Tella, que bateu mais alto quando ela ouviu a última das doze badaladas que anunciavam a meia-noite.

Disfarçadamente, tirou a moeda sem sorte do bolso e a segurou na mão, torcendo para que o objeto avisasse o amigo que ela havia chegado ao Castelo de Idyllwild bem na hora.

Apertando a moeda, Donatella vasculhou o local com os olhos à procura do amigo, mas não sabia nada a respeito de sua aparência. Só enxergou tochas crepitantes em torno de um castelo mais elevado, que parecia estar encurralado entre uma ruína e uma fantasia. O arenito branco, que já se esfarelava, brilhava sob as constelações temporárias de Lenda, exibindo muralhas ancestrais, balaustradas em ruínas e torres rebuscadas revestidas de ramos de rosas vermelhas com pontas pretas.

A fortaleza cintilante bem que poderia ter sido tirada do sonho de uma garotinha. Mas Tella reparou que o fosso que o cercava continha águas tão turvas que não refletiam as estrelas de Lenda. Ficou em dúvida: será que o exterior fantástico do castelo não passava de uma visão criada pela magia ou será que as estrelas eram um dos truques de ilusionismo de Lenda, e ela caíra direitinho nessa peça pregada pelo Mestre do Caraval?

Tella havia entrado no jogo fazia poucos minutos e já estava questionando o que era ou não real.

Olhou para trás, em direção à água, procurando o amigo ou sinal de algum barco chegando ao castelo. Mas, pelo jeito, a fortaleza só podia ser acessada de uma maneira: por uma ponte estreita com um arco bem alto e uma calçada de pedras que formavam um padrão de losangos.

– Procurando seu noivo? – perguntou Dante.

– Cuidado aí – advertiu Tella. – Está parecendo que você está com ciúme.

– Estou é torcendo para você recobrar a razão. Esta é sua última chance de dar meia-volta. Nosso anfitrião não gosta de facilitar a entrada e a saída das pessoas.

— Que bom que eu gosto de um desafio, então.

— Pelo jeito, finalmente concordamos em alguma coisa.

Dante deu o braço para Tella, como se, assim, aceitasse o desafio sem precisar dizer nada.

— Achei que você não gostasse de usar a mesma garota em duas festas diferentes.

Dito isso, Tella olhou nos olhos dele com ousadia.

O rapaz ficou com um brilho malicioso nos olhos e baixou o tronco. Roçou os lábios quentes no cabelo da jovem, deixando outras partes traidoras do corpo dela com inveja, e disse:

— Faço o que for preciso se meu trabalho exigir.

Seu convencido filho da bruxa.

Donatella deveria ter se afastado de Dante naquele momento. Mas, de perto, a ponte era ainda mais estreita do que parecia e não tinha parapeito — exatamente como a sacada da qual ela havia pulado durante o Caraval. Aquela queda, que a matou.

A garota apertou o braço do rapaz. Torceu para que ele achasse que o gesto era um dos joguinhos que faziam entre os dois. Torceu para que não detectasse nenhum vestígio de pavor quando fizesse a pergunta, porque precisava se distrair antes que suas pernas parassem de funcionar ou que seus pulmões parassem de respirar.

— E agora? O que Lenda quer comigo?

— Não posso te contar.

— Mas pode falar que ele te incumbiu de me seguir?

— Não falei isso, só disse que ele poderia ter incumbido. Talvez você tenha acertado, lá na carruagem, e eu queira passar a noite ao seu lado. Talvez, também ache que você enganou sua irmã quando disse não ter gostado dos beijos que demos lá na floresta e eu pretenda provar que você mentiu.

Dante deu um sorriso tão devasso e avassalador que Tella jurou que até a ponte ficara meio bamba. Mas não podia permitir que esse sorriso a desequilibrasse. Havia muita coisa em jogo naquela noite, e ela já havia beijado aquele rapaz uma vez.

— Mesmo que eu resolva acreditar em você, devo lembrá-lo de que tenho noivo e não estou disposta a traí-lo.

O sorriso glorioso de Dante sumiu no instante em que ela disse "noivo".

Tella deu um sorrisinho amarelo e um tapinha no braço dele, prestes a finalmente se desvencilhar do rapaz, quando subiram na ponte.

Pelos santos mais santos. O ar lhe faltou, engaiolado em sua garganta feito um pássaro. A ponte ficara mais estreita, e Donatella jurou que nunca estivera em um lugar tão alto na vida. Sem parapeito, sem rede nem nada a não ser as águas inclementes para aparar sua queda, caso escorregasse. Esforçou-se para dar mais um passo, mas tudo o que via a deixava tonta, zonza, atordoada. E será que era só com ela ou as tochas que circulavam o Castelo de Idyllwild realmente fediam a enxofre? Parecia que o próprio Ceifador da Morte tinha resolvido atiçar as chamas, só para lembrar, mais uma vez, que estava sempre observando Tella, à espreita, esperando o momento para levá-la de volta.

– Nem pense nisso – advertiu Dante.

– Não vou pular.

– Não era disso que eu estava falando. – O rapaz aproximou os lábios dos ouvidos da garota e completou: – Morri tantas vezes que perdi a conta. E, toda vez, eu tive medo de não conseguir voltar. Até que descobri que a morte se alimenta do medo. Assim como esperanças e sonhos conferem tanto poder a Lenda durante o Caraval.

– Não tenho medo da morte.

Mas, no instante em que pronunciou essas palavras, Tella olhou para baixo e, para seu pavor, viu que seu braço apertara ainda mais o de Dante.

O rapaz deu um tapinha no braço dela de um jeito debochado e arrogante.

Só que Tella não estava disposta a permitir que ele vencesse aquela competição entre os dois, seja lá qual fosse.

– Apenas não sou muito fã de gaiolas – disse ela. – E esse lugar mais parece uma masmorra gigante.

Ele riu, baixinho. Um riso diferente do som espontâneo que ele deixara escapar dentro da carruagem. Donatella não sabia ao certo o porquê. Mas, assim que os dois entraram na festa, teve a sensação de ter descoberto o motivo para Dante ter achado graça de repente.

12

Tella achou que sabia o que poderia esperar do interior do Castelo de Idyllwild.

Já assistira ao Caraval: encontrá-la tinha sido o objetivo da última edição do jogo. Mas, apesar de isso parecer empolgante, a garota foi, na verdade, obrigada a passar boa parte do tempo sentada, feito uma princesa presa em uma torre, esperando que alguém a encontrasse. Saía sem ser vista de quando em quando. Mas entrar de fininho pelas portas dos fundos dos ambientes de jogo do Caraval para, escondida em meio às sombras, espionar a irmã não chegava nem perto do que era ser uma verdadeira competidora e entrar no mundo apetitoso de Lenda com a intenção de ser arrebatada por ele.

Tella não tinha intenção alguma de ser arrebatada. Já passava da meia-noite e precisava encontrar o amigo antes que ele fosse embora. No entanto, a cada passo que dava para adentrar no castelo, ela tinha que lutar contra o impulso de esquecer por que estava ali e simplesmente se deleitar com o jogo.

O ar tinha gosto de maravilha. De asas de borboleta cristalizadas presas em teias de aranha polvilhadas de açúcar e pêssegos ao rum com cobertura de sorte.

Tella se perguntou mais uma vez se o sucessor de Elantine era tão má pessoa quanto diziam. Podia ser que apenas os boatos a respeito do herdeiro do trono é que eram terríveis, espalhados por pessoas com inveja de sua posição. O baile em que ela estava parecia uma festa que a própria Donatella teria organizado. Só que a garota não sabia se essa semelhança, na verdade, dizia algo mais a respeito dela ou a respeito do anfitrião.

Continuou apertando a moeda sem sorte na mão, torcendo para que o amigo ainda estivesse na festa. E, enquanto procurava por ele, não deixou de reparar que cada canto da comemoração era uma profusão de atividades prazerosas.

De onde estava, na entrada em arco do salão de baile suntuoso, parecia que outro Arcano ganhara vida, com explosões de cores felpudas e emplumadas. O Zoológico: uma carta que representa o início de uma nova história ou aventura.

Homens e mulheres com o corpo coberto de penas e a cabeça coroada por minúsculos chifres curvados estavam pendurados no teto, rodopiando e se enroscando em largas tiras de seda dourada ou magenta que pendiam feito serpentinas enormes. No chão, artistas fantasiados com trajes de pelos, mais penas e tinta derramada na pele rondavam e se arrastavam pelo salão, como se fossem quimeras selvagens que fugiram de outro mundo. Tella viu artistas fantasiados de tigre com asas de dragão, de cavalo com rabo bipartido, de cobra com juba de leão e de lobo com chifres de carneiro. Eles rosnavam, mordiscavam e, às vezes, lambiam os calcanhares dos convidados. Nos poucos camarotes, mais baixos, casais sentados em balanços gigantescos que pendiam de dosséis feitos de espinhos e flores eram embalados por homens sem camisa com asas grandes como as dos anjos e das estrelas caídas.

Bem ao lado de Donatella, Dante deu uma risadinha debochada.

Talvez ela tenha passado alguns segundos a mais olhando para os homens bonitos que mais pareciam estrelas caídas e anjos, na esperança vã de que um deles fosse o amigo que procurava. Tirando isso, a jovem só queria absorver aquilo tudo. Sempre sonhara com festas como aquela. Sabia que não tinha tempo a perder. Mas seus olhos ansiavam para ver cada centímetro reluzente, tanto quanto seus dedos ansiavam por tocar e sua boca ansiava por dar uma mordida. Não apenas na comida, mas na festa em si. Nas asas de dragão e nos risos descontraídos, nas pessoas que erguiam a cabeça e lançavam olhares que iam da timidez à avidez. Tudo parecia, ao mesmo tempo, tão inocente e tão pervertido... Tella ansiava por vivenciar cada pedacinho tentador daquilo tudo.

Já no alto da escadaria do salão de baile, ela ergueu a cabeça e olhou para Dante, que bem poderia ser sua sombra, já que o fraque cinza-sombra deixava entrever os contornos pontiagudos de algumas de suas tatuagens de puro breu.

– Por que você não está fantasiado de leopardo com asas de borboleta ou de unicórnio?

Um esboço de sorriso.

– Nem mesmo Lenda seria capaz de me obrigar a usar uma fantasia de unicórnio.

– Mas os unicórnios são mágicos, e todas as damas iam querer passar a mão em você.

Desta vez, o riso de deboche do rapaz pareceu muito mais uma gargalhada que ele tentou conter.

Donatella sorriu: não gostava de Dante, mas gostou de perceber que o rapaz achou graça no que ela disse. Também gostou de ver que não demonstrava interesse pelas damas que o olhavam com cara de que realmente estariam dispostas a passar a mão, mesmo ele não estando fantasiado de unicórnio.

– Saudações!

Jovan, uma das pessoas mais simpáticas da trupe de artistas de Lenda, caiu diante de Donatella e de Dante, feito uma marionete. Seus braços e pernas negros estavam atados a fitas grossas, que mantinham seus pés logo acima do chão, e ela os balançava alegremente, tocando os sinos prateados de seus sapatos.

O rosto de Jovan era o primeiro que as pessoas viam quando entravam no Caraval, mas a garota fazia muito mais do que simplesmente dar as boas-vindas ao jogo. Não raro, era um cartão de pistas ambulante disfarçado de simpatia, direcionando os convidados. Seu temperamento amigável era uma habilidade valiosa que também servia para tranquilizar quem estivesse prestes a enlouquecer, garantindo que tudo não passava mesmo de um jogo.

Ao contrário da maioria dos artistas, Jovan não estava fantasiada de quimera. Estava vestida de Bufão Louco – outro Arcano do Baralho do Destino.

Uma máscara de retalhos escondia metade do rosto da menina com as cores vivas do arco-íris, as mesmas do lado direito da capa que estava usando. O outro lado do traje era todo preto, exatamente igual ao capuz que ocultava o lado esquerdo do rosto de Jovan. O Bufão Louco é um Arcano temperamental, que simboliza "a felicidade destinada a não durar para sempre".

– Sejam bem-vindos, bem-vindos ao Caraval, o maior espetáculo da terra e do mar. Lá dentro, vocês podem ficar cara a cara com um Arcano ou roubar fragmentos de destino...

– Tudo bem – interrompeu Tella. Ela gostava de verdade de Jovan. Durante a última edição do jogo, a garota a ajudara, mais de uma vez, a sair escondida do quarto na torre em que estava hospedada. Só que Donatella não precisava ouvir o discurso de Jovan naquele exato momento. Por mais tentador que fosse o Caraval, não fazia muito sentido participar do jogo se o trato que Tella havia feito com o amigo desse errado: ele era o único elo palpável que Donatella tinha com a mãe, e não havia nada mais importante do que salvar a vida de Paloma. – Eu já ouvi. Pode pular essa parte e dar a primeira pista para a gente.

– Você só acha que ouviu. – Jovan tocou os sininhos dos sapatos e completou: – Esse discurso de boas-vindas é um pouco diferente do último.

A jovem pigarreou e então recitou o restante, que sabia de cor.

– *"Por mais fantástico que o Caraval possa parecer, as próximas cinco noites serão bem reais.*

Elantine nos convidou para vir aqui com o objetivo de salvar o Império de algo que ela teme demais.

Por séculos, os Arcanos ficaram presos a sete chaves, mas agora querem dar as caras no mundo.

Se recuperarem sua magia, será o fim do mundo.

Mas você pode ajudar a impedi-los, vencendo o Caraval.

Para isso, deve usar a cabeça e seguir as pistas para encontrar um objeto ancestral.

Esse artefato obscuro pode destruir os Arcanos para sempre.

Quando conseguir, Lenda lhe entregará o prêmio que tem em mente.

Tão raro que nem sequer tenho permissão para comentá-lo."

Jovan sacudiu os pés quando terminou de falar, tocando os sinos dos sapatos mais uma vez. As fitas que a mantinham suspensa, presas nos braços e nas pernas, a ergueram, e ela foi subindo, subindo até a névoa geada que tapava o teto. Em sua ascensão, deixou cair um cartão vermelho com bordas chamuscadas, que desceu do céu feito uma pena de quimera queimada.

Tella pegou o cartão: as exatas palavras que Jovan acabara de dizer preenchiam a página minúscula.

— É só isso? Quando Scarlett jogou, acho que assinou um contrato com sangue.

— Cada apresentação é diferente. Quando sua irmã jogou, precisávamos fazer tudo parecer mais perigoso do que realmente era, porque não passava de um jogo.

Donatella soltou uma bufada de deboche e falou:

— Se você está tentando me dizer que, desta vez, é real, não vai funcionar. Já ouvi todo o discurso que diz para a gente não se deixar arrebatar demais.

— Mas você ouviu isso hoje à noite? — Dante falou bem mais baixo e se aproximou, roçando os dedos nas pétalas do vestido da garota.

Tella olhou para o cartão de boas-vindas chamuscado que tinha em mãos. Como Dante havia dito, a mensagem não continha nenhum aviso pedindo que as pessoas tomassem cuidado para não se deixarem arrebatar demais. Na verdade, falava justo o contrário: "Por mais fantástico que o Caraval possa parecer, as próximas cinco noites serão bem reais".

Não acreditou nisso nem por um segundo, mas não conseguiu resistir. Olhou para o rapaz e perguntou:

— Se o jogo é real, quer dizer que tudo o que acontecer entre nós é real?

— Você vai ter que ser um pouco mais específica.

Dante arrancou uma pétala da saia de Donatella, esfregou-a entre os dedos e começou a descer a escada, deixando-a para trás.

Em outras palavras: "não".

Nada que pudesse acontecer entre os dois era real, porque o Caraval não era real. As pessoas adoravam o Caraval porque era uma fantasia que virava realidade: por mais perverso que o jogo se tornasse, no fim das contas, continuava sendo apenas um jogo. Tella não podia se deixar arrebatar por ele.

Quando chegou ao fim da escada, Donatella apertou a moeda mais uma vez e procurou, no meio da multidão, alguém que tivesse uma certa aparência de criminoso, na esperança de encontrar o amigo. Só que, em parte, já começara a temer que ele tivesse ido embora. Já era bem mais que meia-noite e, em sua última carta, o homem havia avisado que não iria esperar.

Só que Tella ainda não queria desistir. Seu olhar passou por artistas em pernas de pau vestidos de pele cor de creme e castanha; por homens enfeitados, que pareciam cisnes com dentes de morcego, remando dentro de guarda-chuvas de bolinhas de cabeça para baixo, pelos córregos cobertos de flores que levavam ao centro do salão de baile.

– Acho melhor não ir naquela direção.

Tella virou para trás e quase bateu no peito de Dante. Ele estava bem atrás dela de novo, e era mais alto do que um rapaz tinha direito de ser. Donatella teve que espichar bem o pescoço para ver que, na linha de visão dele, passaram uma mulher que se debatia com um lobisomem e um jovem cavalheiro brincando de ir buscar o graveto com um belo homem metade tigre. Até que, por fim, os olhos de Dante pousaram em uma enorme gaiola prateada, bem no meio do salão de baile.

Tella ficou rígida.

Vira de relance as grossas barras de ferro da gaiola quando entrara, mas não havia se dado conta de que todos os que dançavam na pista de dança do salão estavam dentro dela. De longe, mais pareciam animais cativos. Seus ombros estremeceram. Não era para menos que Dante começara a rir quando os dois entraram no baile.

– Você não estava mesmo brincando quando disse que odiava gaiolas – comentou Dante.

– E quem gosta?

De onde Tella estava, parecia que metade do baile gostava.

– Que gente tola – prosseguiu. – Estamos em pleno Caraval: Lenda pode prender todos lá dentro e falar que ninguém vai receber a primeira pista. A menos que alguém concorde em ficar lá dentro para sempre.

O comentário lhe rendeu mais uma gargalhada.

– É isso que você acha que Lenda faz?

– Ele tentou me manter presa dentro de uma sacada na última edição do jogo.

– Mas você saiu escondido. Se Lenda realmente quisesse mantê-la prisioneira, não teria permitido que isso acontecesse.

– Talvez eu seja uma excelente escapista.

– Ou talvez só ache que é.

Os dedos de Dante acariciaram a nuca de Tella. Foi apenas um toque suave, mas a garota teve um *flashback* vívido da sensação das mãos dele em sua pele, pouco antes de abandoná-lo na floresta, na manhã depois da festa.

Na ocasião, o rapaz não tentou mantê-la com ele. Fingiu que não ligava ou que não havia percebido, mas a encontrou pouco depois. Debochou do xingamento que ela soltou e teve a gentileza de devolver a moeda, debochando um pouco mais.

– Sabe – declarou Donatella, em tom de divagação –, se eu não te odiasse, até que apreciaria sua companhia.

Todos os vestígios do sorriso de Dante sumiram.

– Temos que sair daqui.

– O quê...

O artista a pegou pela mão, mais rápido e com mais força do que fizera nas vezes anteriores. Parecia que tudo acontecia ao mesmo tempo, e Donatella teve apenas um instante para perceber que os olhos do rapaz não estavam mais pousados nela. Estavam espremidos, fixos em algo – *ou em alguém* – parado logo atrás.

– Está tentando fugir com minha noiva?

Aquele jeito de falar arrastado, com um tom de superioridade, gelado e polido como uma espada recém-afiada, arrepiou os ombros de Tella.

O sucessor de Elantine.

13

— Ora, ora. *Isto*, sim, é que é uma surpresa interessante. Um brilho de sincero deleite iluminava um par de olhos azuis prateados, estonteantes como ondas que arrebentam, meio escondidos por um cabelo rebelde de um ouro tão intenso que poderia ser transformado em moedas.

– É você – disse Tella.

E todo o ar foi expulso de seus pulmões.

O rapaz da carruagem aérea – o mesmo jovem nobre indolente que havia ameaçado atirar Donatella do veículo e jogado uma maçã mordida nos sapatinhos dela – exibia um sorriso delinquente.

– Pode me chamar de Jacks.

Em um gesto muito mais cavalheiresco do que tudo que Tella o vira fazer na noite anterior, Jacks beijou a mão de Donatella. Seus lábios finos eram suaves e gelados. O jovem nobre falou baixo, com os lábios encostados na mão da garota, causando um arrepio que subiu pelo braço dela.

– Sinceramente, achei que você não teria coragem de usar o vestido.

– Odeio desperdiçar um bom vestido – disse Donatella, com um tom petulante, como se a presença do rapaz não a tivesse desestabilizado completamente. Não era para o sucessor de Elantine tê-la encontrado com tanta rapidez. *Na verdade*, não era para aquele rapaz ter encontrado Tella de jeito nenhum. E tampouco deveria ser o jovem nobre impulsivo que Donatella conhecera na carruagem – nada disso combinava com a imagem que tinha do herdeiro do trono.

Na cabeça de Tella, o herdeiro – *Jacks* – era impiedoso e nada desleixado. Só que aquele rapaz de olhos de vermelho-sangue e cabelo rebelde parecia o cúmulo do desleixo. As calças brancas tom de osso, justas nas pernas esguias, estavam limpas, mas as botas marrom-escuras surradas eram mais dignas de um estábulo do que de uma festa. Ele nem sequer se dera ao trabalho de vestir uma casaca. O lenço cor de bronze em volta do pescoço estava amarrado de qualquer jeito, meio torto, no colarinho de uma camisa clara que precisava muito de um ferro de passar.

Donatella pensou que os boatos maldosos a respeito dele poderiam estar errados. Ou, quem sabe, Jacks fizesse questão de passar uma imagem leviana de propósito. O cabelo dourado caía em cima do olho e, apesar disso, olhou para Tella com um ar de superioridade e com a confiança de um imperador.

– Vamos dançar? – perguntou.

Dante pigarreou e puxou Tella mais para perto de si.

Jacks retorceu os lábios, dando um sorriso muito mais de fera do que de simpatia.

– Tenho certeza de que você não vai me impedir de ficar com minha noiva em minha própria festa.

O artista apertou mais o braço de Donatella e falou:

– Na verdade...

– Não ligue para ele, está apenas com ciúme – interrompeu Tella, antes que Dante pudesse fazer algo nobre e infeliz, tipo confessar que a farsa era obra dele. Não que Tella compreendesse por que estava tentando proteger a pessoa que era parcialmente responsável por aquela provação. Dante não precisava que ela o protegesse. Talvez ela só quisesse provar que não precisava da proteção dele.

Tella se desvencilhou do artista.

Dante cerrou os dentes com tanta força que Donatella ouviu o estalo. Mas nem se dignou a olhar de novo para ele. Era capaz de se virar sozinha.

Estendeu a mão.

Jacks passou um dos dedos finos pelo próprio sorriso selvagem e deixou a mão da garota no ar.

E aí a segurou pela cintura. Gelado, sinuoso e firme, o braço do rapaz serpenteou pelo corpo dela, trazendo-a para perto de si de um jeito indecoroso.

Tella jurou que ouviu Dante soltar um grunhido enquanto Jacks a afastava do rival e a levava para o meio do grupo de foliões suados.

Diversos convidados tinham parado para admirar Dante quando ele e Tella entraram na festa. Mas, naquele momento, todos os olhos acompanhavam o jovem e impulsivo herdeiro do trono. Ele abraçava Donatella pela cintura, bem perto, e a conduzia pelo salão, passando por chafarizes que pingavam bebidas alcoólicas pecaminosas e convidados que flertavam com artistas fantasiados de raposas-coelho e leopardos semi-humanos.

– Fico surpreso por você não ter tentado fugir – disse ele.

– Por que eu faria isso?

– Porque – ele falava com os lábios encostados no cabelo de Donatella e pronunciava cada palavra de um jeito lerdo e lânguido, acariciando a região das costelas da garota lentamente – acho que não causei uma boa impressão na primeira vez que nos encontramos. E, a essa altura, suponho que você tenha ouvido boatos de que sou um louco ensandecido e sem alma, disposto a fazer qualquer coisa para conquistar a coroa.

– Por acaso você está dizendo que os boatos não são verdadeiros?

– Se fossem, você já estaria morta.

Jacks continuou com os lábios encostados no cabelo de Donatella. Para as pessoas pelas quais passavam, pareciam um casal apaixonado à beira da indecência – como se o rapaz estivesse tentando plantar novos boatos. Tella não fazia ideia de como seria caso o herdeiro do trono a encontrasse. Mas, definitivamente, não esperava por isso.

– Se eu fosse um assassino – murmurou Jacks –, acha mesmo que eu teria permitido que você permanecesse viva depois de descobrir que inventou ser minha noiva para conseguir entrar no palácio?

– Se essa é sua forma de dizer que não pretende se vingar de minha pequena trapaça, é melhor cada um seguir seu rumo. Na verdade, estou aqui para encontrar outra pessoa.

Tella sentiu a boca gelada de Jacks – que ainda estava encostada em seu cabelo – se retorcer, formando uma careta.

– Estou decepcionado, Donatella. Pensei que era seu *amigo*. Mas você não apenas chegou atrasada, como também está tentando fugir de mim. – O tom insolente se tornara ríspido e algo terrível embrulhou as entranhas de Tella. – Por acaso está fazendo isso porque não tem meu pagamento?

Jacks olhou para ela com um sorriso tão perturbador que poderia fazer um anjo chorar.

Por todos os santos profanos do inferno.

Tella ficou com dificuldade de respirar, porque todos os seus planos e todas as suas esperanças começaram a desmoronar.

Jacks não podia ser o amigo. Ela não podia ter passado mais de um ano escrevendo cartas para o herdeiro do trono do Império Meridiano.

Tella cambaleou, mas Jacks apertou mais sua cintura, impedindo que caísse. Ainda a abraçando apertado demais, seguiu desviando dos foliões. Aquilo só podia ser um engano. Era para o amigo dela ser um reles criminoso que negociava segredos, não o imprevisível e assassino herdeiro do trono. Para piorar, pelo tom de voz, ele não parecia nem um pouco inclinado a perdoar a falha de Tella.

Donatella tentou se desvencilhar.

Jacks a segurou com força – seus dedos ágeis eram mais fortes do que pareciam.

– Por que você insiste em me decepcionar? – perguntou.

Mantinha as mãos firmes em Tella, como se ela realmente fosse sua noiva, e a foi levando cada vez mais perto da gaiola colossal, bem no meio do salão de baile. Ela percebeu a ironia. Havia contratado aquele rapaz para ajudá-la a fugir da prisão na qual o pai transformara sua vida, e agora Jacks a estava levando para um novo conjunto de grades.

Pétalas azuis amedrontadas choveram de suas saias. O coração acelerado de Donatella avisou que ela precisava fugir o mais rápido possível. Mas, se fugisse, não fazia ideia de quem mais poderia ajudá-la a encontrar a mãe e salvar sua vida. A garota estava começando a ficar desesperada. As batidas fortes de seu coração abafaram a música alegre da festa. Tella só conseguia ouvir o sangue latejando em seus ouvidos.

Mas ainda havia esperança.

Jacks podia até ser o sucessor de Elantine, destinado a herdar mais riqueza e poder do que Tella era capaz de imaginar. Mas, pelo jeito, apesar de todos os privilégios e contatos que isso trazia, o rapaz não tinha acesso a certas coisas – como o verdadeiro nome de Lenda. Se tivesse, jamais teria ajudado Donatella, para começo de conversa. Ela só precisava convencer o jovem nobre de que ainda poderia lhe ser útil.

Tella respirou fundo, soltou o ar e segurou uma das mãos de Jacks. Aproveitou o efeito surpresa e arrastou o rapaz para trás de um chafariz de três andares que borbulhava cascatas de um líquido carmim com cheiro de vinho. Para quem estava vendo de fora, devia parecer que os dois mal podiam esperar para se agarrar. Por dentro, Tella tinha a sensação de que estava se equilibrando em uma corda desfiada.

— Desculpe — disse ela, assim que ficaram a sós. Seu olhar foi para todos os lados, menos para o lado de Jacks. Por mais que ela desejasse pensar que aquela atitude fosse parte da farsa, Donatella realmente estava com medo. — Não queria ter entrado em pânico depois de descobrir quem você é. Sou muito grata por tudo que você já fez: a última coisa que quero é decepcioná-lo.

Ela engoliu em seco e olhou para Jacks com os olhos arregalados, de súplica. Se ele era capaz de sentir compaixão, não demonstrou. Existiam tempestades de gelo mais calorosas do que o olhar que lançou para Donatella.

— Fiquei procurando você desde o instante em que cheguei à festa — Tella foi logo dizendo. — Ainda não descobri o nome verdadeiro de Lenda, mas posso descobrir até o fim da semana...

Palavras bêbadas rolaram ao redor deles, interrompendo Tella, porque outro casal se aproximava do chafariz onde os dois estavam.

Em um piscar de olhos, as costas de Donatella se grudaram em um pilar próximo, com saliências que pinicaram de um jeito dolorido, e Jacks se grudou nela — um teatrinho para aquela companhia indesejada.

Tella fechou os olhos.

Jacks aproximou a boca do pescoço da garota, e seus lábios gelados ficaram pairando sobre a pele dela.

— Já ouvi promessas como essa, e todas eram mentira — murmurou.

— Juro que estou dizendo a verdade — sussurrou Tella.

— Não sei se acredito. E agora quero saber mais que o nome verdadeiro de Lenda.

Outra lufada de hálito: a boca gelada de Jacks subiu, pairando no rosto de Donatella, mas sem realmente encostar na pele da jovem.

Ela abriu os olhos e soltou um suspiro de assombro.

O olhar do herdeiro era devorador. Sabia que os dois estavam apenas fazendo uma encenação para o casal que passava, mas Tella imaginou a boca de Jacks se abrindo para mordê-la, do mesmo jeito que ele havia afundado os dentes naquela maçã branca, na noite anterior.

E aí, com a mesma rapidez que grudara as costas dela na coluna, Jacks se afastou. O casal que praticamente esbarrara nos dois já tinha cambaleado para outro canto do salão.

Jacks continuou fitando Donatella, espremendo os olhos de um jeito que poderia muito bem ser de descontentamento ou de graça pelo crescente constrangimento da garota.

– Gosto de você, Donatella. E é por isso que vou te dar mais uma chance. Mas, como você não trouxe a informação que pedi, preciso alterar as condições de nosso contrato. Se você conseguir cumprir as duas tarefas, então, *e só então*, pensarei na possibilidade de levá-la até sua mãe.

– Então você sabe onde ela está?

As narinas de Jacks se alargaram.

– Como ousa me questionar se foi você que não cumpriu a palavra? Se tivesse me fornecido o verdadeiro nome de Lenda, estaria olhando para sua mãe neste exato momento. Sendo assim, dou até o fim desta canção para você tomar uma decisão.

A música havia praticamente parado – com exceção de uma nota límpida de violoncelo que findaria a qualquer segundo.

– Diga o que você quer.

Jacks repuxou o canto da boca de leve.

– Agora preciso de duas coisas e não de uma só. Eu me esforcei muito para me tornar sucessor de Elantine, só que esse boato, de que sou seu noivo, pode me comprometer. A fofoca já se espalhou pela corte. Se souberem que é mentira, dada minha reputação, vão esperar que eu te mate. Se eu não matar, acharão que sou fraco. E aí quem será assassinado serei eu.

– O que você está me propondo?

– De acordo com todas as fofocas do palácio, já propus.

– Por acaso você está me pedindo em casamento?

Ele deu risada e respondeu:

– Não. – Mas, por um instante, Tella jurou que o jovem nobre inclinou a cabeça, como se estivesse considerando a possibilidade. – Não desejo me casar com você. Só preciso que você finja ser minha noiva até o fim do Caraval. Assim que o jogo terminar, podemos dizer que nosso noivado fazia parte dele e rompê-lo sem que ninguém saia prejudicado.

Era para ser fácil aceitar a proposta. Tella já havia fingido estar noiva. Mas algo naquele trato lhe pareceu estranho. Tinha a sensação de que estava fazendo um trato com um dos artistas de Lenda. Será que era mesmo simples assim, como Jacks dava a entender? Ele devia ter deixado alguma coisa de fora da história.

– O que mais você quer?

– Antes, preciso me certificar de que você é capaz de cumprir essa exigência. Se convencer todas as pessoas deste baile de que estamos profunda e verdadeiramente apaixonados, vou falar a segunda coisa que quero.

Jacks segurou a mão de Donatella, e suas luvas de couro macias apertaram firmemente a pele à mostra dela.

– Está na hora de ver se você é boa atriz – falou.

Então deu um sorriso mostrando as covinhas, um sorriso do mais puro e displicente charme juvenil. Mas Tella não poderia esquecer da rapidez com que Jacks passava de despreocupado a desumano: ele a puxou, afastou-se do cantinho escondido e a levou para a gaiola enorme onde todos estavam dançando.

Mais pétalas azuis e frágeis caíram do vestido.

Donatella respirou fundo, tentando se acalmar. Não sabia o que fazer caso não conseguisse e não tinha ideia do que precisava fazer para convencer, com sucesso, o baile inteiro de que estavam apaixonados.

As grades grossas da gaiola tinham cheiro de metal e de ambição régia. O ar estava tão denso que era quase impossível respirar, e escaldante, uma mistura de calor dos corpos, perfume e sussurros sedutores. Os dedos de Jacks ficaram tensos quando os dois entraram na pista de dança. Por alguns instantes, Tella pensou que o herdeiro do trono também não gostava de gaiolas, mas era bem mais provável que estivesse apenas tentando impedi-la de sair correndo.

Dentro da gaiola, havia mais pessoas dançando espremidas do que ela imaginara. Nas almofadas de cetim elevadas que estavam distribuídas em volta da pista, sentavam-se damas menosprezadas e um ou outro casal. Saias e fraques coloridos rodopiavam na pista de mármore verde feito flores que a brisa espalha.

Donatella avistou alguns rostos conhecidos.

O primeiro foi o de Caspar, que interpretara o papel de Lenda na última edição do jogo, e também se fizera passar por noivo da garota.

De fraque castanho avermelhado, mais parecia uma raposa. E, pelo jeito, estava cochichando segredos para outro jovem belo, que não devia fazer ideia de que Caspar era um dos artistas. Logo adiante, esparramado em uma almofada, Nigel espantava os nobres e os deixava corados ao mesmo tempo, passando os dedos na tatuagem de arame farpado que tinha em volta dos lábios.

E aí ela viu Armando. Uma cortesã solícita, de vestido escarlate, batia em sua casaca branca com as unhas pintadas de vermelho. Mas, em vez de desfrutar da atenção da dama, Armando fixou o olhar em Tella. Ficou mais quente dentro da gaiola quando os olhos castanhos dele acompanharam Donatella. Aquele não era o olhar de deboche que o rapaz lançara havia pouco. O artista voltou sua atenção para a jovem como se ela fosse a primeira atração da noite.

E Armando não era o único que a observava.

As pessoas não estavam mais olhando para Jacks. Tella jurou que os olhares intrigados das pessoas e os olhos pintados de Nigel pularam em cima dela, todos ao mesmo tempo. Gostava de ser o centro das atenções, mas não sabia se aquele nível de julgamento lhe agradava. Aquilo fez a gaiola abafada ficar menor, de repente. A luz lá dentro, que tinha cor de uísque e era festiva, mudou para tons agoniantes de ameixa com dourado. Donatella sentiu principalmente o olhar recriminador das mulheres, cochichando palavras que ela não precisava ouvir para imaginar quais eram, analisando seus cachos recém-bagunçados e o vestido de costas quase nuas. Poucas coisas na vida são tão brutais quanto damas fofoqueiras.

Uma trinca de meninas mais ou menos da idade de Tella, exalando inveja, tentou fazê-la tropeçar de verdade quando a garota passou por elas.

— Relaxe — murmurou Jacks. — Não vamos convencer ninguém de que estamos noivos se você não parar de olhar em volta como se mal pudesse esperar para fugir de mim.

— Estamos dentro de uma gaiola.

Tella inclinou a cabeça para cima, sinalizando as grades densas, onde havia lustres de ferro cobertos de trepadeiras azuis e brancas, que ficavam balançando para frente e para trás, como se também quisessem fugir.

— Não olhe para a gaiola. Fixe esses lindos olhos em mim. — Nesta hora, o rapaz segurou o queixo de Donatella. Ela conseguiu sentir que os dedos do jovem nobre estavam gelados apesar de ele estar de luvas.

Em volta dos dois, os cochichos e as conversas tórridas se misturavam aos murmúrios mais suaves da bebida alcoólica que fluía, dos risos abafados e dos grunhidos animalescos. Mas, quando Jacks entreabriu os lábios pela segunda vez, Tella só ouviu o som melódico da voz do herdeiro do trono, que sussurrou: – Sei que você não está só com medo da jaula, querida.

– Você está sendo muito convencido.

– Será que estou?

O jovem nobre tirou a mão do queixo de Donatella e a colocou no pescoço da garota, pressionando a veia pulsante dela com o couro macio das luvas. A carícia foi lenta, apenas um delicado roçar das luvas. E, infelizmente, fez o coração covarde de Donatella bater mais rápido.

– Relaxe – repetiu ele. – Você só precisa pensar que é a pessoa mais desejável deste salão. Todos que estão aqui gostariam de ser você.

– Agora você definitivamente está sendo convencido demais.

A risada que Jacks soltou foi surpreendentemente cativante.

– Então pense que todos gostariam de ser eu, para poder dançar com você.

Com um sorrisinho que devia ter roubado do demônio, Jacks passou o braço na cintura de Donatella e a arrastou para a pista de dança.

Tella ficou surpresa: para alguém que dera a entender que estava preocupado com a própria reputação, o jovem nobre agia como se não desse a menor importância para o que os outros pensavam. Estavam fazendo outra dança naquele momento, e ele passou na frente de todos os outros pares. Foi completamente desrespeitoso, mas dançava muito melhor do que qualquer pessoa com a qual Tella já havia dançado.

Todos os movimentos de Jacks tinham uma graciosidade despreocupada, no ritmo da cadência musical das palavras que ele murmurou no ouvido da jovem:

– O segredo de uma farsa como essa é esquecer que é uma encenação. Brinque com a mentira até ficar tão à vontade com ela que tem a sensação de ser verdade. Não pense que estamos fingindo ser noivos, pense que eu te amo. Que desejo você mais do que qualquer outra pessoa. – Nessa hora, o rapaz rodopiou Tella, puxando-a mais para perto de si. Então passou a mão em sua nuca, ficou mexendo na fita amarrada no pescoço dela e completou: – Se você conseguir convencer a si mesma de que é verdade, poderá convencer qualquer um.

O jovem nobre rodopiou Tella mais uma vez. Fitas grossas vermelho-cereja desceram rodopiando do alto da gaiola. Cada fita trazia um acrobata vestido de penas, todos eles soltando punhados de poeira estelar e *glitter*, tornando o ambiente uma imitação de magia. Tella e Jacks continuaram girando e rodopiando até que tudo virou uma névoa espiralada de pó dourado, pétalas de flores e dedos entrelaçados em cabelos. Então, por um instante, Donatella mergulhou sua imaginação na fantasia traiçoeira que o rapaz havia descrito.

Lembrou da primeira vez que o viu. Achou o herdeiro do trono insolente e indolente, mas lindo, de uma beleza que distrai. Se não tivesse sido tão monstruoso, ela poderia ter imaginado se seus beijos tinham o gosto daquela maçã que ele não parava de morder ou de outra coisa um pouco mais perigosa. E aí, em prol da farsa dos dois, Tella imaginou que o rapaz sentira a mesma atração e, no instante em que a viu dentro daquela carruagem, teve certeza de que a queria mais do que qualquer outra pessoa que já havia desejado na vida.

Imaginou que aquela dança não tinha o objetivo de manter a reputação de assassino de Jacks intacta para que pudesse conquistar o trono: tinha o objetivo de conquistar Donatella.

E era por isso que o herdeiro havia lhe dado um vestido tão deslumbrante.

Era por isso que estava dançando com ela.

Tella fingiu que o amor era um lugar que tinha vontade de conhecer e testou um sorriso sedutor.

Jacks a deixou deslumbrada com um sorriso torto.

— Eu sabia que você conseguiria.

Então aproximou a boca da orelha da garota e deu um beijo de leve, suave como o roçar de um sussurro. Donatella sentiu uma palpitação no peito, porque ele a beijou de novo, mais para baixo, com um pouco mais de força, demorando os lábios na delicada curva entre o maxilar e o pescoço. A jovem apertou os dedos nas costas do rapaz.

A música que os envolvia ficou mais intensa, violinos dançavam com harpas e violoncelos em uma deliciosa e devassa rapsódia, que ameaçava transportá-la para outro lugar e outro tempo.

Todos os que estavam dentro da gaiola ainda observavam os dois rodopiarem pela pista com um interesse extasiado. O salão de baile ficou em polvorosa, cheio de olhos afoitos e sorrisos sarcásticos, porque os lábios de Jacks continuaram a dançar pelo pescoço de Tella, no ritmo em que os passos dos dois valsavam pelo chão.

– Talvez devêssemos dar a eles algo realmente digno de uma fofoca. – Jacks passou os dedos dobrados nas clavículas de Donatella, fazendo-a voltar a prestar atenção nele. – A menos que ainda esteja com medo de mim.

Tella lhe deu um sorriso um tanto desvairado, por mais que seu coração estivesse batendo forte contra as costelas. Precisava fazê-lo entender que conseguiria fazer o que ele havia pedido.

– Nunca tive medo de você.

– E poderia fazer o obséquio de provar isso?

Os olhos brilhantes de Jacks pousaram nos lábios de Donatella.

Um desafio.

O sangue que corria nas veias de Tella ferveu.

Ela não tinha o costume de pensar antes de beijar rapazes. De uma hora para outra, percebia que a boca do rapaz pressionava a sua ou a sua pressionava a do rapaz, seguida de línguas tentando entrar e mãos que apalpavam seu corpo. Mas achava que beijar Jacks não seria assim. Tinha a sensação de que as mãos habilidosas do jovem nobre saberiam exatamente o que fazer, onde tocar, quanto pressionar. Mas ela não sabia se os lábios seriam delicados com sua boca ou um tanto bruscos, embora até aquele momento estivessem sendo brincalhões, e sua pulsação acelerou só de pensar nas duas possibilidades.

Jacks segurou o rosto de Donatella com as mãos e rodopiou com a garota mais uma vez.

– Ajude-me a convencê-los – sussurrou.

Tella não sabia por que estava com um pé atrás.

É só um beijo.

Então, de repente, ficou muito curiosa. Aquele rapaz seria imperador um dia e queria beijá-la na frente de todas as pessoas mais importantes do Império.

Donatella passou a mão no pescoço de Jacks. A pele dele parecia mais fria, tremia sob seus dedos. Obviamente, não estava tão tranquilo quanto aparentava estar.

– Pelo jeito, agora você é que ficou nervoso – debochou Tella.

– Só estou pensando se sua opinião a meu respeito vai mudar depois disso.

E aí Jacks grudou a boca nos lábios de Donatella. Seu beijo tinha gosto de pesadelos exóticos e sonhos roubados, de asas de anjos caídos e garrafas de luar fresco. Tella pode ter gemido quando Jacks enrolou a língua na dela e vasculhou sua boca.

Cada centímetro firme do corpo do herdeiro do trono pressionava cada trecho macio e curvilíneo do corpo da jovem. Jacks entrelaçou os dedos nos cachos de Donatella e os puxou. Donatella passou as mãos por baixo da bainha da camisa de Jacks, explorando os músculos firmes das costas dele. Era assim que as pessoas se beijavam entre quatro paredes e em becos na penumbra, não era um beijo apropriado para pistas de dança bem iluminadas, onde todos do Império poderiam ver. Mas, pelo jeito, Jacks não se importava com isso.

Seus dedos encontraram a fita amarrada no pescoço de Donatella e se enfiaram debaixo dela, trazendo seus lábios ainda mais para perto. Jacks não estava apenas sentindo o gosto de Tella, ele a devorava, parecia que tinha acabado de encontrar algo que acreditava ter perdido. E aí passou as mãos por baixo das voltas de miçangas que cruzavam as costas desnudas de Donatella: devia ter tirado as luvas, porque seus dedos estavam gelados e se movimentavam com ousadia pela pele aquecida dela, agarrando, tomando posse e fazendo a garota duvidar de que aquilo era mesmo uma farsa.

Ela gemeu.

Ele suspirou.

Aquele era o tipo de beijo no qual Tella poderia morar. O tipo de beijo pelo qual valia a pena morrer.

Pelos dentes do Altíssimo.

"Um beijo pelo qual vale a pena morrer."

Uma única pessoa em toda a história do Império já havia beijado como...

Jacks mordeu Donatella, os dentes afiados afundaram nos lábios dela com força, até sair sangue quente.

Tella se afastou abruptamente, empurrando o peito dele. Não sentiu o coração do nobre bater.

Pelo sangue de todos os santos. O que Donatella havia feito?

Jacks, que estava bem na frente dela, parecia brilhar. Sua pele já era branca, mas agora parecia uma coisa de outro mundo, de tanta radiância.

A fita que há poucos instantes estava amarrada no pescoço dela pendia dos dedos finos do herdeiro como se fosse uma espécie de prêmio. E uma gota do sangue que Jacks derramara ao morder Tella sujava o canto dos lábios finos.

Tella estava prestes a passar mal.

— O que você fez comigo? — murmurou.

O peito do rapaz estava quase tão arfante quanto o da garota, e seus olhos estavam febris. Mas o tom de voz voltara a ser indolente, quase sem emoção:

— Não faça uma cena aqui, meu amor.

— Acho que é tarde demais para isso.

Donatella queria chamá-lo pelo verdadeiro nome, *Príncipe de Copas*, mas ainda não estava preparada para dizer essas palavras em voz alta.

As covinhas no rosto de Jacks voltaram a aparecer. Desta vez, ardilosas, como se ele soubesse exatamente o que ela estava pensando.

Tella esperou.

Esperou que Jacks lhe dissesse que estava enganada. Esperou que ele a tranquilizasse, dizendo que o beijo não a mataria. Esperou que o rapaz falasse que não deveria acreditar tanto em histórias antigas. Esperou que debochasse de sua cara por ser tão ingênua e crédula a ponto de acreditar que ele era o Arcano há tanto tempo perdido, que havia retornado. Esperou que Jacks dissesse que não era o Príncipe de Copas.

Ele não fez nada disso. Lambeu o sangue no canto da boca e declarou:

— Teria sido melhor para você se tivesse me dado o verdadeiro nome de Lenda.

14

Por um instante, o mundo inteiro de Tella parou de respirar. Todas as pessoas que estavam perto da pista de dança pararam de se mexer, com o rosto arrebatado, congelado em um estado de choque exagerado, por causa do teatrinho de Jacks e Donatella. Por um breve instante, a jovem só conseguia ouvir o *glitter* que continuava a cair no chão, tilintando suavemente.

O Príncipe de Copas – o Arcano famoso por seus beijos fatais, que havia assombrado tanto os sonhos quanto os pesadelos de Tella, que havia amaldiçoado Donatella a jamais ter seu amor correspondido quando ela tirou a carta do Príncipe de Copas no Baralho do Destino da mãe – não era um mero mito. Era real e estava parado bem diante da garota. Sua pele branca tinha um brilho tão pouco natural... E ela achou que todos os presentes no baile teriam percebido quem Jacks realmente era, caso não estivessem congelados.

Jacks não era completamente humano ou sequer era humano. Era algo mágico, algo diferente, algo errado. Um Arcano.

E Tella acabara de beijá-lo.

– Não esperava que você ficasse tão surpresa. A moeda que enviei era uma pista bem óbvia.

O Príncipe de Copas espichou o braço e alisou suavemente um dos cachos de Donatella, com uma delicadeza que suas mãos não tinham demonstrado há poucos instantes. Ela teve vontade de ter um ataque de raiva, de gritar, de dar um tapa na boca inchada dele. Mas, pelo jeito, o Arcano havia lançado um feitiço em Tella – e em todos os presentes no salão de baile.

– O que você fez com essas pessoas? – sussurrou Donatella.

– Fiz o coração delas parar de bater. É como parar o tempo. Não vai durar muito, ao contrário do que fiz com seu coração.

Jacks mexeu o queixo de leve e dirigiu o olhar gelado para o peito da garota.

Tella respirou, mas foi uma respiração rasa, porque, pelo jeito, era só isso que conseguia fazer. Enquanto os dois dançavam, seu coração batera forte, suas veias se aqueceram, seu sangue ferveu. Mas agora sentia o coração batendo com dificuldade, bem devagar, um eco fraco do que deveria ser.

– Eu vou morrer?

– Por ora, não.

Donatella ficou com as pernas bambas.

Jacks ficou ainda mais radiante.

– Vai ser tão divertido que quase odeio ter que te contar que ainda há uma maneira de salvar sua vida.

– Como?

– É só trazer a segunda coisa que quero.

– E o que é? – perguntou a garota, com os dentes cerrados.

Os dedos compridos do Arcano terminaram de ajeitar o cabelo de Donatella, e ele a olhou nos olhos mais uma vez. Tella definira os olhos do Príncipe de Copas como azuis prateados, mas naquele momento tinham apenas um brilho prateado, um reluzir de prazer crescente com o pavor dela, que se multiplicava.

– Quero Lenda o homem em si, não apenas sua identidade. Quero que você vença o jogo e o traga para mim.

Antes que Donatella tivesse tempo de reagir, aquele momento se desfez. E, mais uma vez, o salão de baile foi inundado por ruídos. Ela jurou que jamais havia testemunhado tantos cochichos – em voz alta, de propósito –, escamoteados por sorrisos falsos, porque os convidados da festa fingiam não estar escandalizados pelo teatrinho que fizeram. Pelo jeito, só havia uma pessoa que não escondia o que estava sentindo. *Dante.*

O frio na barriga que Donatella sentia ficou ainda mais intenso.

Dante estava parado, como quem não quer nada, com um dos cotovelos apoiados em uma das grossas barras de metal, perto da entrada da gaiola. Mas, pelo maxilar tenso do rapaz, os olhos entreabertos vasculhando o salão e o esgar de escárnio nos lábios, Tella percebeu que ele não estava nada calmo. Longe disso: parecia furioso.

Não era para Donatella estar brava por causa da reação do jovem. E o fato de Tella ter beijado Jacks não deveria ter deixado Dante com raiva, já que, em parte, ele era responsável por aquela confusão. A menos que estivesse apenas atuando, o que fazia mais sentido. Provavelmente, fingir que gostava de Donatella era um dos papéis que o artista devia desempenhar durante o Caraval.

O olhar do Arcano acompanhou o da garota e ficou mais aguçado.

– Acho que o rapaz ainda pensa que você é dele – comentou.

A pele branca de Jacks brilhou ainda mais, e ele ficou passando o dedo no queixo, com cara de quem estava tendo uma ideia realmente terrível.

– Não vamos envolvê-lo nisso. Dante é um dos artistas de Lenda – disse Tella, irritada. – Está apenas atuando. Nem *gosta* de mim.

– Não é o que parece, vendo daqui. – O Príncipe de Copas encostou os lábios gelados na testa de Donatella, em um arremedo de beijo, e falou: – Não costumo dar uma segunda chance para ninguém, mas estou te concedendo uma. Não menti quando falei que quero que essa farsa seja convincente. Se alguém descobrir que nosso noivado é de mentira, revelar a verdade a meu respeito ou expuser que temos um trato, as consequências serão infelizes. Deixe seu amigo tatuado longe disso. – Jacks tornou a olhar para Dante e completou: – Como você disse que ele é um dos artistas de Lenda, não posso matá-lo esta semana. Mas, se esse rapaz descobrir o nosso combinado, quando o jogo terminar, posso pôr fim à vida dele com a maior facilidade.

– Não! – objetou Tella, bem na hora em que o Príncipe de Copas ergueu a voz e anunciou:

– Como parece que consegui roubar a atenção de todos por um momento, acredito que seja uma boa hora para dar uma notícia excelente.

Como se fossem marionetes ou fizessem parte de uma dança coreografada, todos os convidados da festa voltaram as cabeças bem penteadas na direção do Arcano.

– Muitos de vocês sabem que minha antiga noiva, Alessandra, morreu no fim do ano passado. A morte dela foi uma grande perda para o Império, uma perda da qual achei que jamais me recuperaria.

Mas, como podem ver, encontrei outra pessoa, uma pessoa que, assim espero, vocês todos irão idolatrar tanto quanto eu. Esta é minha nova noiva, Donatella.

O recinto foi tomado pelos aplausos e por novas nuvens de poeira estelar. Os artistas que estavam pendurados jogaram estrelas de papel cintilante nas pessoas que se acotovelavam na pista.

Aos olhos de Tella, tudo isso parecia cinzas.

Seu próprio sorriso nunca lhe parecera tão errado, porque ela se obrigou a esboçar um esgar para os presentes.

– Te odeio – sussurrou.

– Por acaso fui injusto? – murmurou Jacks. – Eu te dei o que você me pediu e agora quero receber o que você me deve.

– Ah, olhe só! – gritou alguém. – As estrelas cadentes! São a primeira pista.

O salão entrou em erupção, instaurando um caos ainda maior. Algumas estrelas cadentes eram pistas. Outras, pelo jeito, não eram nada, a não ser uma poeira deslumbrante que, quando eram tocadas pelos convidados, preenchiam a gaiola com fantásticas nuvens cintilantes.

Os jogos do Caraval estavam oficialmente abertos. Enquanto todos à sua volta tentavam pegar estrelas cadentes, Tella pensou nas tantas vezes que ela e Scarlett haviam sonhado com o Caraval, com Lenda. Agora, precisava vencer o jogo ou jamais sonharia novamente. E duvidava que a irmã pudesse sonhar. Havia prometido para Scarlett que tomaria cuidado, mas já tinha faltado com sua palavra logo de início.

Jacks retorceu o canto da boca venenosa e disse:

– Não vai pegar uma das pistas, meu amor?

– Não me chame de...

– Cuidado, querida. – Rápido como uma cobra, ele encostou dois dedos nos lábios doloridos de Tella, com firmeza. – É melhor não destruir a bela farsa que acabei de criar. Agora – disse ele, com carinho –, beije meus dedos para todos os que ainda estão olhando.

Donatella não beijou, mas mordeu os dedos do Príncipe de Copas. Eles tinham gosto de geada e de desejos que deram errado. Esperava que o Arcano puxasse os dedos, que seu rosto de ângulos pronunciados ficasse corado e que suas palavras se tornassem feias e raivosas. Mas Jacks simplesmente manteve os dedos gelados encostados na boca de Donatella, pressionando-os contra os dentes e a língua dela. A jovem sentiu o estômago se encher de chumbo, porque um brilho absolutamente maldoso surgiu nos olhos sobrenaturais do Arcano.

– Não vou te punir por isso agora, mas esta é minha última demonstração de leniência. – Ele passou os dedos na boca de Donatella, no lugar da mordida, e tirou em seguida. – Se você não vencer o Caraval e trouxer Lenda para mim antes do Dia de Elantine, vai descobrir que meus beijos são letais de fato.

Antes daquela noite amaldiçoada, Tella adorava *glitter*. Quando era pequena, costumava roubar frasquinhos de *glitter* das lojas, imaginando que um deles poderia conter poeira estelar de verdade, com uma magia capaz de realizar desejos ou transformar terra em diamantes. Mas nenhum desses frasquinhos era encantado, e o *glitter* do baile tampouco era poeira estelar de verdade: não passava de vidro pulverizado. Quando os sinos badalaram, marcando as três da manhã, e ela entrou na carruagem aérea com Jacks, nem sequer brilhava mais: ficou grudado feito um parasita em seus braços e nas partes do vestido onde antes havia flores.

Teria sido melhor para você se tivesse me dado o verdadeiro nome de Lenda.

O Príncipe de Copas não havia dito uma palavra desde que saíram do maldito castelo. Esparramado na frente da garota, era mais uma vez aquele nobre insolente, soltando o lenço cor de bronze do pescoço como se tivesse acabado de cumprir uma série de tarefas tediosas: *ir a um baile, dançar, amaldiçoar Tella com os lábios assassinos.*

– Suponho que, agora, você tenha medo de mim – falou, de um jeito arrastado.

– Você está confundindo nojo com medo. Você é um monstro asqueroso. – E ela havia confiado naquele rapaz. – Você me enganou.

– Preferia que eu tivesse matado você com um beijo logo de cara?

– Sim.

Os lábios de Jacks esboçaram um muxoxo, mas nem uma gota de tristeza chegou aos olhos dele. Provavelmente, o Arcano não sentia tristeza, assim como diziam que ele era incapaz de amar.

"...seu coração havia parado de bater fazia muito tempo. Só existia uma pessoa que poderia fazê-lo bater novamente: o único e verdadeiro amor do Arcano. Diziam que o beijo do príncipe fora fatal para todas, menos para ela – que era sua única fraqueza..."

Ah, como Donatella gostaria de ser a fraqueza do Príncipe de Copas. Adoraria destruí-lo.

Não raro achava que sabia o que os outros pensavam quando a viam. Bastava olhar para seus cachos cor de mel, seu sorriso de menina e seus lindos vestidos, aliados ao fato de que gostava de se divertir, que as pessoas a subestimavam, achando que era uma garota bobinha. Tella podia ser muitas coisas, mas estava longe de ser bobinha ou inútil ou qualquer outro rótulo que os outros gostavam de empregar quando alguém era jovem e mulher. Donatella gostava de pensar que era daí que tirava boa parte de sua força.

Era ousada. Era corajosa. Era astuciosa. E sairia daquela situação triunfante – custe o que custasse.

– Se você tivesse conseguido o nome de Lenda, as coisas seriam bem diferentes.

– Se o que diz é verdade, por que agora não quer apenas o nome verdadeiro dele?

– Por que me contentar apenas com o nome se você pode vencer o jogo e me entregar Lenda de bandeja?

O tom de Jacks era de desprezo, tão displicente quanto a postura indolente. Mas Tella acreditava que havia algo a mais na exigência do Arcano. Queria pressioná-lo mais, mas duvidava de que ele fosse lhe contar exatamente o que queria com o Mestre do Caraval. E havia outras perguntas mais urgentes.

Donatella se recostou no assento, imitando a postura cavalheiresca de Jacks, e perguntou:

– Como sei que isso é real? Como posso saber que você não está apenas desempenhando um papel no jogo de Lenda?

– Quer que eu prove que sou mesmo um Arcano? Que, se eu te beijar, você morre?

Os olhos do Príncipe de Copas brilharam, como se ele achasse graça daquilo. Pelo jeito, ele era capaz de sentir alguma emoção: só de pensar em demonstrar o quanto poderia ser mortal, ficou um pouco empolgado além da conta.

– Dispenso – respondeu Tella.

A garota não acreditava de fato que ele fizesse parte do jogo de Lenda. Não valia a pena morrer por um beijo. Talvez, se Donatella já não tivesse morrido, poderia ter outra opinião. Beijos deveriam ser temporários, breves, mas inigualáveis momentos de prazer. Só que Tella poderia beijar Jacks por uma eternidade. Não só pelos movimentos dos lábios do Arcano, mas pelo desejo que eles escondiam, o ardor. Jacks fez Tella sentir que era a única pessoa na face da Terra pela qual o Príncipe de Copas havia procurado por toda a sua existência. Naquele momento, conseguiu esquecer que fora abandonada pela mãe e que sofrera incontáveis vezes na mão do pai, porque teve a sensação de que o Arcano a abraçaria para sempre. Essa devia ser a mentira mais convincente que alguém já havia lhe contado.

E aí, quando viu o Príncipe de Copas brilhar, teve certeza. Ainda não compreendia como ninguém mais no baile reparou. Mesmo naquele momento, que parte do brilho se dissipara, Jacks ainda parecia absolutamente sobre-humano, cruelmente belo. Capaz de matar alguém com um único roçar dos lábios.

Ainda era surreal pensar que aquele jovem nobre era um Arcano. Donatella ficou se perguntando há quanto tempo ele havia voltado à face da Terra e se outros Arcanos também tinham retornado. Só que não sabia por quantos minutos mais ele ficaria com ela e ainda precisava obter respostas para outras perguntas.

– Quero saber o nome verdadeiro de minha mãe. E quero uma prova de que você sabe onde ela está e que irá trazê-la até mim quando tudo isso terminar. Essa é a única maneira de eu conseguir acreditar que tudo isso é real.

Jacks girou uma das abotoaduras em forma de lágrima – ou será que o acessório representava uma gota de sangue? – e falou:

– Acho que você sabe muito bem que é real, mas vou atender ao seu pedido.

A carruagem baixou bruscamente quando o Príncipe de Copas pôs a mão no bolso e tirou dele uma carta retangular novinha em folha.

Mesmo na luz fraca da carruagem, o que estava impresso era inconfundível. Um tom tão escuro de azul-noite que era quase preto, com minúsculas partículas douradas que brilhavam sob a luz e espirais em relevo de um violeta avermelhado bem escuro, que ainda faziam Tella pensar em flores orvalhadas, sangue de bruxa e magia.

Os braços da garota ficaram completamente arrepiados.

Era uma das cartas do Baralho do Destino de sua mãe. Donatella vira outros baralhos semelhantes ao longo dos anos, mas todos eram inferiores às imagens cintilantes, quase mágicas, do baralho que fora de sua mãe.

Tella lutou contra o desejo de roubar a carta e pular da carruagem antes que ela previsse mais um futuro infeliz.

Mas, quando Jacks virou a carta, não havia um Arcano impresso nela. Era um retrato de sua mãe, Paloma, alarmante de tão realista. As madeixas castanho-escuras caíam nos ombros feito uma cascata, ombros esses que pareciam mais magros do que Tella recordava. Paloma estava com as mãos espalmadas, como se as apoiasse contra uma janela, quase como se estivesse presa dentro da carta.

— Tem sete anos que sua mãe está aqui.

Donatella tirou os olhos da carta para verificar se o Arcano não estava brincando com ela, mas o brilho de deboche que iluminara os olhos dele há poucos instantes havia sumido. O rosto de Jacks ficou frio como o sangue que gelava as veias de Tella.

— Não acredito em você.

— Em que parte não acredita? Que é sua mãe ou que ela está presa dentro desta carta?

O Príncipe de Copas colocou a carta em cima dos punhos cerrados da garota. Que não formigaram, como acontecia quando encostava no Aráculo. Mas latejaram, com uma lentidão que chegava a ser dolorosa, feito a batida de um coração moribundo. Tella sabia que era moribundo porque batia no mesmo ritmo lento de seu próprio coração.

Não podia ser verdade. Não deveria ser verdade. Mas, quando deu por si, Donatella passou a acreditar, porque as batidas fracas da carta continuaram pulsando em contato com seus punhos cerrados.

— Como isso é possível?

— É mais fácil do que você pensa e posso te dizer, por experiência própria, que é uma tortura.

Um raio de luar caiu dentro da carruagem, iluminando o rosto de Jacks. Que estava com uma expressão impassível. Mas, por um instante, sua pele ficou tão branca que Tella jurou ter visto os ossos do rosto dele. Definitivamente, se enganara ao pensar que o Príncipe de Copas era incapaz de sentir emoções. Talvez ele fosse incapaz de amar e seus outros sentimentos não fossem os mesmos de um ser humano. Mas o pavor que acabara de pulsar nele era tão poderoso que Donatella conseguiu senti-lo.

– Você ficou preso dentro de uma carta – sussurrou.

Jacks inclinou a cabeça, afastando-se do luar, escondendo os traços do rosto no breu e impossibilitando interpretar sua expressão. Então disse:

– Para onde você acha que todos os Arcanos foram quando desapareceram, tanto tempo atrás?

Tella sentiu um frio na barriga, porque a carruagem começou a baixar. Ouvira boatos de que os Arcanos foram banidos da Terra por uma bruxa. Dizia-se que eles tinham se virado uns contra os outros. Uma história até alegava que as estrelas haviam transformado esses seres místicos em seres humanos. Mas nunca ouvira falar que todos os Arcanos estavam presos dentro de cartas.

– Mas essa é uma história para outra hora – disse Jacks. – Você só precisa se preocupar em vencer o jogo, para poder trazer Lenda até mim.

Os olhos dele pousaram na estrela amassada que Tella segurava – a primeira pista, que a jovem nem sequer havia conferido.

– Abra – ordenou o Arcano.

Como Donatella não se mexeu, Jacks tirou a estrela de sua mão, desdobrou e leu em voz alta:

O Arcano ficou em silêncio por alguns segundos e falou:
— Pelo jeito, é o Distrito dos Templos.
— E devo te agradecer por essa dica? — retrucou Tella.
— Estou tentando poupar seu tempo — explicou Jacks, com um tom de alfinetada. — Posso ter retardado o poder completo do beijo. Mas, ainda assim, você sentirá alguns efeitos. O jogo termina no amanhecer do Dia de Elantine — ou seja, você tem mais cinco noites para encontrar as pistas que faltam. Sou o único que pode libertar sua mãe. Se perder o jogo e não conseguir trazer Lenda até mim, ela continuará presa dentro desta carta para sempre, e você vai morrer...

O Príncipe de Copas deixou a frase no ar, porque a carruagem aterrissou, com um estrondo.

Tella pôs a mão na porta.

– Mais uma coisinha – Jacks fez sinal com a cabeça para a carta que continha a mãe de Donatella. – Cuide da carta. Se algo acontecer com ela, nem mesmo eu poderei salvá-la. Quando vencer o jogo, não se esqueça de estar com a moeda sem sorte que te dei, para eu conseguir te encontrar antes que Lenda apareça. Até lá, meu amor, tente não morrer.

O Arcano, então, mandou um beijo para a garota, que saiu da carruagem e encarou a noite inclemente.

15

O Ceifador da Morte visitou Tella durante o sono. As pontas de suas garras acariciaram a nuca da garota, e sua sombra a acompanhou quando ela entrou em sonhos imaculados, envenenando todas as cores, até tudo ficar com gosto de poeira e murchar até virar cinza.

Logo você será minha de novo.

Tella acordou assustada com a rouquidão da voz pútrida do Ceifador. Ela sentou na cama de súbito, com a língua pesada, o cabelo molhado grudado na testa. Apesar disso, o coração não tinha disparado. Quando muito, funcionava um tantinho mais devagar do que na noite anterior.

Tum... tum... tum.
Nada.
Tum... tum... tum.
Nada.
Tum... tum... tum.
Nada.
Aquele miserável do Jacks e seus lábios amaldiçoados.

Tella segurou os lençóis úmidos com uma mão e a carta que aprisionava sua mãe com a outra. Amassara as bordas da carta durante o sono repleto de pesadelos, amarrotando a ponta que ficava logo acima dos cabelos castanho-escuros da mãe. Ficou óbvio que aquela carta não era indestrutível como a do Aráculo. A jovem teria que tomar mais cuidado com ela.

– Mil perdões – sussurrou para a mãe. Não queria se afastar da carta, mas tinha a impressão de que era arriscado demais levá-la sempre consigo.

Donatella foi até o minúsculo baú onde guardava o Aráculo e colocou a carta que mantinha a mãe prisioneira lá dentro. Em seguida, tirou o Aráculo do bauzinho.

Tanta coisa havia acontecido que precisava ver se o novo trato que fizera com Jacks já havia mudado o futuro da mãe.

O Aráculo estava mais quente do que o normal, mas o futuro que previa não havia mudado. A imagem dos olhos vazios da mãe fitava Tella. Olhos tão mortos quanto da última vez que os vira.

Só que Paloma ainda não estava morta. Por ora, estava apenas presa. Tella não desanimaria. Venceria o Caraval e daria um jeito naquilo.

– Custe o que custar.

Assim que essas palavras saíram de sua boca, o Aráculo queimou as pontas dos dedos da garota. *Magia.* Tella a sentiu, aquecendo toda a sua mão. E a imagem do Aráculo piscou e mudou: de Paloma deitada e morta, para Scarlett e Tella abraçando a mãe com a mesma entrega com que abraçavam quando eram pequenas.

A imagem era tão real que Donatella quase conseguia sentir os braços da mãe, fortes, macios e quentes. Um leve soluço de dor se formou na garganta dela.

E então, quase com a mesma rapidez que apareceu, a imagem voltou a mostrar o cadáver de Paloma.

– Não! – gritou Tella.

A carta mudou de novo e voltou a mostrar as duas irmãs reencontrando a mãe.

– Senhorita Dragna! – Um guarda bateu com força na porta do quarto. – Está tudo bem aí?

– Sim – respondeu, distraída, porque a imagem da carta continuava a mudar. Nunca vira nada parecido. A carta mudava de morte para deleite, como se quisesse mostrar que tudo dependia completamente de Tella e de ser a vencedora do jogo armado por Jacks.

Tella guardou o Aráculo no baú e, com determinação renovada, pegou a primeira pista.

Na última edição do Caraval, Scarlett recebeu um cartão com dicas para encontrar todas as cinco pistas logo no início do jogo. Mas, pelo jeito, esta edição teria outra dinâmica. De acordo com o cartão que tinha em mãos e com o que Dante havia comentado na carruagem, a cada noite um distrito diferente da cidade esconderia uma nova pista. Tella teria que encontrar todas para vencer; depois disso ficaria cara a cara com Lenda.

Infelizmente, como o Caraval só era jogado à noite, Donatella teria que esperar entardecer para procurar a próxima dica. Além disso, ao que tudo indicava, o Príncipe de Copas já havia planejado como seria seu dia.

Uma caixa familiar se destacava na beirada da cama. Igualzinha à que Jacks mandara no dia anterior. Só que, desta vez, um laço dourado substituía o branco.

SE VOCÊ VAI SER A NOIVA DO PRÓXIMO
IMPERADOR, PRECISA SE VESTIR DE ACORDO.

Dentro da caixa, junto com o bilhete, havia um pequeno cartão com uma borda roxa e espinhosa.

> *Minerva Moda Moderna*
> Vestindo a classe
> progressista de Valenda
> muito antes da Dinastia Elantine —
> e vestiremos depois disso também.
> Atendimento somente com
> hora marcada.

No verso do cartão, alguém havia escrito as palavras *Bairro do Cetim* e adicionara um horário, que fora riscado e reescrito:

> ~~DUAS HORAS~~
> CHEGUE ~~UMA HORA~~ ANTES DO MEIO-DIA.
> NÃO É UM PEDIDO.

A ordem era quase risível, tendo em vista que Jacks se importava tão pouco com a própria aparência. Mas Tella pensou que a exigência do Arcano não era tão ligada à aparência e mais ao sentimento de posse: queria deixar claro que agora Donatella lhe pertencia.

"Demônio" era uma palavra agradável demais para defini-lo.

Se o noivado fosse real, esse bilhete seria suficiente para convencer Tella a terminar o relacionamento. Mas, na atual conjuntura, essa não era uma opção.

Dentro da caixa, Donatella encontrou um par de luvas da cor bege que iam até o cotovelo e tinham botões perolados azuis como adorno. Jogou as luvas na cama e tirou o vestido que combinava com elas da caixa. Odiou ter que admitir como ele era encantador. De decote ombro a ombro, era um modelo que o pai nunca permitia que usasse. O governador Dragna teria ficado completamente roxo se visse aquele vestido. Caminhos de renda azul-safira passeavam por cima do tecido cor de creme. Um vestido de baile delicado, feminino e um tanto audacioso, tudo ao mesmo tempo.

Mesmo assim, Tella sentiu vontade de ignorar o compromisso e atirou o vestido na cama junto com as luvas: não gostava da ideia de que Jacks a vestisse como se ela fosse uma boneca. Mas os baús da garota ainda não tinham sido entregues. E o Príncipe de Copas tinha deixado bem claro que, se quisesse salvar a vida da mãe e a própria, Donatella não precisava apenas vencer o jogo, precisava ser uma noiva convincente.

Tum... tum... tum.
Nada.
Tum... tum... tum.
Nada.
Tum... tum... tum.
Nada.

Seu coração não estava batendo mais devagar do que quando acordou, mas tampouco batia mais rápido. Tella tentou tomar café da manhã às pressas e foi correndo até o pavilhão das carruagens. Mas tudo que fazia era levemente lento.

Precisou se esforçar mais do que o costume para continuar acordada enquanto esperava a carruagem pousar. Talvez fosse por isso que, quando deu por si, estava em uma rua repleta de sombras inchadas, procurando a Minerva Moda Moderna.

Apesar de ainda não ter passeado pela cidade, Donatella sabia tudo a respeito das diferentes regiões de Valenda: o ilícito Bairro das Especiarias, o sorrateiro Distrito dos Templos, o imperioso Largo da Universidade e o elegante Bairro do Cetim. E era neste último que Tella deveria estar. O Bairro do Cetim era uma das partes mais glamurosas da cidade e, segundo diziam, formava um verdadeiro labirinto de butiques, chapelarias e confeitarias cintilantes, todas mergulhadas em cores de pétalas de flores.

Mas, das duas, uma: ou Tella tinha informações erradas ou não estava no lugar certo. As lojas que a rodeavam, escuras feito uma revoada de corvos, estavam espremidas entre becos que tinham cheiro de coisas inenarráveis e lotadas de fregueses que estavam longe de ser do tipo refinado que a garota esperava encontrar. Naquele delicado vestido de renda azul-safira Donatella mais parecia um personagem que entrara sem querer na história errada.

Enquanto procurava a Minerva Moda Moderna, Tella viu diversos casacos fantasticamente cafonas, casais amorosos demais encostados em postes de iluminação, mulheres fumando cigarros pungentes e vários espartilhos de tons desagradáveis à mostra: tons de laranja queimado, amarelo passado, azul machucado e vermelho enferrujado.

Um poste sim, um poste não, havia cartazes, presos com tachinhas. Em alguns, estava escrito "Procurado" acima de um retrato. Em outros, "Pessoa Desaparecida". Outros poucos, surpreendentemente decorativos, anunciavam o advento do Dia de Elantine, mas pareciam tão deslocados naquele lugar quanto Donatella.

A jovem resistiu ao impulso de cruzar os braços em cima do peito e deixar transparecer seu constrangimento quando passou por uma série de lojas venenosas.

Medicamentos Mandraque – matam resfriados safados, doenças e muito mais

Flora Fausto – funchos, favas e fenos fundamentais

Chás Caseiros Cúrcuma & Cicuta

Com certeza, não estava no bairro certo. Aquilo parecia – e cheirava – muito mais ao famigerado Bairro das Especiarias de Valenda, para onde as pessoas iam quando queriam contratar assassinos de aluguel, comprar venenos indetectáveis e pessoas – ou apenas *partes* de pessoas. Também era o lar de antros de jogatina, covis de drogas e bordéis. Tudo isso era proibido por lei em Valenda. E, sendo assim, todos esses locais funcionavam no subterrâneo, em passagens primevas, acessíveis apenas com senha e por portas escondidas dentro das lojas de especiarias exóticas que ficavam no andar de cima.

— Acho que uma coisinha linda feito você não deveria andar sozinha por essas ruas, mesmo durante o dia.

Tella deu um passo para trás, nervosa, apesar de a mulher que se dirigiu a ela aparentar ser tão frágil que seria incapaz de lhe fazer mal.

A idosa devia ter, pelo menos, cinco vezes a idade de Donatella. Tinha as mãos enrugadas e sujas de nanquim, e o cabelo branco reluzente quase chegava ao chão que ela estava varrendo. Movimentando a vassoura para frente e para trás, a senhora limpava toda a poeira e sujeira dos degraus da entrada do Mais Procurados de Elantine.

Tella soltou um suspiro súbito. Teoricamente, não conhecia nada no Bairro das Especiarias. Mas aquele estabelecimento decrépito a chamava, como se fosse um velho amigo. Donatella endereçara todas as cartas que escrevera para Jacks ao mesmíssimo local.

Até aquele momento, não sabia se aquele era realmente um estabelecimento comercial ou apenas um endereço que as pessoas usavam para trocar pedidos espúrios e cartas ilícitas. Mas, obviamente, era muito real. Tella vira cartazes com o rosto de diversos criminosos afixados por todo o bairro. E, pelo jeito, todos haviam saído dali.

Tella se aproximou para ver melhor lá dentro. Cartazes de pergaminho tremulavam, mostrando imagens em preto e branco de alguns dos mais interessantes criminosos que ela já vira, encantadores e perturbadores. Chegou a pensar que aqueles retratos eram enfeitiçados, porque lhe fizeram ficar tentada a subir os degraus e entrar no estabelecimento para ver de perto, assim como ficara tentada a consultar o Baralho do Destino da mãe, tantos anos atrás.

É claro que isso não havia lhe trazido nada de bom.

— Você está perdida? — perguntou a velha. — Aqui não é bairro para vir por engano.

Badaladas soaram ao longe. Se Donatella tivesse contado, teria chegado a um total de dez. Definitivamente, estava atrasada para o compromisso. Talvez devesse voltar depois para visitar o estabelecimento.

— Estou procurando a Minerva Moda Moderna — disse ela.

O olhar da mulher ficou mais aguçado.

— Não sei o que você pode querer naquele lugar, mas acho que é logo no fim daquela rua — falou.

A mulher levantou o queixo, sinalizando uma placa mais para o fim da quadra, onde estava escrito "Contramão".

– Tome cuidado – gritou. – A Minerva não é...

Só que Tella não ouviu o final do conselho, porque já foi se dirigindo ao fim da rua. Não levou muito para sua barriga começar a suar e o coração bater com mais dificuldade. Mas continuou correndo, até chegar a uma calçada iluminada pela luz do sol com lojas bonitas que mais pareciam pacotes de presente recém-embrulhados. A Minerva Moda Moderna ficava na esquina. As vitrines estavam ocultas por cortinas cor de lavanda. Toldos de um ameixa escuro faziam sombra na porta, feito laços adormecidos.

Scarlett teria odiado aquele lugar, já que detestava a cor roxa.

Donatella sentiu uma pontada de culpa por ter saído do palácio sem nem sequer ver como a irmã estava, ainda mais depois que ela havia descoberto quem Armando de fato era na noite anterior. Talvez alguém tenha contado a Scarlett sobre o noivado de Tella. Assim que falasse com a irmã, saberia que era uma farsa e, muito provavelmente, tentaria fazer algo heroico, expondo-se a todo tipo de perigo, coisa que Donatella não permitiria.

Scarlett era a grande companheira de Tella – a única pessoa no mundo com quem ela sempre poderia contar. Tella não acreditava em paixão, mas tinha, literalmente, apostado a própria vida no fato de que a irmã a amava. Ela seria capaz de destruir o mundo para impedir que algo acontecesse com a irmã mais velha.

– Com licença. – Já diante da loja, a garota tentou recuperar o fôlego. Um homem roliço, de cabelo lambido para trás e fraque cor de ameixa, no mesmo tom da loja, guardava a porta como se fosse uma extensão dela. – Eu me chamo Donatella Dragna.

– Chegou meio cedo, não?

Tella tinha quase certeza de que o segurança entendera errado porque, na verdade, estava um tanto atrasada. Essa foi a primeira de muitas coisas peculiares que observou. A segunda foi a quantidade desnecessária de trancas que o homem soltou antes de abrir a porta roxa escura e permitir que ela entrasse.

16

A Minerva Moda Moderna não era uma butique qualquer. Na verdade, quando entrou, Tella duvidou que fosse mesmo uma butique.

O saguão era decorado com divãs suntuosos em tons de lilás, tapetes cor de ametista mais grossos do que grama não aparada e vasos violeta repletos de flores do tamanho de árvores pequenas que exalavam o aroma de lavanda e de tabaco caro. Mas, apesar de todos esses objetos requintados, Donatella não detectou trajes ou acessórios modernos.

— Ai, mas a senhorita é um encanto!

Tella se assustou com a aproximação da costureira rechonchuda que saiu borboleteando do meio das portas duplas. O cabelo cor de orquídea exibia um corte ousado, na altura do queixo, que combinava com as fitas métricas que levava em volta do pescoço como se fossem joias.

— Ele me disse que a senhorita tinha temperamento forte, mas não comentou que era tão bonita. Não é para menos que chamou a atenção do herdeiro do trono.

Ela não queria sorrir, tendo em vista que não fora uma decisão sua estar ali nem ter aquele relacionamento com Jacks, mas até que era agradável ser paparicada.

— Como chegou antes do esperado, terá que esperar um pouquinho. Gostaria de uma taça de vinho ou uma fatia de bolo enquanto espera?

— Nunca recuso vinho nem bolo.

— Pedirei para alguém trazer imediatamente.

A costureira conduziu Tella por um corredor roxo luxuoso, revestido de papel de parede aveludado e portas de um tom sombrio de cereja. Dava para ouvir cochichos igualmente sombrios vindos de trás das portas fechadas.

– Quanto de veneno cabe nessas abotoaduras? – murmurou um homem.

Atrás da porta ao lado, uma mulher explicava friamente:

– Está entremeado à renda, basta um puxãozinho para ter em mãos um garrote.

Umas duas portas depois, Tella ouviu alguém dando risada, seguida de uma voz com sotaque, que disse:

– A manga é bufante assim para você conseguir esconder uma pistola de cano curto dentro dela. Consegue sentir o suporte minúsculo?

Revólveres escondidos. Veneno. Garrotes.

Definitivamente, aquilo não era normal. E a mesma impressão poderia se aplicar ao noivo de Tella. *Noivo fictício*, corrigiu-se. Só que, para um falso noivado, parecia que Jacks estava se dando a muito trabalho, o que não deixava de ser surpreendente.

A costureira parou diante de uma porta fechada, no fim da galeria, e disse:

– Por que você não entra e se acomoda, meu bem? Já volto com as suas coisas dentro de alguns minutinhos.

A mulher sumiu corredor afora, e Donatella pôs a mão na maçaneta. Meio que esperava encontrar lustres formados por frascos de veneno pendurados em um teto cor de berinjela, espelhos emoldurados com espadas e adagas de prata que serviam como ganchos para pendurar as roupas.

Não esperava vê-lo.

Sentiu um frio na barriga, e o coração pode ter acelerado, como sempre acontecia quando encontrava Dante.

O rapaz não estava acomodado nem sentado, tinha tomado posse do recinto.

No canto do cômodo, em cima de uma plataforma mais erguida, recostava-se em uma cadeira de couro preto de tamanho exagerado, como se governasse o mundo dali. Seus ombros e peito generosos tomavam conta do trono temporário e não o contrário. A postura era reta, mas não rígida, como se o artista não soubesse se esparramar, soubesse apenas ocupar espaço.

Patife arrogante.

Só que, assim que pensou essas palavras, Donatella sentiu um calor no peito e falou:

— O que você está fazendo aqui?

— Esperando você.

— Como você sabia que eu estaria aqui?

Dante ergueu as sobrancelhas devagar, com ar de superioridade.

O mundo de Tella ficou de cabeça para baixo mais uma vez.

— Foi você que mandou a carta?

— Está decepcionada por me encontrar e não Jacks?

Ela fechou a porta com força.

— Você enlouqueceu? Por acaso sabe o que meu noivo vai fazer se descobrir?

— Ele só vai descobrir se você contar — respondeu Dante, friamente. — E não precisa fingir que vocês dois estão noivos de verdade para mim.

Alarmes silenciosos soaram por todo o vestiário porque, de repente, as palavras do Príncipe de Copas vieram à mente de Donatella:

"Deixe seu amigo tatuado longe disso. Como você disse que ele é um dos artistas de Lenda, não posso matá-lo esta semana. Mas, se esse rapaz descobrir o nosso combinado, quando o jogo terminar, posso pôr fim à vida dele com a maior facilidade."

— Talvez eu não esteja fingindo. — Tella começou a dar o mais encantador dos sorrisos, mas pensou que o rapaz perceberia que era falso e precisava convencê-lo de que era verdade. Então retorceu os lábios dando aquele sorriso irônico que, normalmente, os rapazes convencidos dão. — Por acaso pareceu que eu estava fingindo depois do beijo de ontem?

O olhar intenso de Dante permaneceu imóvel de um jeito frustrante, mas Donatella jurou que um músculo do maxilar dele estremeceu.

— Não sei o que vocês dois estão aprontando, mas não acredito que vão se casar.

— Por quê? — questionou Tella. — Por que você duvida que o herdeiro do trono queira se casar comigo?

O lento retorcer dos lábios de Dante disse mais do que qualquer insulto poderia dizer.

— Você quer mesmo que eu responda a essa pergunta?

As bochechas da garota ficaram vermelhas. Estava tentando impedir que o Príncipe de Copas matasse o rapaz, mas Dante não conseguia parar de ser cruel.

– Por acaso você veio aqui só para debochar de mim?

– E por acaso eu disse alguma coisa debochada? O quê? Você tira muitas conclusões precipitadas, Tella. – Quando disse o nome da garota, o artista inclinou o corpo, chegando mais perto dela, e arrastou as sílabas, como se o nome fosse algo novo, com o qual ele queria se deliciar. – Talvez eu fosse dizer que você é inteligente, divertida e bonita. Sempre achei que você era inteligente demais para se casar com um assassino.

– E eu sempre achei que vale a pena correr certos riscos – retrucou Tella, ignorando como o jeito de Dante falar as palavras "inteligente", "divertida" e "bonita" tinha mexido com ela. – Jacks é rico e bonito e, logo, logo, vai governar todo o Império Meridiano, ou seja: eu serei a próxima imperatriz. Então, creio que devo te agradecer por ter, de certa forma, nos apresentado.

Os olhos do rapaz arderam em uma breve faísca de fogo. Podia até não ter gostado do que a jovem havia dito, mas, talvez, ela tivesse finalmente conseguido convencê-lo.

– Se você acha mesmo que eu te fiz um favor...

Dante deixou a frase no ar. Baixou os olhos, e o fogo morreu em seu olhar. Levantou da cadeira, pulou da plataforma e pegou na mão de Tella, tudo isso com um único e abrupto movimento.

– O que foi que aconteceu com a sua mão?

Ping.

Pong.

Ping.

Cada um desses ruídos refletia a pulsação dela, cada vez mais fraca. Um sangue vermelho, escuro, inclemente, saiu das unhas de Donatella, empapando as pontas dos dedos da mão direita. *Jacks.*

Um frio tomou conta da pele de Tella e começou a afundar nela, feito garras. Aquele maldito, mentiroso, sem remorso, sádico príncipe da vileza. Não bastava ter jogado uma maldição nela, para nunca ninguém corresponder ao seu amor: estava mesmo matando a garota aos poucos. O coração de Donatella não estava batendo mais devagar só na cabeça dela.

Tella viu pontinhos brancos e pretos se movimentando diante de seus olhos.

Mais três gotas grossas de sangue caíram das unhas, manchando o tapete cor de ametista. Mas ela só conseguia ouvir a voz debochada do Príncipe de Copas, avisando que sentiria os efeitos colaterais de ter beijado os lábios amaldiçoados do Arcano.

— Não percebi que ainda estava sangrando — mentiu Tella. — Prendi a mão na porta da carruagem hoje cedo. É melhor eu ir embora e pedir para alguém dar uma olhada.

Dante apertou mais sua mão e falou:

— Eu posso cuidar disso.

Ele arrancou o lenço de seda do pescoço. Seus movimentos eram firmes, e suas mãos foram tão cuidadosas ao pressionar os dedos de Donatella contra o tecido que chegou a ser excruciante.

A jovem ficou sem ar.

Aquele rapaz não deveria estar tocando nela com tanta ternura nem deveria puxá-la mais para perto de si a cada movimento. E Tella não podia estar permitindo que Dante fizesse isso. Era para ela ter empurrado as mãos gigantes dele. Era para ter rosnado para Dante enquanto ele envolvia o lenço de seda quentinho, que ele tinha acabado de tirar do pescoço, em volta da mão ensanguentada dela. Não só por causa das ameaças de Jacks, mas porque Dante trabalhava para Lenda.

Donatella realmente se esforçou para não pensar demais no que iria acontecer quando levasse o Mestre do Caraval até o Príncipe de Copas, mas duvidava que o resultado seria positivo. Lenda até podia ser malvado, mas o Arcano era maligno. Do tipo que arranca o coração do peito de uma garota e afunda os dentes nele como se fosse uma maçã.

Para se proteger, Donatella precisava ficar longe de Dante. Mesmo que, por um breve momento, só tivesse vontade de fechar os olhos e desmaiar nos braços dele.

— Conte para mim o que realmente aconteceu ontem à noite, depois que o herdeiro do trono levou você embora do baile.

Seu tom era a um só tempo tranquilizador e ditador, feito o crepitar das chamas que devoram a lenha. Feroz e fatal, mas, sabe-se lá como, constante e tranquilizador. O tipo de voz que poderia devorar uma garota com toda a facilidade.

— Eu não preciso mesmo de sua ajuda.

Tella puxou a mão, libertando-a do pano de seda e sujando de sangue todo o vestido de renda, porque quebrara o feitiço de Dante antes que ele surtisse efeito completo.

O rapaz estava com cara de quem queria abraçar a garota. Tella pensou que, se suas pernas bambas balançassem na direção dele, Dante a seguraria nos braços e abraçaria tão forte que ficaria disposta a confessar todos os seus pecados e todos os seus segredos.

Só que ele não estava preocupado com Tella de verdade. Estava apenas atuando. Desempenhando um papel.

Ela se obrigou a dar um passo para trás.

Uma veia latejou no pescoço de Dante:

– Por que você não deixa eu te ajudar?

– Porque talvez eu não queira sua ajuda!

Mais uma gota de sangue pingou no chão.

Estrelas vieram fazer companhia para os pontinhos que Tella enxergava. E, antes que tivesse tempo de dar mais um passo para trás, Dante estava ali, segurando seu pulso mais uma vez. E, talvez, tivesse chegado um pouquinho mais perto para ampará-la quando terminou o que tinha começado a fazer. Tella nunca admitiria para Dante, mas se sentiu um pouco menos zonza quando as mãos grandes e quentes dele enrolaram seus dedos ensanguentados no lenço.

– Eu te soltaria, mas você acabou de admitir que precisa de ajuda. – O tom de voz dele ficara mais suave, e então completou: – Fale o que aquele assassino quer com você.

Por que Dante tinha que ser tão teimoso? Não podia simplesmente enrolar os dedos dela no lenço e deixá-la em paz?

– Você não pode simplesmente esquecer disso e fingir que acredita? – perguntou Donatella. – Você está preocupado comigo, mas também está correndo perigo. Se Jacks descobrir que você sabe da verdade, vai te machucar de modos que nem mesmo Lenda poderá consertar.

Donatella falou isso em tom de ameaça. Mas, em vez de soltá-la, Dante mostrou os dentes para ela, de um jeito muito parecido com um sorriso.

– Achei que você nem ligava para mim – disse ele.

– E não ligo – retrucou Tella.

O comentário teria sido mais convincente se ela tivesse puxado a mão e se desvencilhado do rapaz.

Não precisava da ajuda de Dante para vencer o jogo e não confiava nele. Mas, infelizmente, gostava da sensação de ser tocada por ele. O sangramento causara um frio que, até então, Donatella não havia sentido. Mas o artista deu um jeito de neutralizá-lo, segurando a mão de Tella e chegando mais perto, até ela ficar com as costas grudadas na porta. E Dante continuou se aproximando.

Ainda havia espaço para Donatella girar a maçaneta e fugir, se quisesse. E ela tentou se convencer de que era isso que queria. Mas seus dedos eram tão teimosos quanto Dante: recusaram-se a procurar a saída.

– Diga o que ele quer de você – insistiu o rapaz, com a voz rouca.

– Ele quer se casar comigo, só isso.

Dante sacudiu a cabeça.

– Sabe, estou começando a ficar ofendida de verdade, por você se recusar a acreditar nisso.

– Talvez eu apenas não acredite que seja só isso que o herdeiro do trono quer de você.

Com a mão livre, Dante segurou o rosto de Tella e o aproximou do dele.

Um calor desceu pelo pescoço da garota e chegou até os dedos dos pés enquanto o rapaz acariciava seu rosto lentamente.

– Se você não me contar, vou descobrir.

E, ao fazer isso, assinaria a própria sentença de morte – ou revelaria os planos de Donatella para Lenda, causando a morte da jovem e da mãe.

Tella se obrigou a tirar a mão de Dante do rosto dela.

– Não é que eu não goste de você, Dante. Na verdade, se você não fosse um simples artista, provavelmente, gostaria, de verdade. Você é quase tão bonito quanto acha que é. Mas quero mais do que um rostinho bonito. Jacks pode me dar isso. Pode me dar tudo o que eu sempre quis.

Donatella apertou os lábios e fechou os olhos por um instante, como se estivesse se lembrando do beijo que dera no Príncipe de Copas, lá na pista de dança.

Quando abriu os olhos novamente, o rosto de Dante estava a um centímetro de distância, e seus olhos estavam escurecidos como nanquim derramado.

O calor foi se espalhando pela barriga de Donatella.

– Das duas, uma: ou você não quer muita coisa ou está mentindo. Eu poderia acreditar que você vai se casar mesmo com o herdeiro do trono. Mas, tendo em vista o que sei a seu respeito, duvido que alguém como ele possa realizar todos os seus desejos.

Quando o rapaz terminou de falar, seus lábios estavam tão perto que bastaria um movimento em falso para encostá-los na boca de Tella.

Ela foi levantando o queixo devagar, tendo plena consciência de que estava se movimentando em uma linha tênue e traiçoeira. Então lançou para ele um olhar de puro calor e declarou:

— Talvez existam certas coisas a respeito de Jacks que você não saiba.

Dante respondeu com um sorrisinho, mas não foi um sorrisinho gentil, afetuoso ou delicado como poderia ser. Foi uma expressão calculada, daquele jeito lento e debochado que alguém retorce os lábios instantes antes de pôr as cartas na mesa e vencer a partida.

— Você está dizendo isso porque ele é o Príncipe de Copas?

Tella ficou petrificada, e até o sangue que saía de seus dedos parou de pingar. Por dentro, ela entrou em um pânico absoluto, pânico esse que aguçou ainda mais seus sentidos. Se quisesse persuadir Dante de que ela não fazia ideia do que estava falando, teria que se recuperar rápido. Mas bancar a ingênua só convenceria o rapaz de que ela estava em maus lençóis. E talvez estivesse mesmo. Era amaldiçoada, a mãe estava presa dentro de uma carta e, para salvar a vida de ambas, ela estava participando de um jogo que envolvia dois infames imortais — sendo que um deles não deveria nem mais existir.

Só que, antes mesmo de chegar a Valenda, Dante falara do Príncipe de Copas como se o Arcano ainda estivesse vivo. Parecia uma coincidência estranha, ainda mais quando Tella recordou da abertura do discurso de boas-vindas de Jovan:

"Elantine nos convidou para vir aqui com o objetivo de salvar o Império de algo que ela teme demais.

Por séculos, os Arcanos ficaram presos a sete chaves, mas agora querem dar as caras no mundo."

E se o Príncipe de Copas fosse um dos Arcanos que tinham saído...

Não. Tella não quis concluir esse pensamento. Acreditar que o jogo era real levava direto à loucura. A outra explicação óbvia é que Jacks estava desempenhando um papel no jogo. Mas o sangue que pingava dos dedos de Donatella e o coração moribundo que batia em seu peito lhe pareciam uma prova palpável de que ele era o verdadeiro Príncipe de Copas.

Dante só podia estar blefando, apostando em mentiras, assim como havia feito com a governanta do palácio, quando inventou que Tella estava noiva do herdeiro do trono.

— Se Jacks realmente fosse o Príncipe de Copas, eu já teria morrido, porque o beijei.

— Talvez você seja o único e verdadeiro amor dele. Ou, quem sabe, o herdeiro do trono tenha permitido que você continue vivendo porque tem outros planos.

Os olhos do rapaz percorreram os contornos justos do vestido de renda cor de safira de Tella, como se ele soubesse, de alguma maneira, que fora um presente de Jacks.

— Não olhe para mim desse jeito. Foi você que inventou que eu estava noiva dele.

Uma última gota de sangue caiu no chão, enfatizando a frase de um jeito macabro.

Dante olhou para o sangue, e sua expressão mudou por completo. A costumeira arrogância se desfez, e ele disse:

— Você tem razão. Tudo isso é culpa minha. Tive uma péssima ideia. Mas juro que, quando falei que você era noiva do herdeiro do trono, não sabia que ele era o Príncipe de Copas.

— Então como foi que você descobriu?

— Quando vi você dançando com ele, no baile. Os Arcanos são sobrenaturais: não se encaixam neste mundo, assim como aqueles de nós que morreram e voltaram à vida. — O rapaz engoliu em seco e, quando falou novamente, foi com uma voz baixa, nada costumeira: — Ninguém mais no baile deve ter reparado, mas, depois que ele te beijou, vi que Jacks brilhava...

Passos apressados soaram no corredor, do lado de fora do vestiário.

Dante se calou e apertou os lábios.

Os passos ficaram mais altos e mais próximos.

— É melhor você fingir que não me conhece — disse o rapaz.

— Por quê?

— Eu não deveria estar aqui.

— Achei que você é que tinha marcado esse horário!

A boca de Dante esboçou um sorriso seco.

— E por acaso eu disse isso?

Cretino!

O artista se afastou da parede, enquanto Tella processava toda a informação. Ela deveria ter adivinhado que quem marcara o horário na modista não fora Dante. Ele apenas tinha interceptado o bilhete e modificado o horário para que ela chegasse mais cedo.

Antes que pudesse xingá-lo em voz alta, alguém empurrou a porta, pelo outro lado.

Donatella caiu para a frente, porque a porta bateu nela.

Dante a segurou no mesmo instante, dois braços firmes que serpentearam pelos quadris da garota, bem na hora em que a costureira entrou no vestiário.

Os olhos da mulher pousaram na posição comprometedora dos dois antes de se dirigirem às manchas de sangue que tingiam o vestido de Tella e o chão.

– Não sei o que você está fazendo aqui, rapaz, mas tem meio segundo para ir embora, senão vou contar tudo para o herdeiro do trono. E acho que todos nós sabemos o que vai acontecer se eu fizer isso.

– Cuidado – retrucou Dante. – Você está dando a entender que Vossa Alteza mortal é previsível.

O rapaz soltou Tella e sussurrou no ouvido dela:

– Sei que você não quer acreditar em mim. Mas, desta vez, o Caraval não é apenas um jogo. Não sei o que o Príncipe de Copas te prometeu. Mas, para os Arcanos, os seres humanos não passam de mão de obra ou de um brinquedo usado para se entreter.

O coração de Donatella conseguiu dar umas batidas a mais e quase voltou ao ritmo normal assim que Dante foi embora. Ela pensou que, se o Príncipe de Copas não a tivesse amaldiçoado, o coração estaria batendo tão forte que todos na Minerva conseguiriam ouvir.

Depois que o rapaz saiu, a costureira voltou a ser toda sorrisos. Colocou um prato de bolo e um cálice de vinho em cima de uma mesinha, na qual Tella não havia reparado. Foi como se nada tivesse acontecido, mas a jovem ficou com receio de a mulher contar tudo o que havia ocorrido para Jacks.

A costureira não parava de falar do herdeiro do trono e obrigou Tella a levantar para poder provar os vestidos. Donatella ficou desanimada ao perceber que nenhum deles continha armas escondidas. Mas não podia negar que os trajes eram deslumbrantes. Vestidos que mudavam de cor na luz do sol e capas costuradas com fios de poeira estelar, para sempre brilharem à noite.

E, de acordo com a costureira, Tella ainda nem vira os melhores modelitos. A mulher foi para o corredor e voltou segundos depois, empurrando um carrinho prateado de três andares.

Alguém soltou um suspiro de assombro. Provavelmente Tella.

A garota até podia odiar o Arcano com a raiva de mil mulheres amaldiçoadas, mas tinha de admitir que, quando ele queria, sabia impressionar.

O carrinho estava repleto da mais sensacional variedade de máscaras, coroas e capas, de couro, metais preciosos e tecidos finos como gaze. Cada acessório era feito sob medida para Donatella e valia a fortuna de um nobre. Alguns eram enfeitados com penas; outros, com pedras preciosas ou pérolas lapidadas. Todos tinham uma beleza monstruosa, pareciam tesouros de um pesadelo mágico, coisa que Jacks deveria ser – supôs Tella.

A costureira deu um sorriso, orgulhosa, e comentou:

– Vossa Alteza queria que a senhorita tivesse várias opções de fantasia para escolher a que quer usar na Véspera do Dia de Elantine. Mas tenha cuidado. Como tudo foi feito sob medida, a tinta de algumas máscaras ainda está fresca.

Donatella foi se aproximando do carrinho reluzente.

Nunca havia usado fantasia na Véspera do Dia de Elantine. Em Trisda, o aniversário da imperatriz só era comemorado no dia mesmo. Mas, em Valenda, a Véspera deveria ser ainda mais fantástica do que o próprio Dia de Elantine. Para comemorá-la, todos usavam fantasias e representavam o papel da fantasia que haviam escolhido.

Teoricamente, os monarcas de Valenda eram descendentes dos Arcanos. E comentava-se, à boca pequena, que na véspera do aniversário deles os Arcanos voltavam à Terra por uma noite, para julgar se o governante era digno de reinar por mais um ano. Por isso, algumas pessoas acreditavam que, por trás das máscaras e das fantasias, podiam estar os verdadeiros Arcanos desaparecidos, que voltavam para viver uma noite de caos, maldades e maravilhas.

Tella supôs que Lenda escolhera os Arcanos como tema daquele Caraval específico por causa da data comemorativa e da tradição. Já conseguia imaginar o Mestre do Caraval pregando peças nas pessoas, mandando seus artistas se fazerem passar pelos Arcanos.

Ela examinou o carrinho com toda a calma. Viu a máscara do Príncipe de Copas. Que, em vez de chorar lágrimas pintadas de vermelho, chorava rubis. A Coroa Despedaçada – que representava uma escolha impossível entre dois caminhos – era adornada de opalas negras cintilantes, primas lapidadas e escuras da pedra do anel que enfeitava o dedo de Donatella. Mas não era tão gloriosa quanto o véu de lágrimas da Noiva Abandonada, feito com diamantes verdadeiros. Pelo jeito, todos os Arcanos maiores e menores estavam representados no carrinho. Tella viu o elaborado manto com capuz do Envenenador, o chapéu de penas da Senhora da Sorte, as manoplas farpadas de Caos e a máscara de porcelana da Dama Prisioneira, cujos lábios formavam uma careta feita com safiras esmigalhadas.

— O herdeiro do trono sempre se dá a esse trabalho todo para agradar às suas damas?

— Nunca – respondeu a costureira. – Na verdade, esta é a primeira vez que ele nos pede para criar algo para outra pessoa que não ele mesmo.

Tella falseou um sorriso. Jacks, provavelmente, devia contratar uma modista diferente para cada uma das suas consortes amaldiçoadas.

— Escolha a que mais gostar, que ajusto a fantasia que faz par com ela para a senhorita.

Enquanto Tella considerava suas opções uma última vez, as peças brilharam ainda mais.

A Morte Donzela estava fora de questão. Donatella não iria permitir que sua cabeça ficasse presa dentro de uma gaiola de pérolas. E, só de pensar na Morte Donzela, voltou àquele dia em que virou essa carta terrível pela primeira vez e causou a partida da mãe.

A máscara de caveira do Assassino não tinha muitos atrativos. As máscaras das Aias eram mais interessantes – ela sempre gostara da imagem das Aias, que tinham os lábios costurados com linha carmim –, mas Tella não gostava do fato de esses Arcanos menores serem meras marionetes da Rainha Morta-Viva. Usar o tapa-olho cheio de pedras preciosas da Rainha Morta-Viva era tentador – diziam que ela dera o olho em troca de seus terríveis poderes –, mas Donatella queria algo mais ousado. Gostava da Estrela Caída. Mas, como a fantasia dourada caía muito bem em quem a vestisse, imaginou que metade das garotas e garotos estariam fantasiados de Estrelas Caídas. E, pela primeira vez na vida, Tella não sabia se queria estar bonita.

— E esta, de quem é?

Tella pegou um longo véu preto, preso a um diadema de metal nada encantador, coberto de velas também pretas. À primeira vista, pensou que era do Rei Assassinado, mas a coroa desse Arcano era de adagas e tinha um encanto macabro. Aquela não era nada encantadora. E a garota achava que seria difícil enxergar através do véu. Mas, apesar disso, o acessório tinha um encanto brutal. Donatella não conseguiu reconhecer a qual Arcano pertencia.

A costureira ficou pálida e disse:

– Não era para estar no carrinho.

E, em seguida, tentou arrancar o véu das mãos da garota.

Tella deu um passo para trás e se agarrou à coroa.

– De quem é? Diga ou vou embora sem máscara nenhuma.

A costureira fez um beicinho e respondeu:

– Não faz parte de nenhuma fantasia tradicional. Representa o filho desaparecido de Elantine, o Herdeiro Perdido.

– Elantine teve um filho?

– Claro que não. É só uma fofoca maldosa que começaram a espalhar porque não querem que seu noivo assuma o trono.

– Bom, me parece a fantasia perfeita.

– Você é uma tola, menina – disse a mulher. – Não sei quem colocou essa coroa no meu carrinho, mas fez isso para ameaçar o herdeiro do trono... E para ameaçar a senhorita também.

– Não se preocupe, vou usar só de brincadeira – garantiu Tella. – Meu noivo adora piadas. Vai dar muita risada quando me vir, e isso vai provar, para quem colocou a coroa em seu carrinho, que não tenho medo.

A costureira apertou os lábios e falou:

– Não temos nenhum vestido que combine com ela.

– Se Jacks contratou você, tenho certeza de que pode dar um jeito.

Donatella colocou a coroa de velas na cabeça e se virou para a parede de espelhos. O diáfano véu preto-noite escondia completamente seu rosto, transformando-a em uma sombra viva. Absolutamente perfeito.

Se existia uma fantasia que deixava claro que o Príncipe de Copas jamais seria dono de Donatella, apesar dos beijos e das maldições, era a coroa do Herdeiro Perdido. Desafiá-lo de maneira tão descarada talvez fosse uma escolha tola. Mas era uma das poucas escolhas que Jacks lhe dera.

A costureira sacudiu a cabeça e resmungou de novo, dizendo que Tella não fazia ideia do jogo em que estava se metendo.

Mas a jovem sabia exatamente de que tipo de jogo estava participando: um jogo que a destruiria, bem como as pessoas de quem gostava, caso não vencesse.

17

Tella voltou de carruagem para o palácio, sob o sol que se punha lentamente. Era fim de tarde, na hora mais acolhedora do dia, quando o céu azul costuma ficar tingido de ouro e cor de manteiga, com laivos de luz tom de pêssego. Mas, aos olhos de Donatella, todas as cores no céu poderiam ser chamadas de "sépia", na melhor das hipóteses. Para onde quer que olhasse, o céu estava meio marrom e meio opaco e meio estranho, só o suficiente para ela ficar em dúvida se havia algo de errado com o entardecer ou com sua visão.

Quando chegou ao palácio, estava quase convencida de que ver aquele mundo que tivera cores tão vivas perder todo o colorido era mais um dos efeitos colaterais de Jacks. Mas, talvez, o verdadeiro efeito colateral fosse a paranoia. Ao contrário do opaco lado de fora, os aposentos da garota na torre estavam tão alegremente azuis quanto antes – do dossel cor de hortênsia da cama à água tingida de azul-petróleo da banheira, já preparada para ela tomar banho.

Mas Tella só teve tempo para lavar as mãos e trocar o vestido de renda manchado por um modelito novo feito pela costureira. De cetim azul-noite com listras largas de veludo preto que desciam pela saia volumosa, o traje era mais escuro do que as roupas que Tella normalmente usava. Mas algo naquela combinação lhe deu a sensação de que tinha força e coragem suficientes para enfrentar Jacks, Lenda e quem mais estivesse participando daquele Caraval em Valenda.

Tella saiu do quarto e foi saltitando até o cômodo principal dos aposentos, torcendo para que aquela alegria em seus passos não se dissipasse. Mas teve que se segurar para não soltar um palavrão: sua irmã estava ali.

Scarlett estava sentada na frente de uma das lareiras brancas e apagadas. Donatella não sabia como a irmã mais velha tinha conseguido entrar ali, mas não deveria ter ficado surpresa. Se Scarlett Dragna tivesse um poder mágico, seria o de sempre encontrar a irmã mais nova. Tella não sabia se as irmãs mais velhas sempre eram ligadas às mais novas daquele jeito ou se isso era algo especial, só das duas. Jamais admitiria isso para Scarlett, mas saber que a irmã podia localizá-la, enfrentando qualquer obstáculo, era uma das poucas coisas que a fazia se sentir segura de fato, apesar de nem sempre ser algo conveniente ou agradável.

Donatella não estava orgulhosa de ter fugido de Scarlett. Tinha um motivo válido para não tê-la procurado na noite anterior, mas deveria ter encontrado tempo pela manhã, para ver como a irmã estava e pedir desculpas por não ter contado a verdade sobre Armando.

Tella adentrou o quarto, e Scarlett continuava de cabeça baixa, olhando para as próprias mãos, que seguravam o par de luvas bege que Jacks havia enviado naquela manhã.

— Você sabia que luvas são um presente simbólico? — Scarlett esfregou as luvas macias de Donatella entre os dedos. — Hoje já saiu de moda, mas li que, no início do reinado de Elantine, dar um par de luvas era um costume ligado a pedir a mão de uma garota em casamento. Acho que devia ser um jeito de um rapaz dizer que cuidaria dela, dando luvas para proteger suas mãos.

— Eu preferia algo um pouco menos simbólico e um pouco mais prático, tipo sangue.

Scarlett levantou a cabeça rapidamente:

— Isso não é muito romântico.

Mas Tella jurou que uma vermelhidão subiu pelo pescoço da irmã e tingiu as bochechas dela, como se essa ideia a deixasse mais empolgada do que enojada. *Interessante.*

Donatella só fez esse comentário para deixar o clima um pouco mais leve. Mas talvez estivesse falando sério, pelo menos um pouco. E, como o comentário parecia ter direcionado os pensamentos de sua irmã mais velha para coisas mais alegres, ela completou:

— Li sobre isso em um de seus livros de casamento. Era um antigo costume de noivado. Um tinha que beber o sangue do outro para sincronizar a batida do coração dos dois. Então, mesmo quando se separavam, podiam sentir se o outro estava em segurança ou com medo, pelo ritmo do próprio coração. Eu ia querer isso, que alguém me desse parte do próprio corpo e não trapos de tecido.

— Então você deu um frasco de sangue para o seu noivo antes de ele te pedir em casamento, ontem à noite?

Um palavrão ardia na língua de Tella. A irmã deveria estar ali para falar de Armando. Mas, pelo jeito, Scarlett não queria tocar nesse assunto, e Donatella não podia recriminá-la por isso. Mas ela também gostaria que a irmã não se concentrasse em seu noivado.

— Como você ficou sabendo?

— Posso até não ter ido ao baile ontem à noite, mas não fiquei encolhida no quarto, escondida nos subterrâneos do palácio – declarou Scarlett. — Mesmo que tivesse ficado, imagino que teria ouvido as fofocas da demonstração de afeto bastante pública dada pelo herdeiro do trono e de seu noivado-relâmpago com uma jovem chamada Donatella.

— Posso explicar, Scar. Você não precisa se preocupar.

— Por acaso pareço preocupada?

Scarlett até podia ter ficado um pouco cabisbaixa. Mas, assim que ela ergueu a cabeça, Tella se surpreendeu ao perceber que os olhos castanho-claros não estavam espremidos de ansiedade, os lábios rosados não estavam apertados, as mãos não estavam inquietas, e a voz tinha um tom leve e agradável.

E isso, na verdade, era aflitivo. Scarlett sempre ficava apreensiva, mesmo quando não tinha motivo. E, naquele exato momento, com certeza deveria estar preocupada com mais de uma coisa.

— Então você não liga mesmo para o meu noivado? – Tella sentou-se no divã capitonê de frente a Scarlett.

— Sei que você só está brincando, Tella, mas essa situação começa a se enveredar por um caminho que me incomoda um pouco. Você pode simplesmente me contar o que aconteceu de verdade?

Dane-se tudo. Era exatamente isso que Donatella temia.

Scarlett continuou dando um sorriso para a irmã que era ao mesmo tempo forçado e um pouco condescendente, como se Donatella fosse uma criança enredada em um conto de fadas inventado. E ela não podia recriminá-la. De certa forma, Tella tinha a impressão de que Scarlett estava coberta de razão. Estava hospedada em uma torre dourada. Um príncipe malvado a amaldiçoara e fizera de sua mãe prisioneira. E, se não cumprisse uma missão, ambas estariam perdidas, e Scarlett também, que acabaria sozinha no mundo, sem ninguém.

Donatella respirou fundo. Durante o Caraval anterior tinha convencido a irmã de que estava noiva, e o noivado era uma farsa. Poderia fazer isso de novo. Tinha de convencê-la novamente se quisesse garantir a segurança da irmã.

– Sei que parece súbito e inacreditável – falou. – Eu mesma não consigo acreditar. A verdade é que temos trocado cartas há mais de um ano, mas eu não fazia ideia de que ele era herdeiro do trono, só fiquei sabendo ontem à noite. E aí, quando ele me pediu em casamento, não pude dizer "não" ...

– Pare com isso, Tella. – A cor tinha sumido das bochechas de Scarlett. – Não sei o que você está tentando fazer, mas isso não é nem um pouco engraçado.

– E não é para ser. Se você estivesse no baile, teria visto e compreendido.

– O baile deu início ao Caraval – retrucou Scarlett. – Tudo o que ocorreu naquele salão não passava de um jogo. Você sabe disso.

– Sei o que é o Caraval, Scar. – Tella também sabia que suas palavras soavam disparatadas. Foi um erro inventar a mentira das cartas para a irmã – era uma história parecida demais com a da própria Scarlett. Mas a garota tinha o Aráculo para provar o que estava dizendo e, talvez, estivesse na hora de a irmã saber de toda, ou de quase toda, a verdade.
– Não é a mesma coisa, Scar. E não estou fazendo isso só por mim, tem a ver com nossa mãe...

– Não – disparou Scarlett, com um tom tão ríspido que sacudiu o lustre do teto. – É sempre a mesma coisa, por mais que você queira acreditar que não é. Não dou a mínima para quem está ou deixa de estar envolvido nessa história. Quando joguei, parecia impossível o Caraval ser apenas um jogo. Lenda inseriu Julian nas nossas vidas antes mesmo de o jogo começar. E aí eu vi Julian morrer e você também. E, mesmo depois que tudo terminou e descobri o que era verdade e o que era mentira, fiquei sabendo que fui enganada, que terminei o noivado com um noivo falso porque não cheguei a conhecer o verdadeiro.

A voz de Scarlett ficou embargada. Por fim caiu no choro, e Tella jurou que viu as palavras ditas pela irmã se despedaçarem no carpete e se esparramarem pelo chão palaciano.

Donatella havia exigido demais de Scarlett. Também não queria que as coisas tivessem acontecido dessa forma. Não queria que Scarlett tivesse sido tão enganada nem se apaixonado e acabado de coração partido, com os pensamentos atrapalhados, toda confusa. Era para o Caraval libertar as irmãs do medo, do confinamento e dos casamentos infelizes.

– Não sei se isso ajuda, mas também fui enganada. – Tella levantou do divã e foi se aproximando da irmã com cautela. Scarlett era mais alta do que ela e, por algum motivo, parecia menor e frágil, toda encolhida na frente da lareira vazia. – Juro que não fazia ideia de que era um ator interpretando o papel de conde, só descobri depois que tudo acabou. Mas, mesmo assim, lamento muito.

– Eu sei – resmungou Scarlett. – Não estou chateada com você. Era para eu ter descoberto isso sozinha. Não posso dizer que ninguém me avisou que tudo não passava de um jogo. Imagino que seja tarde demais para impedir que você jogue. Mas, por favor, Tella. Tenha cuidado. – Scarlett levantou a cabeça de supetão e completou: – Sei que o Caraval pode ser mágico, romântico e maravilhoso, mas os feitiços lançados por ele não se quebram facilmente. E, boa parte do tempo, acho que as pessoas nem se dão conta de que foram enfeitiçadas.

– Scar, se você tiver razão e tudo não passar de um jogo, não significa que você não tem nada com que se preocupar? A menos que não acredite que tudo não passa de um jogo.

– Não é com o jogo que estou preocupada. Estou pensando em seu coração, Tella. Não sei o que realmente está acontecendo com você, com esses boatos sobre o noivado, mas sei que o Caraval consegue fazer as pessoas se apaixonarem. E, às vezes, elas se apaixonam por quem pode não ser completamente real.

Donatella não era bobinha ao ponto de dizer em alto e bom som que isso jamais aconteceria com ela. Também acreditava que, quando garotas verbalizam sentimentos como esse, normalmente querem que aconteça o contrário, desafiando os Arcanos a materializar a única coisa que dizem não querer.

Mas Tella queria amar tanto quanto desejava contrair uma doença. Para ela, não existia isso de beijos pelos quais vale a pena morrer. Nem essa coisa de almas com as quais valha a pena se fundir. Apesar dos muitos rapazes bonitos no mundo, Tella acreditava que não dava para confiar em nenhum deles ao ponto de entregar algo tão frágil e valioso quanto o próprio coração – até porque o coração da garota estava predestinado, há muito tempo, graças à maldição do Príncipe de Copas, a se machucar. E, mesmo que seu destino não fosse esse, Donatella não estava se apaixonando por alguém que apenas desempenhava um papel.

É claro que não podia dizer nada disso para Scarlett naquele momento: era como se ela estivesse vendo o coração da irmã se despedaçando por causa de Julian.

O que o rapaz fizera para continuar com sua irmã era justamente o que havia separado os dois. Tella deveria ter insistido para que o jovem contasse a verdade para Scarlett. Sabia que a culpa não era toda sua, mas devia ter ajudado a evitar parte daquilo.

— Não acredito que tudo seja tão irremediável quanto parece – falou. – Acho que Julian está tão acostumado a mentir que não sabe fazer outra coisa. Vai ver que até agora ele não tivesse nenhum motivo para mudar. Mas acredito que Julian te ama: fica óbvio pelo jeito que ele te olha. Você é a luz das estrelas, e ele, a escuridão. E, se sentir isso por Julian, deveria dar mais uma chance.

— Quero acreditar que você tem razão. Mas, quando o último Caraval terminou, Julian prometeu que não mentiria mais para mim, mas não cumpriu essa promessa nem por um dia.

Tella também havia faltado com a palavra, com a mesma rapidez de Julian. Mas aquela não era uma boa hora para comentar o assunto. E não queria decidir por Scarlett. Acreditava mesmo que Julian amava a irmã, apenas talvez a vida dele fosse tão emaranhada em mentiras que o rapaz fosse incapaz de mudar. Scarlett merecia mais do que isso. Tella só torcia para que, seja lá qual fosse a decisão de Scarlett, ela não começasse a pensar no conde novamente.

Ela se sentou na beirada da lareira de pedra branca, perto da irmã, e perguntou:

— Então você simplesmente pretende ficar escondida no palácio a semana toda?

— Não sei.

O olhar de Scarlett ficou distante. A jovem olhou pela janela, para o resto do palácio e para a cidade além dele. Retorceu os lábios, como se estivesse tendo uma ideia. Em seguida inclinou a cabeça, examinando toda aquela mobília azul e elegante, depois olhou para o teto, onde havia um coro de querubins entalhados, observando lá de cima.

— Talvez eu fique aqui — sugeriu Scarlett. — Esse quarto é tão grande que daria para fazer outro quarto dentro dele.

— O que me faz lembrar: como você *conseguiu* chegar até aqui? — perguntou Tella.

Parte do sorriso de Scarlett voltou a se esboçar.

— Eu posso ter atirado um vaso contra a parede do meu quarto ontem à noite e, acidentalmente, posso ter aberto a passagem para um túnel escondido.

Scarlett se dirigiu para segunda lareira e passou a mão na beirada da cornija até ouvir um *clique*. O cheiro de teias de aranha e segredos tapados de fuligem se dispersou pelo ar, e vários tijolos mudaram de posição, todos ao mesmo tempo.

— Isso é sensacional! — elogiou Tella, batendo palmas.

A expressão de Scarlett ficou mais alegre, e ela disse:

— Se você quiser, posso mostrar os túneis para você.

Donatella certamente estava curiosa. Mas, através da janela mais próxima, viu que as cores lá fora haviam mudado. Todos aqueles tons de marrom tinham se transformado em nuances promissoras de bronze. Um último adeus antes de o sol se pôr. Logo a noite surgiria: uma nova noite, em que as constelações de Lenda iriam se materializar no céu. O Caraval começaria de novo, e Tella não queria se atrasar.

De acordo com o que Jacks havia dito na noite anterior — e com as suspeitas da própria Donatella — a primeira pista que recebera, que falava de uma região da cidade que oferecia promessas tanto de fé quanto de magia, se referia ao Distrito dos Templos. Tella acreditava que a segunda pista estaria escondida lá. A garota ainda não havia visitado essa parte da cidade, mas sabia que era maior do que o Bairro das Especiarias e o Bairro do Cetim juntos. A busca poderia levar a noite toda.

— Quem sabe você me mostra depois — falou. — O sol já está quase se pondo, e tenho que sair.

Tella nem chegou a pronunciar a palavra "Caraval". Mas, mesmo assim, o sorriso de Scarlett se desfez.

Donatella segurou a mão da irmã mais velha. Já era difícil abandoná-la ali, sabendo que estava sofrendo. A última coisa que queria era que, ainda por cima, Scarlett se preocupasse com ela.

– Sei que você não confia no meu julgamento neste exato momento. Mas sei que não passa de um jogo...

Scarlett interrompeu soltando um suspiro.

– Não é que eu não confie em você. Não confio em Lenda nem em ninguém que trabalhe para ele. E acho que seria prudente você também não confiar. Pelo menos, lembre das histórias que vovó Anna contava: Lenda gosta de ser o vilão da história.

Tella esboçou um sorriso e respondeu:

– Como poderia esquecer? Essa sempre foi minha parte preferida das histórias.

Mas isso não poderia ser verdade para aquela edição do jogo. Se Lenda fosse mesmo o vilão, só poderia ser uma pessoa: *Jacks*.

Donatella não queria nem pensar nisso, mas conseguia ver o Príncipe de Copas usando casaca e cartola, oferecendo uma rosa vermelha e dando um sorriso maldoso. E, talvez, se seus dedos não tivessem começado a sangrar na frente de Dante naquela manhã, poderia ter ficado tentada a pensar que Jacks, na verdade, era Lenda, e que tudo aquilo não passava de uma peça cruel que o Mestre do Caraval estava pregando nela.

Só que Tella sabia que Jacks era o verdadeiro Príncipe de Copas. Sabia disso com a mesma profundidade que sabia que a irmã conseguiria fazê-la voltar à vida com a força de seu desejo, caso morresse. A garota sentiu o poder do Arcano no instante em que os dois se beijaram. Era uma magia diferente da magia do Caraval. O poder de Lenda brilhava como sonhos que se tornam realidade. Mas a magia de Jacks era algo que vinha de um pesadelo. Podia senti-la naquele exato momento, retardando cada vez mais as batidas de seu coração.

Tum... tum.

Nada.

Tum... tum.

Nada.

Tum... tum.

Nada.

Um relógio tiquetaqueando dentro de seu peito.

Donatella não queria ser amaldiçoada nem encarar a possibilidade da morte. Mas queria salvar a vida da mãe, queria vê-la de novo em carne e osso, descobrir quem de fato ela era e por que fora embora. E, se Jacks fosse Lenda ou algum de seus artistas, isso jamais aconteceria.

Jacks não podia ser Lenda. Se fosse, então Lenda era um vilão muito pior do que Tella havia imaginado.

SEGUNDA
NOITE
DO CARAVAL

18

Uma constelação de estrelas carmins brilhava no céu do Distrito dos Templos.

Da carruagem aérea em que Tella estava, parecia um buquê encantado de rosas bem desabrochadas. Quando chegou ao distrito e ficou sob as estrelas, teve mais dificuldade para enxergar a imagem como um todo. Em vez de ver uma constelação de rosas, as luzes cor de rubi pareciam gotas de sangue de estrela derramadas irradiando luz sobrenatural no mundo lá embaixo.

Mesmo sem aquele misterioso brilho ouro rosê que vinha dos céus, o Distrito dos Templos era um lugar insólito. Gritos de lamento dos adoradores, orações cochichadas dos pecadores, cânticos ancestrais e diversas pessoas vestidas de um jeito esquisito cercavam Tella, que percorria o mosaico de ruas gastas pelo tempo e iluminadas por tochas do tamanho de uma pessoa.

Donatella não sabia se aquela parte da cidade era sempre tão movimentada ou se aquela multidão só havia se formado porque todos participavam do Caraval e estavam procurando a segunda pista.

Ela enfiou a mão no bolso de veludo e releu a primeira pista sob a ardente luz avermelhada de uma tocha:

As outras pistas necessárias estão escondidas por toda a cidade.

Para se apoderar da segunda, aventure-se por um lugar bonito de verdade.

Esta região de Valenda já foi tão trágica...

Mas agora promete fé e experiências mágicas.

A descrição, definitivamente, correspondia ao Distrito dos Templos, onde era praticado todo tipo de religião e crença interessante, mas também poderia se aplicar a quase todos os locais de adoração da região.

Tella passou por tabernáculos altíssimos, missões antiquíssimas e casas de banho novíssimas, onde os visitantes podiam se banhar em unguentos sagrados – ou, pelo menos, era isso que prometiam.

Em Trisda, a religião era simples, nada rebuscada. As pessoas rezavam para santos específicos de acordo com o que queriam e pediam perdão aos padres escrevendo seus pecados em um papel que era queimado por homens e mulheres do clero. Mas, em Valenda, Tella não sabia dizer se as pessoas estavam cultuando ou fingindo.

Ouvira dizer que era permitido praticar qualquer fé desejada, desde que dentro dos limites do distrito. Mas apenas algumas daquelas religiões pareciam ser fruto de uma fé verdadeira em poderes transcendentais. Muitas das práticas espirituais que Tella encontrou mais pareciam espetáculos com o objetivo de cativar turistas, prometendo coisas inalcançáveis a fim de convencê-los a esvaziar os bolsos de bom grado.

Antes de chegar a Valenda, Donatella ouvira dizer que existia até uma Igreja de Lenda, que parecia o lugar mais óbvio para procurar a próxima pista. Mas, infelizmente, essa igreja não ficava à vista e encontrá-la era uma espécie de competição. Se não estivesse com as forças prejudicadas, Tella não ligaria de competir. Mas suas pernas estavam mais trêmulas do que o normal e a respiração estava um tanto rasa.

Enquanto vasculhava ruas e mais ruas, Tella viu igrejas dedicadas a cada um dos elementos. A que mais gostou foi a dos adoradores do fogo, que dançavam diante do templo segurando gravetos em chamas. A igreja ao lado era formada de cachoeiras que caíam por cima de estátuas de sereias e sereios, nas quais as pessoas atiravam conchas como oferenda. Em seguida, Tella passou por uma série de tabernáculos dedicados aos diversos Arcanos. As construções caindo aos pedaços pareciam ser mais antigas que as demais. Algumas não passavam de ruínas, vestígios do tempo em que os Arcanos governavam a Terra. Poucas pessoas ainda adoravam esses seres místicos, mas havia um grupo grande reunido diante do santuário da Senhora da Sorte, todos usando elaborados capuzes verdes de penas e mantos volumosos.

Mas, por mais que Donatella tenha procurado, não viu nenhum dos símbolos do Caraval. Nenhuma rosa – a não ser as que estavam no céu. Nenhum coração de puro breu. Nenhuma cartola. O que viu foram algumas pessoas fantasiadas – ou "usando trajes religiosos", como ouviu comentarem a respeito delas. Obrigando as pernas cansadas a continuarem seguindo em frente, Tella avistou os capacetes de chifres que homenageavam os antigos deuses guerreiros e os colares de osso das pessoas que adoravam o Ceifador da Morte. Não sabia se seu destino exigia um modelito diferente. Mas, pelo jeito, poderia comprar qualquer coisa que estivesse faltando em um dos carrinhos espalhados pela rua.

– Que tal um capuz de fantasma? – gritou alguém. – Afasta os demônios. Só três vinténs.

– Ou, se preferir encontrar os demônios, temos rosários da depravação! – gritou o sócio. – Só um vintém.

– O que faz você pensar que estou interessada em demônios? – provocou Tella.

O camelô deu um sorriso, exibindo a janela dos vários dentes faltantes.

– Você está aqui. As pessoas juram que estão vasculhando essas ruas em busca de salvadores, mas raramente é isso que encontram.

– Que bom, então. O homem que estou procurando nunca alegou ser um salvador.

A garota jogou um beijinho para o ambulante e se embrenhou ainda mais naquela confusão de turistas afoitos, vendedores gananciosos e valendanos entusiasmados por participar do Caraval.

Havia mais gente na rua do que vermes em um cadáver, com exceção do trecho de marfim diante do Templo das Estrelas.

As pernas de Tella diminuíram um pouco o passo. Ela sabia que não podia parar, mas parar era tão tentador que chegava a ser angustiante. Aquele era, de longe, o mais belo de todos os templos. Um bastião de pedras brancas como as vestes das deusas e dos inocentes que são sacrificados. Mas Donatella sabia que o interior do templo estava longe de ser puro ou sagrado.

Supostamente, as estrelas povoavam a face da Terra muito antes dos Arcanos, havia tanto tempo que eram mais lendas do que qualquer outra coisa. As pessoas diziam – à boca pequena, mas com uma crença verdadeira – que as estrelas não eram criaturas angelicais, feitas de luz e poeira de anjos, independentemente da maneira que as pessoas olhem para o céu. Havia quem dissesse que foram as estrelas que criaram os Arcanos, e muita gente dizia que isso fazia das estrelas os mais cruéis de todos os seres.

Ainda assim, havia quem se juntasse à congregação de bom grado, acreditando que, um dia, as estrelas voltariam e trariam benesses para todos que as cultuaram. Tella ouvira dizer que as pessoas mais ricas pagavam, como dízimo, coisas como o próprio livre-arbítrio, a própria beleza e os filhos primogênitos, só por uma oportunidade de entrar na congregação.

– Se quiser entrar, vai precisar do traje correto! – gritou alguém, do outro lado da rua. – Vendemos vestes de devoto por apenas cinco vinténs.

– É melhor não se juntar a essa congregação, até porque posso te oferecer algo melhor, por um preço menor! – gritou outro ambulante.

Tella achou que a voz dele não lhe era estranha.

Virou para olhar e, no mesmo instante, se arrependeu de ter feito isso.

Julian, trajando a túnica verde-alexandrita dos camelôs, estava parado de braços abertos, chamando a atenção de Tella – que estava perplexa – para uma série de altares onde homens amarrados, com sorrisos congelados em lábios brancos como a lua, olhavam para os céus de rubi como se estivessem mais do que dispostos a serem sacrificados.

– Julian, o que... o que você está fazendo? – gaguejou Donatella.

– Perdão, encantadora senhorita, por acaso nos conhecemos?

Dito isso, ficou olhando para Tella como se jamais a tivesse visto na vida.

A garota sabia que Julian estava interpretando o papel que lhe fora incumbido no Caraval. Mas, mesmo assim, era perturbador ver o olhar do rapaz se tornar ganancioso, como se ela fosse uma ovelha que quisesse pastorear, levando-a pelo mau caminho.

– Não me lembro de você – ronronou Julian. – Mas é tão bonita que vou te oferecer uma pechincha. Você pode sentir o mesmo êxtase dos meus amigos amarrados ali por apenas quatro vinténs!

– Ou pode se redimir de seus pecados de graça.

Uma mulher que usava um capuz deslumbrante desviou a atenção de Tella daquela versão alarmante de Julian, fazendo-a olhar para outro local inquietante. A mulher apontou para uma série de gaiolas e berlindas, que fediam a suor, a arrependimento e a corpos que não tomam banho. Aquelas pessoas enjauladas ou presas no instrumento de tortura pelos pés e pelas mãos não pareciam tão dispostas a se sacrificar quanto os adoradores do céu de Julian. E Donatella não estava buscando redenção nem remissão de seus pecados: queria encontrar Lenda.

– É melhor não ficar olhando, senão vão achar que você disse "sim" e enfiar você em uma dessas jaulas também.

Tella se virou e deu de cara com Dante, que estava parado diante de um dos chafarizes do Trono Sangrento.

Trajava casaca e apoiava um dos cotovelos em uma porta prateada toda manchada, da cor dos sonhos desiludidos e das péssimas decisões. Ou, talvez, o próprio Dante é que parecia uma péssima decisão.

Nos Baralhos do Destino, as Estrelas Caídas sempre eram retratadas como deusas ou deuses enganadores vestidos com mantos dourados cintilantes e togas brancas e finas. Mas, ao olhar para Dante, encoberto por tons de preto escuros como nanquim que se confundiam com a noite, Donatella pensou que as imagens das cartas poderiam estar erradas. O dourado brilha de qualquer jeito. Mas poucas pessoas seriam capazes de fazer a escuridão cintilar como aquele rapaz fazia.

– Você precisa parar de me seguir – declarou a garota.

– Acho que, na verdade, estou te ajudando.

O artista endireitou o lenço preto que levava amarrado no pescoço e fixou os olhos na porta que havia atrás dele, pousando-os em um símbolo do Caraval gravado logo acima da maçaneta de metal em forma de bulbo.

A entrada da Igreja de Lenda.

– Eu teria encontrado sozinha – bufou Tella.

– Claro que teria.

Donatella foi se aproximando, e Dante continuou parado bem na frente da porta, dando um sorriso um tanto largo demais.

– Não foi você que disse que encara garotas do mesmo modo que nós encaramos vestidos de festa, que só devem ser usados uma vez?

– Óbvio que encaro você de um modo um pouco diferente.

O rapaz segurou um dos cachos rebeldes de Tella e o enrolou em um dos dedos tatuados. A rosa preta no dorso de sua mão ficou girando até se tornar vermelha sob a luz cor de rubi das estrelas. A cada volta, trazia Donatella mais para perto de si. E ficava mais fácil a jovem ignorar as pernas doloridas e o coração moribundo. Dante enrolava o cabelo de Tella. Mas Tella achou que o rapaz queria mesmo era enrolá-la, para que caísse em seus encantos.

Como se um dia ela fosse permitir que isso acontecesse.

Arrogante. Convencido. Fútil. Impossível. Donatella odiava o fato de aquele rapaz nunca deixá-la em paz, odiava como ele encarava os insultos dela do mesmo jeito como outros rapazes encarariam um elogio e odiava que o interesse de Dante por ela fosse, obviamente, parte de seu papel no jogo. E, pelo jeito, apesar de tudo isso, nunca conseguia afugentá-lo.

– Se você está aqui para levantar informações sobre Lenda – disse ele –, posso te contar mais do que qualquer pessoa que esteja lá dentro.

– Você me diria quem ele é?

– Você sabe que não posso fazer isso.

– Se você fosse Lenda, poderia.

Dante deu uma risada rouca e falou:
— Se eu fosse Lenda, definitivamente, jamais te diria.
— Porque você não confia em mim?
— Não é isso — respondeu Dante, lentamente, trazendo-a ainda mais para perto de si, com toda a delicadeza. — Eu guardaria muito bem meu segredo porque ia querer continuar jogando com você e, se eu contasse a verdade, acabaria com a diversão.

O rapaz continuou olhando fixamente nos olhos de Donatella, como se estivesse tentando lhe contar um segredo. Se outro garoto tivesse olhado para ela daquele jeito, Donatella até poderia, por um momento, ter se sentido especial. É raro as pessoas se olharem nos olhos por muito tempo. Havia algo naquele olhar quase mais íntimo do que uma carícia. Concentrado nos olhos de Tella, Dante não estava observando o resto do mundo. Não estava fazendo isso para tirar alguma vantagem. Estava pondo em risco parte de si mesmo, para se concentrar apenas nela.

A garota pensou que este poderia ser o verdadeiro encanto do Caraval: não a magia nem o mistério, mas a habilidade de os artistas de Lenda saberem como provocar sentimentos nas pessoas. Durante o último jogo, Julian ficara, o tempo todo, instigando Scarlett a sair da zona de conforto. Dante estava fazendo a mesma coisa com Donatella. Só que, em vez de instigá-la a sair, estava convidando Tella para entrar, tentando levá-la para sua esfera inebriante fingindo que gostava dela — que não apenas a desejava, mas que precisava dela, de certa forma. A jovem sentia isso porque o rapaz ficou segurando a respiração, de um jeito muito sutil, enquanto esperava por uma resposta. Era apavorante que algo tão pequeno tivesse um poder tão grande.

Definitivamente, ele cumpria bem seu papel. Donatella sabia que Dante estava apenas atuando. Que não se preocupava com ela nem precisava dela de fato. E, apesar disso, quando deu por si, em vez de passar reto pelo rapaz e entrar na Igreja de Lenda, ficou com vontade de entrar no jogo do artista por mais alguns instantes.

— Então, se você fosse Lenda, e nós fôssemos parceiros de jogo, você me ajudaria a vencer ou me sabotaria?

— Com certeza ajudaria. — Dante foi tirando os dedos do cabelo de Donatella e roçando-os até pressionar a veia que pulsava no pescoço dela. Aí sussurrou: — Mesmo que eu não fosse Lenda, ia querer que você vencesse.

Dito isso, continuou olhando nos olhos de Donatella, como se precisasse dizer algo mais. Tella ficou com medo quando percebeu que queria muito ouvir, por mais que fossem palavras que ela não acreditaria. Tampouco acreditava de fato que Dante era Lenda. Por mais divertida e inteligente que fosse, havia inúmeras garotas tão divertidas e inteligentes quanto ela, e Donatella também achava que o Mestre do Caraval tinha coisa melhor a fazer do que ficar seguindo garotas por aí. E, mesmo assim, não conseguia descartar a possibilidade. Por mais que isso pudesse magoá-la mais adiante e ela acabasse fazendo papel de boba, ainda queria, em parte, que fosse verdade. Queria acreditar que havia algo dentro dela que brilhava ao ponto de capturar a atenção incapturável de Lenda.

Só de pensar nisso, o coração rastejante de Tella parou de bater. Como Dante estava com os dedos na veia de seu pescoço, a garota achou que o rapaz havia percebido. Os olhos do artista brilhavam ainda mais do que o sorriso, mas talvez fosse porque Dante estava percebendo que Donatella começava a se render aos encantos dele, a cair naquela encenação – que, para ele, era inevitável.

– Queria muito acreditar em você.

Donatella disse isso em tom de piada e foi indo para trás até a mão de Dante cair de seu pescoço.

Então esticou o braço para abrir a maçaneta da porta.

Os dedos de Dante se enroscaram no pulso de Tella e a puxaram para perto de novo. Havia um certo desespero no jeito como o rapaz a segurou.

– E se eu te contasse o verdadeiro motivo deste jogo? Aí você acreditaria que quero te ajudar?

– Eu não acredito em nada que você diz, Dante.

– Mas sempre lembra tão bem das minhas palavras que é capaz de repeti-las.

Como Tella não disse nada, o rapaz interpretou o silêncio como um sinal para continuar falando:

– Você sabe como foi que Lenda adquiriu a magia dele?

– Achei que tinha sido um desejo realizado, aquele único desejo impossível que todos nós podemos realizar se quisermos mesmo alguma coisa.

Donatella disse isso com um tom de ceticismo. Apesar de, no último jogo, a irmã tê-la trazido de volta à vida pedindo que Lenda realizasse esse desejo, Tella nunca acreditou que a magia épica do Mestre do Caraval surgira de algo assim, tão simples. E, talvez, ela tenha gostado da reação que Dante quando ela o desafiou, do brilho nos olhos do rapaz, que ficava apertando a veia no seu pescoço como se só pretendesse soltá-la quando a última palavra fosse dele.

— Todo mundo realiza um desejo, sim. Mas todos esses desejos precisam contar com a ajuda da magia. E Lenda queria uma magia especialmente poderosa. Por isso procurou a bruxa que amaldiçoou os Arcanos.

— Como foi que ele a encontrou?

— Em uma terra muito distante. Quando Lenda quer alguma coisa, vai além do fim do mundo.

Dante falou isso, propositadamente, com um tom que não era digno de confiança, de quem conta uma história mítica para uma criança. E, apesar disso, a mão que segurava o pulso de Tella ficava mais quente a cada palavra. O rapaz continuou falando com um tom despreocupado dos diabos, mas aquelas palavras pareciam ter mais peso do que tudo que ele havia dito para Donatella naquela noite.

— Quando a bruxa que Lenda encontrou baniu os Arcanos, ficou com metade da magia deles. Assim, se eles voltassem, não teriam o mesmo poder de antes. Foi essa magia que a mulher usou para realizar o desejo de Lenda. Mas avisou que, se os Arcanos um dia conseguissem quebrar a maldição, matariam para ter sua magia de volta. Acho que esse foi o jeito que a bruxa encontrou para garantir que os Arcanos jamais voltassem. A mulher sabia que, se quisesse possuir poderes para sempre, Lenda teria que, uma hora ou outra, destruir os Arcanos, ou seria destruído por eles.

Quando terminou de falar, Dante estava tão perto de Donatella que podia apenas sussurrar. Não tocou no nome de Jacks, mas não precisava. Tella completou o que o rapaz acabara de dizer com o que já sabia a respeito dos Arcanos. As peças se encaixavam bem demais para que não fossem colocadas juntas.

O Príncipe de Copas havia lhe contado que todos os Arcanos foram aprisionados dentro das cartas de um baralho. Se havia alguma verdade no que Dante dissera, metade dos poderes dos Arcanos fora roubado, o que poderia explicar por que o príncipe queria pôr as mãos em Lenda. O Arcano tinha conseguido escapar das cartas, mas talvez seus poderes ainda estivessem fracos e precisasse recobrá-los.

Jacks dera a entender que os demais Arcanos ainda estavam aprisionados. E havia a possibilidade de que Lenda soubesse que o Príncipe de Copas estava livre. Para Lenda, isso devia bastar para decidir que estava na hora de destruir todos os Arcanos.

"Por séculos, os Arcanos ficaram presos a sete chaves, mas agora querem dar as caras no mundo.

Se recuperarem sua magia, será o fim do mundo.

Mas você pode ajudar a impedi-los, vencendo o Caraval."

Tella sacudiu a cabeça. Estava acontecendo exatamente do jeito que Scarlett a avisara: Donatella não sabia dizer qual era a diferença entre o que era real e o que não passava de um jogo.

Sabia que Jacks era real. Mas era loucura começar a acreditar que o jogo também era.

Nessa hora, ela se desvencilhou de Dante e falou:

– Obrigada por essa *história* tão *interessante*.

– Espere, antes de você...

O rapaz não completou a frase.

Tella ficou tensa, com receio de ter começado a sangrar de novo. Mas Dante não estava olhando para ela. A garota olhou para trás disfarçadamente, para o ponto onde os olhos de Dante, de uma hora para outra, haviam pousado. Pensou que era Jovan. Só que não estava fantasiada de Bufão Louco, como na noite anterior: vestia apenas uma túnica, que ficou batendo nos tornozelos de Jovan enquanto ela se afastava correndo.

Dante voltou a olhar para Tella, colocou a mão dentro da casaca e tirou um par de luvas pretas até o cotovelo.

– Se você não quer aceitar minha ajuda, pelo menos fique com isso.

Dito isso, apertou um dos botões de pérola das luvas.

Clique.

Clique.

Clique.

Clique.

Clique.

Cinco lâminas afiadas feito facas saíram das pontas dos dedos.

– Você está me dando luvas com lâminas?

Donatella, de repente, ficou aliviada por Dante não estar mais encostando em sua pele – que estava cada vez mais quente –, porque as palavras ditas por Scarlett lhe vieram à cabeça: "... luvas são um presente simbólico... um costume ligado a pedir a mão de uma garota em casamento. Acho que devia ser um jeito de um rapaz dizer que cuidaria dela, dando luvas para proteger suas mãos".

A pele de Tella ficou ainda mais quente quando as lâminas refletiram a luz da tocha. Dez minúsculas promessas de proteção. Mas a jovem sabia que Dante queria se casar com ela tanto quanto Jacks. Provavelmente tinha roubado as luvas quando saíra da Minerva, e esse par de luvas era de alguma garota que, por acaso, tinha braços e dedos do mesmo tamanho dos de Tella.

– O que você quer em troca delas?

– Acho que só quero ter certeza de que verei você de novo.

Dante apertou as pérolas mais uma vez, para esconder as lâminas, dobrou as luvas e as colocou nas mãos de Tella.

E, em seguida, o canalha incorrigível já estava se afastando.

Foi na mesma direção que o vulto de túnica parecido com Jovan tomou. Donatella até ficou tentada a ir atrás dele, mas isso deveria ser justamente o que Dante queria: distraí-la para impedir que entrasse na Igreja de Lenda e encontrasse a próxima pista.

A garota se virou para a porta, mas o símbolo do Caraval havia sumido como em um passe de mágica – o que, pelo jeito, confirmava que Donatella estava no lugar certo.

19

Em Trisda, as experiências religiosas de Tella se resumiam a rezas desesperadas e mandar cartas secretas utilizando o pequeno confessionário dos padres. Mas, ao entrar na Igreja de Lenda, ela soube instantaneamente que aquele não era um lugar de adoração qualquer.

– Seja bem-vinda.

Uma garota usando uma cartola de gosto duvidoso cumprimentou Tella, fazendo uma mesura com os olhos espremidos e sacudindo seus babados vermelhos. Tantos babados vermelhos. Tella sabia que vermelho era a cor preferida de Lenda, mas aquela garota parecia desesperada para agradar. Os babados vermelhos envolviam o vestido cor de platina feito as listras de uma bengala doce.

– Parabéns por ter encontrado nossa porta. Mas pense bem para decidir se deseja ou não entrar na igreja.

A garota sacudiu um dos braços cheios de babados e diversos candelabros de metal se acenderam, iluminando mais de uma dúzia de escadarias. Revestidas por grossos carpetes cor de rubi, as escadas se esparramavam em todas as direções, para cima e para baixo e de um lado para o outro, feito sangue que escapa das veias, até desaparecerem na escuridão. Algumas pareciam mais gastas do que outras, mas todas reluziam com a mesma iluminação opaca de carvalho, sugerindo um brilho que há muito tempo empalidecera.

– Apenas uma dessas escadas levará você aonde deseja ir – explicou a garota.

– E aonde as outras irão me levar?

O sorriso carmim da garota se transformou em um esgar.

– Isso é um mistério, e você deve correr esse risco se quiser fazer parte da nossa congregação e devotar sua vida ao grande Lenda.

Tella não queria fazer parte de nada e, com certeza, não planejava devotar sua vida a Lenda. Tampouco estava com vontade de subir ou descer escadaria nenhuma, mas ouvira dizer que encontrar a tal igreja era uma espécie de jogo.

Examinou as escadarias cor de rubi com atenção. Cada uma tinha uma personalidade diferente. A que ficava à sua direita era divertida, em caracol, com bordas douradas. A entalhada, que se esparramava logo acima, era aventurosa e mais parecia uma ponte para um mundo de fantasia. A escada meio bamba à sua esquerda não parecia muito confiável, assim como a peça de ferro em espiral sem corrimão, pela qual não estava disposta a se aventurar. Por fim, os olhos de Donatella pousaram em uma escada de mármore preto sedutora, tão lustrosa que mais parecia um espelho, revestida por um carpete escuro, vermelho-granada, onde ninguém havia pisado. Pelo jeito, não subia: descia.

Ela tentou reparar para onde o olhar da outra garota, que estava curiosa para descobrir qual das escadas Donatella escolheria, se dirigia. Mas a devota continuou com os olhos espremidos, fincados em Tella.

– Decidiu?

Donatella tornou a olhar para a escada de mármore exuberante, com aquele carpete cor de granada onde ninguém havia pisado. A garota não mudou de expressão, mas Donatella jurou ter percebido uma leve tensão nos ombros dela. Não queria que Tella escolhesse aqueles degraus. E Donatella teve a sensação de que não era porque a garota temia pela sua segurança.

– Tem certeza de que não prefere escolher outra?

– Acho que vou gostar do que vou encontrar no fim desta escada.

A garota deu risada, mas seu riso parecia forçado. Tella pisou na imaculada escadaria de mármore preto e desceu o primeiro degrau.

Aquela escadaria de mármore não tinha muito a cara de Lenda, mas Donatella teve a sensação de que estava tentando ter. A cada lance, o ar ficava mais frio. As velas na parede se apagaram, e manchas pretas misteriosas apareceram no até então imaculado carpete e também no corrimão liso, imitando gotas de sangue seco. Tella já vira tantas manchas de sangue verdadeiro e sabia qual a aparência que tinham e de que cor ficavam quando secavam. Aquilo não era sangue, era uma ilusão.

Só para garantir, pegou as luvas com unhas de lâminas que Dante lhe dera. Tinham o cheiro dele, de nanquim e de segredos. Mas, ao contrário do rapaz, as luvas estavam geladas quando Donatella as calçou. A garota gostou do suave peso que as lâminas escondidas faziam nas pontas de seus dedos.

Alguns passos depois, Donatella roubou uma vela de cera de uma das arandelas. Atrás delas, buracos na parede permitiam a entrada de lufadas de vento seco que faziam as chamas bruxulear. Pelo menos as pessoas eram inteligentes naquele local. Quando os degraus ficaram mais íngremes, Tella se arrependeu de ter escolhido um vestido tão pesado. Os buracos para ventilação nas paredes desapareceram em seguida, tapados por quadros de molduras rebuscadas – todos retratando jovens rapazes de cartola.

No começo ela pensou que eram retratos de integrantes da igreja, mas todos aqueles rostos eram bonitos e um tanto maliciosos demais. *Lenda.*

Não eram retratos verdadeiros dele. Ninguém sabia ao certo qual era a aparência do Mestre do Caraval. Mas, obviamente, os devotos tinham tentado retratá-lo. Donatella viu tons de pele que iam do branco translúcido ao negro retinto. Alguns dos rostos eram bem finos, rudes feito palavrões; outros quase pareciam querubins, de tão redondos – ou serafins, de tão cinzelados. Alguns tinham cicatrizes, outros sorriam. E também havia os que olhavam feio. O coração de Tella parou de bater por completo quando ela avistou um rosto fino que a fez lembrar de Jacks, com olhos azuis prateados e cabelo dourado. O último retrato piscava, como se tudo aquilo não passasse de uma grande piada.

Talvez fosse. Talvez Lenda estivesse pregando mais uma peça em Donatella, e aquela escadaria não tivesse fim: seria uma descida infinita. As pernas letárgicas da garota viraram geleia só de pensar. Talvez não existisse uma maneira de conhecer Lenda de fato, e aquela igreja representasse a busca incansável por um homem que era *imbuscável*.

Ou, quem sabe, Tella estivesse apenas exagerando no drama.

Mais abaixo, brilhava uma luz mais forte, deixando claro que a escada tinha fim. Donatella enfiou a vela que tinha em mãos em uma arandela vazia e apressou o passo.

Alguns degraus depois, ouviu notas musicais desafinadas – um som estridente de violino, dulcimer e banjo. Tella não diria que a música era bonita, mas tinha a combinação precisa de estranhamento e tentação, combinando com a taverna que ela encontrou no final da escadaria.

Esperava que o local fosse mais vermelho, mas tudo era verde e tinha um brilho de magia madura. Enquanto tentava absorver tudo aquilo, a fadiga de Tella passou: pelo jeito, o ar era tão inebriante quanto os drinques servidos na taverna.

Lampiões de querosene verde-escuros iluminavam as mesas de vidro cor de sorvete de menta. Sofazinhos de veludo verde acomodavam pessoas que chupavam cubos cintilantes de açúcar verde ou bebericavam frascos que continham um líquido tom de limão bem vívido. Até o chão estava coberto por minúsculas lajotas cor de esmeralda, que fizeram Tella pensar em rabos de sereia. Era bem diferente das tavernas lá de Trisda, que só existiam em tons de sem-graça e cheiravam a sonhos despedaçados e rum barato. Tampouco se parecia com as tavernas do Caraval, mas era uma tentativa interessante de imitá-las.

A música insólita e os drinques verdes que brilhavam no escuro faziam daquela taverna o tipo de coisa surreal que Donatella imaginaria encontrar em um Arcano retratado nos Baralhos do Destino. Ela teria batizado o local de "Taverna Esmeralda": onde respostas para perguntas perigosas podem ser obtidas. A Carta em Branco fazia parte do baralho, e Tella pensou que aquele antro poderia ser o tal Arcano não retratado. Só que, apesar de todo aquele brilho, quando Donatella observou mais de perto achou que todo o ambiente parecia mais *glitter* fingindo-se de poeira estelar.

Pelo jeito, nem mesmo as escadas que enxergou quando entrou na igreja eram tão perigosas quanto a garota dos babados dera a entender: não passavam de um teste, como já haviam lhe avisado. Entre as mesas, o balcão do bar e os pequenos camarotes flutuantes, Tella avistou o fim de todas as demais escadarias – todos aqueles degraus levavam ao mesmo lugar. Assim como o Caraval, aquela igreja era cheia de ilusões. E ficava óbvio que seus devotos gostavam delas.

Os fregueses da taverna pareciam ser de tudo quanto era lugar. Donatella foi se embrenhando, e seus ouvidos foram captando palavras de diversas línguas. Seus olhos enxergaram cores de pele de todos os tons. Os estilos de roupa também eram bem variados, mas quase todos os presentes tinham uma coisa em comum: usavam cartola.

Tella não sabia se aquelas pessoas estavam de cartola porque eram adoradoras de Lenda ou se queriam ser iguais a ele, mas quase todos os fregueses do balcão estavam com uma. Algumas eram mais robustas, outras, retas. Certas cartolas estavam tortas ou tinham sido amassadas de propósito. Umas poucas exibiam penas, véus ou outro tipo de enfeite cafona. Donatella avistou até uma cartola com chifres nas laterais e uma jovem que tinha duas cartolas cor-de-rosa em miniatura saindo das laterais da cabeça, feito orelhas.

Talvez aquilo fosse o verdadeiro motivo para Dante ter fugido em vez de acompanhá-la. Ele poderia estar com inveja, já que tanta gente idolatrava Lenda de jeito tão descarado. Mas Tella não deveria estar pensando em Dante ou imaginando o que o rapaz teria dito se estivesse ali com ela.

Donatella tentou ver além de toda aquela alegria, procurando por uma pista escondida. Até que seus olhos pousaram em uma fila. Pessoas formavam uma fila indiana na frente de um par de cortinas de veludo preto arrematadas com pingentes dourados. Aquilo também era um pouco chamativo demais e um tanto espalhafatoso demais para realmente ter a cara de Lenda. Mais parecia a visão que as pessoas tinham dele. E Tella acreditava que o Mestre do Caraval gostava de perpetuar essa imagem. Na última edição do jogo, Caspar, o artista que interpretou o papel de Lenda, atuara de um jeito exagerado e deslumbrado. Só que, na imaginação de Donatella, o verdadeiro Lenda não era assim.

Ainda não descobrira a verdadeira identidade de Lenda, mas já havia recebido cartas dele. As mensagens não eram rebuscadas – uma das missivas consistia em uma única frase e, mesmo assim, Tella sentira a magia do Mestre do Caraval palpitando naquelas simples palavras.

Por mais encantadora que fosse a Igreja de Lenda, Donatella achou que os devotos haviam entendido o mestre de um jeito totalmente errado. O Caraval, com todo aquele esplendor característico, poderia até ser um exagero. Mas ela acreditava que o próprio Lenda não era assim.

Apesar disso, quando deu por si, estava se aproximando das cortinas de pingentes dourados. A fila estava em polvorosa, com cochichos afoitos, muitas mãos ajustando lenços no pescoço, beliscando bochechas para ruborizá-las e endireitando cartolas. Ali nem todo mundo estava de cartola, ao contrário dos outros ambientes da taverna. E Tella ficou com a impressão de que aquelas pessoas não eram devotos da igreja, mas jogadores em busca da próxima pista.

Donatella se aproximou do começo da fila, porque não queria esperar no fim dela nem achava prudente tentar passar na frente de todo mundo e entrar sem esperar nem um pouco.

— Com licença — falou, abordando uma garota que estava com um acessório de penas na cabeça e que tinha um véu carmim transparente tapando seus olhos. — Por que está todo mundo esperando para olhar atrás da cortina?

— Se você não sabe, talvez não mereça estar aqui.

— Ignore o que ela disse — falou o garoto magrelo que estava ao lado da jovem. Seu traje era um pouco menos formal do que o das outras pessoas: camisa sem colarinho e calça risca de giz larga, em um tom de cinza, presa por suspensórios vermelho-cereja. — Minha irmã se esquece de que está apenas participando de um jogo e fica meio competitiva.

— Tudo bem — respondeu Tella. — Scarlett, minha irmã, acha que sou igual.

O garoto magrelo arregalou os olhos, e Donatella jurou que a menina de chapéu com véu respirou fundo, ostensivamente.

— Você disse "Scarlett", tipo a Scarlett que venceu o último jogo?

— Ah, não. Eu e minha irmã não participamos do último jogo — respondeu Tella.

Mas disse isso com a voz um tanto trêmula, para instigar um pingo de dúvida. Estava arriscando revelar sua verdadeira identidade, mas não se vence o Caraval jogando sem correr nenhum risco. E, pelo jeito, a estratégia já estava funcionando.

O garoto magrelo deu um passo para trás, olhou para a jovem com um ar mais protetor e abriu espaço para Donatella ficar com eles na fila.

— Meu nome é Fernando, e essa é minha irmã, Patricia. E esse é Caspar, nosso amigo.

Tella tentou disfarçar a surpresa quando o artista conhecido lhe estendeu a mão.

— Prazer em conhecê-la.

Caspar tratou Donatella de um modo muito parecido com o que Julian havia tratado, como se nunca tivessem se cruzado na vida. Não era tão inquietante quanto a atuação perturbadora de Julian. Mas, mesmo assim, tirou Tella do prumo: ela ficou com a sensação de que, talvez, Caspar fosse mesmo um desconhecido, afinal de contas.

Na última apresentação do Caraval, o rapaz se fizera passar por noivo de Donatella e também por Lenda, mas agora falava com um sotaque melodioso que Tella nunca havia ouvido. Também trocara as roupas finas que usara durante o último Caraval por um terninho surrado, parecido com o traje que Fernando usava.

— Foi Caspar quem nos contou que o homem que fundou esta igreja está do outro lado da cortina — explicou Fernando.

— Esse homem também é especialista em Arcanos — interrompeu Caspar, educadamente.

— Ele sabe qual é o objeto que temos que encontrar. O que pode destruir esses seres místicos — completou Fernando.

Patricia fez questão de revirar os olhos e falou:

— Você continua esquecendo que isso não passa de um jogo. O objeto é só uma coisa simbólica para conseguir vencer. Lenda não precisa destruir os Arcanos de verdade. Eles já foram banidos da Terra. Falando desse jeito, você está bancando o imbecil.

As bochechas do garoto magrelo ficaram vermelhas.

Tella concordava com o comentário da irmã do garoto, mas não gostou do fato de a jovem fazer questão de humilhar o irmão.

O casal na frente deles foi para trás das cortinas de pingentes dourados. Fernando e a irmã eram os próximos. Mas toda a empolgação de Fernando havia desaparecido. O garoto baixou o olhar para as lajotas verdes do chão, e Patricia olhava para Caspar, querendo aprovação, como se tivesse acabado de dizer algo muito perspicaz. Ainda bem que Caspar fez o favor de não elogiá-la.

Mas Donatella resolveu provocar um pouco mais. Irmãos deveriam se apoiar, não ficar se detonando.

— Acho que você está enganada. — Tella dirigiu cada uma das palavras para Patricia e falou rápido, para que ela não interrompesse com suspiros ou revirando os olhos. — Lenda nunca apresentou dois Caravais em um período tão curto. Especialistas no jogo estão dizendo que isso significa que essa edição é real. Se você prestar atenção, vai sentir. A magia que está no ar não é meramente a magia de Lenda, é magia dos Arcanos, que estão tentando voltar. Mas só conseguirão fazer isso tomando o poder de Lenda.

As sobrancelhas de Caspar se juntaram, tamanha a surpresa, e ele fuzilou Tella com os olhos, deixando-a com a sensação de que acabara de revelar um segredo do qual nem sequer deveria ter conhecimento.

– Onde foi que você ouviu tudo isso? – perguntou o artista.

– Ouvi algo parecido – comentou Fernando. – Mas o que me disseram é que, se Lenda conseguir destruir os Arcanos, não vai só garantir o poder dele, também vai ficar com os poderes de todos esses seres místicos.

Dante não havia contado essa parte. Não que Tella tivesse resolvido acreditar na história dele. Mas era difícil ignorar a reação de Caspar: ficou tão branco quanto uma caveira.

– E se os poderes dos Arcanos tiveram algo a ver com o misterioso grande prêmio? – interveio Patricia, falando com aquela confiança que tornava impossível distinguir se ela havia se sentido pressionada pelo grupo e mudara de ideia ou se não queria ficar de fora da conversa. – Talvez Lenda conceda ao vencedor o poder de um dos Arcanos. Acho que eu escolheria a Rainha Morta-Viva. Ela não envelhece.

– Teoricamente, nenhum Arcano envelhece – disseram Tella, Caspar e Fernando, em uníssono.

E então foi a vez de Patricia ficar vermelha.

– Vocês não me deixaram terminar de falar.

– Então fala – retrucou Caspar.

Mas, pelo jeito, Patricia não sabia que o verdadeiro poder da Rainha Morta-Viva era a habilidade de controlar todos que cometessem a tolice de prometer que dedicariam a vida a ela. Patricia permaneceu calada, até que Caspar se virou para Fernando. Olhou para ele dando um sorriso tão sincero que Tella achou que a reação segundos atrás tinha sido coisa de sua cabeça.

– E você? – perguntou o artista –, ia escolher o poder de qual Arcano?

Fernando ficou mexendo nos suspensórios, com uma cara pensativa.

– Acho que ficaria com a Morte Donzela.

Donatella ficou tensa.

Patricia olhou para o irmão, boquiaberta, e perguntou:

– Você ia querer matar gente?

– A Morte Donzela não mata ninguém – respondeu Fernando. – É um dos Arcanos bonzinhos. Ela sente quando uma tragédia está prestes a acontecer e avisa as pessoas. Eu gostaria de poder fazer isso.

Ah, se Fernando tivesse razão... Pela experiência de Tella, a Morte Donzela selou um destino e não impediu que ele acontecesse. As coisas poderiam ter sido diferentes se, quando Donatella tirou a carta do Baralho do Destino da mãe, ela soubesse o que a Morte Donzela de fato representa. Isso poderia ter lhe dado a oportunidade de fazer algo para impedir que a mãe fosse embora.

Caspar, então, se dirigiu a Tella:

– E você, de que poder gostaria?

Donatella podia até ter sido fascinada pelos Arcanos um dia, mas não sabia se queria alguma de suas terríveis dádivas. Esses seres místicos não eram cem por cento maus: a Senhora da Sorte trazia fama e benesses. Mas, tendo em vista a natureza caprichosa da sorte, até isso poderia dar errado. E, apesar de o Aráculo ter mostrado lapsos do futuro que ajudaram Tella, também lhe trazia sofrimento após sofrimento. O Assassino era capaz de se movimentar através do tempo e do espaço. Mas, por mais tentador que fosse esse poder, Donatella achava que também poderia trazer uma certa loucura. E deveria ser ainda pior ter os poderes de todos os Arcanos. Podia ver por que alguém como Lenda gostaria de possuí-los. Com tanta magia, o Mestre do Caraval poderia governar o mundo. Mas Tella não acreditava que Lenda ou o mundo ficariam melhores assim.

As cortinas logo à frente se abriram de novo, poupando Donatella de ter que responder à pergunta, já que alguém havia chamado Fernando e Patricia para entrar.

Tella se virou para Caspar, mas ele havia saído de fininho. Muito provavelmente, tinha ido procurar outra dupla para manipular.

E deve ter sido melhor assim. A reação de Caspar ao ouvir a história de Donatella fez a garota levantar questões sobre as quais era melhor não perguntar. Ela não sabia o que encontraria do outro lado das cortinas pretas de pingentes dourados. Mas, se tivesse a ver com a próxima pista, supôs que tentariam manipular ainda mais seus pensamentos. Era melhor pôr a cabeça no lugar antes de pisar lá dentro.

Não havia relógios nas paredes da taverna; só espelhos, lampiões, garrafas e mais tentativas de retratar Lenda. Sendo assim, ela não tinha ideia de quanto tempo esperou. Apenas tinha a sensação de ter demorado demais. Por fim, a cortina se abriu de novo e uma voz que não lhe era estranha a convidou para entrar.

Tella sentiu como se tivesse escorregado e caído dentro de um frasco de veneno. Como o restante da taverna, tudo do outro lado da cortina de pingentes dourados era verde – do chão de lajotas de vidro às paredes espelhadas e compridas, passando pelo trio de poltronas que lembravam conchas. Verde como o ódio maduro, a inveja nua e crua e os olhos cor de esmeralda de Armando.

A garota soltou um suspiro de assombro quando o viu.

Mesmo que o rapaz nunca tivesse sido de fato noivo de Scarlett, Donatella sempre lembraria dele como o vilão que interpretara no último jogo.

Naquela noite, os olhos verde-escuros de Armando estavam delineados de preto, parecendo pedras preciosas recém-engastadas. Estava elegantemente trajado de marfim, com exceção do lenço carmim amarrado no pescoço e da cartola preta que cobria sua cabeça. O chapéu estava torto e tinha uma fita de cetim vermelho em volta. Sabe-se lá por que, Tella teve a impressão de que o acessório era menos uma homenagem a Lenda e mais um objeto de cena, para que os jogadores pensassem que, talvez, Armando fosse o verdadeiro Mestre do Caraval.

Tella se sentou com delicadeza na poltrona vaga na frente do rapaz. Como se só de ver o fraque branco imaculado de Armando não lhe desse vontade de apertar os botões de pérolas das luvas e estraçalhar as roupas dele. Mas, se fizesse isso, o artista não lhe daria a próxima pista.

E, se existia alguém naquela estranha igreja que poderia ter a pista, esse alguém era o demônio sentado na frente de Donatella.

Os lábios dele sorriram, mas a expressão não contagiou seu olhar, como se aquele sorriso também fizesse parte da fantasia. Ao contrário da maioria dos artistas de Lenda, que sempre eram simpáticos, Armando nem sequer tentou dizer algo agradável. Assim ficava fácil desgostar dele, acreditar que não estava atuando e que o artista, na verdade, *era* o papel que interpretava.

– Como vai sua irmã?

Tella perdeu a paciência e respondeu:

– Já avisei para você não falar dela.

– Senão o quê? Você vai afundar suas garras na minha bochecha e arranhar meu rosto? – O olhar de Armando pousou nas luvas da garota, e o artista continuou provocando: – Se você tem necessidade de vingança, fique à vontade. Mas continuo achando que fiz um favor à sua irmã. Ninguém quer ser o último a saber de um segredo. E ela ficaria muito pior se descobrisse a verdade na próxima semana, depois do Caraval.

– Você poderia ter feito isso de um jeito menos detestável.

– Se acredita nisso, ainda não sabe como o jogo funciona. Todos os artistas de Lenda são incumbidos de um papel, e devemos nos transformar nessa pessoa durante o jogo. É isso que faz o Caraval se desenrolar de fato, não as pistas rimadas. Então, sim, senhorita Dragna: eu tinha que fazer isso de um jeito detestável.

Os olhos de Armando foram ficando mais duros e aguçados a cada palavra, como se pronunciar cada uma delas piorasse sua condição de vilão.

Se Tella pudesse, apostaria todas suas fichas no fato de o rapaz estar se deleitando com aquele papel. Ele também havia interpretado um monstro na última edição do jogo. E, como não fizera a menor questão de se desculpar, Donatella supôs que o jovem tinha se divertido com aquilo. Será que era por isso que sempre interpretava o papel de vilão ou havia algo mais?

Enquanto refletia sobre essa questão, Tella ouviu a voz da avó Anna repetindo uma parte da história que contara muitas e muitas vezes: "A bruxa também alertou que todo desejo cobra um preço para se realizar. E, quanto mais Lenda se apresentasse, mais se transformaria nos papéis que representasse. Se representasse um vilão, passaria a ser um na vida real".

Donatella sempre recordava da avó dizendo que Lenda gostava de fazer papel de vilão e que isso o transformara em um. Mas essa afirmação não era de todo verdadeira. O Mestre do Caraval se transformava nos papéis que interpretava, ou seja: só se tornaria um vilão se interpretasse um – coisa que Armando tinha feito.

Até então, essa possibilidade não havia passado pela cabeça de Tella: ela odiava Armando pelo que o artista fizera Scarlett passar. Tinha a impressão de que estaria fazendo um elogio ao artista se pensasse que ele era Lenda. E não queria fazer nada a Armando que não causasse uma dose significativa de dor.

– Até você tem um papel nesta apresentação – disse o rapaz. Em seguida, pegou o Baralho do Destino que estava no meio da mesa e começou a embaralhar. – Você pode até achar que o seu papel não obedece a um roteiro. Mas posso te dizer que, no instante em que você pisou aqui, pensou em me ferir e ainda deve estar pensando nisso neste exato momento. Lenda está manipulando, fazendo você enveredar por um caminho, até ter a impressão de que está fazendo uma escolha. Mas, na verdade, será sua única opção, e você terá escolhido exatamente o que ele queria.

– E por que ele faria isso?

– Se conseguir responder a essa pergunta, realmente terá vencido o jogo.

Armando colocou o Baralho do Destino no meio da mesa e fez sinal para Donatella cortar. As cartas eram douradas com espirais prateadas, muito mais grossas do que as dos baralhos normais. Pareciam feitas de metal de verdade – difíceis de destruir, como os futuros que previam.

Tella olhou para as cartas mas não encostou nelas. Até podia ter ficado obcecada pelas cartas desde o dia em que encontrou o baralho da mãe – e até podia ter se permitido consultar o Aráculo –, mas jamais havia utilizado um Baralho do Destino para prever o próprio futuro. Cumpria a promessa que fizera à mãe – e tê-las virado uma única vez já causara estrago suficiente.

– Acho que vou pular a parte da leitura. Não vim aqui procurando palavras enigmáticas sobre o futuro.

– Mas quer a próxima pista, não quer?

– Você não acabou de dizer que as pistas não fazem diferença?

– Não. Eu disse que o jogo não se resume às pistas, mas elas são necessárias para indicar o caminho certo para pessoas como você.

– Acho que prefiro olhar para as estrelas e seguir as constelações de Lenda.

– As constelações ajudam, mas não conduzem à vitória. E suspeito que você queira vencer.

Armando empurrou o baralho mais para perto de Tella, arranhando a superfície de vidro.

– Por que você está tão interessado no meu futuro?

– Eu não estou nem um pouco interessado, mas Lenda está muito interessado.

– Suponho que você diga isso para qualquer um que senta aqui.

– Verdade. Mas, com você, estou sendo sincero. – Desta vez, quando Armando sorriu, todo o seu rosto se iluminou. Os lábios se entreabriram, dando um sorriso perfeito, e os olhos ficaram com um tom deslumbrante de verde. E, por um instante, Tella pensou que, se Armando fosse só um tantinho mais gentil, seria lindo de partir corações. – Você pode jogar comigo ou ficar à vontade para tentar a sorte em outro templo.

Como se estivessem esperando por essa deixa, duas badaladas soaram, anunciando as duas da manhã. Era mais tarde do que Donatella imaginava. Teria que correr para encontrar algum artista de Lenda em outro templo. Mas existia a possibilidade de eles também quererem prever seu futuro, assim como Armando.

Tella encostou no baralho de metal.

As cartas eram frias, ao ponto de ela conseguir sentir através dos dedos da luva. Assim que terminou de cortá-las, Armando abriu o baralho na frente dela. Um leque de ouro e prata. Que deveria ter brilhado. Mas, instantes depois, o dourado ficou preto e as espirais prateadas enferrujaram, como se quisessem avisar Donatella que seu futuro também se tornaria sombrio.

– Pegue quatro. Uma por vez.

– Sei como funciona.

Ignorando as cartas mais óbvias que estavam bem na frente dela, a garota pegou uma carta enterrada bem à esquerda. Quando foi virá-la, arranhou a mesa de novo e revelou um sorriso ensanguentado que conhecia muito bem.

O Príncipe de Copas.

O ar nos pulmões de Tella ficou com uma temperatura polar. Era mesmo impossível escapar do Arcano.

Armando deu uma risadinha, seca e debochada.

– Amor não correspondido. Pelo jeito, acho que as coisas entre você e Dante não vão dar certo mesmo.

Donatella poderia ter ficado chateada com esse comentário, caso cultivasse delírios em que o contrário aconteceria. Mas sabia, melhor do que ninguém, o que aquele príncipe ensanguentado significava. Apesar de tudo o que Tella dizia contra o amor, o verdadeiro motivo para nunca ter se permitido gostar de nenhum dos rapazes que demonstravam interesse por ela era o Príncipe de Copas. Donatella sabia como chamar a atenção deles, mas os relacionamentos estavam predestinados a nunca durar. O destino já havia decidido que ninguém que ela amasse corresponderia ao seu amor.

Tella virou a carta mais próxima, aquela tão óbvia que provavelmente estava esperando ser virada.

Ou não.

A Morte Donzela.

De novo.

– Sempre gostei desta carta. – Armando passou o dedo nas pérolas que envolviam o rosto da donzela com uma precisão fria e continuou a leitura: – O Ceifador da Morte a roubou da família e queria transformá-la em sua esposa imortal. Mas, como ela o rejeitou, o Ceifador aprisionou a cabeça da donzela em uma gaiola de pérolas, para impedir que outra pessoa ficasse com ela. E, mesmo assim, a donzela ainda desafiou o Ceifador da Morte: saía escondida todas as noites, para avisar os entes queridos das pessoas cujas vidas ele estava prestes a ceifar.

– Conheço bem a história dela.

– Então por que não está mais preocupada com a possibilidade de perder alguém que você ama?

– Porque já a perdi.

– Talvez esteja prestes a perder mais alguém – declarou Armando, com um tom ríspido.

Para quem dizia não se importar nem um pouco com o futuro de Tella, Armando parecia estar gostando demais daquele futuro tão sombrio.

Fingindo ignorá-lo, Donatella virou mais uma carta. Nem prestou atenção em qual, prevendo que seria o Aráculo – seguindo o mesmo padrão que descobrira quando criança. Mas, no lugar do espelho com bordas douradas, a carta diante da garota revelou uma coroa preta e pontiaguda, enfeitada com opalas negras reluzentes, quebrada em cinco pedaços denteados.

A Coroa Despedaçada.

De repente, parecia que Armando não estava mais se divertindo. Ele abriu e fechou a boca seguidamente, como se fosse um boneco no colo de um ventríloquo que resolveu não dizer nada.

– Esta carta não é suficientemente terrível para você? – perguntou Tella.

Mas, sendo sincera, aquela carta não incomodava Donatella tanto quanto as outras. A Coroa Despedaçada representava uma escolha impossível entre dois caminhos igualmente difíceis. Mas ela não acreditava em escolhas impossíveis. Na sua experiência, um caminho sempre era obviamente pior do que o outro. Mesmo assim, Tella ainda estava com o pé atrás de virar uma quarta carta: nunca havia tirado a Coroa Despedaçada. E, apesar de seu lado masoquista ter curiosidade de saber que outras surpresas o destino poderia lhe reservar, estava cansada de ter seu futuro manipulado pelos Arcanos.

– Preciso ver outra carta – disse Armando.

– Por quê? Acabei de virar três cartas pavorosas. Não basta?

– Achei que você estava por dentro dos procedimentos de previsão do futuro. Toda história tem quatro partes: o começo, o meio, o quase-final e o verdadeiro final. Seu futuro só estará completo quando você virar a quarta carta e revelar o verdadeiro final.

– Ainda não consigo entender por que Lenda se importa com isso.

– Talvez você tenha que fazer essa pergunta a si mesma e não para mim.

Os olhos de Armando pousaram nas cartas viradas, que contavam uma história de corações partidos, entes queridos perdidos e escolhas impossíveis. Tella não conseguia enxergar a relação de qualquer uma dessas coisas com o Caraval. A menos que, assim como Jacks, Lenda também sentisse prazer com a dor dos outros.

Desta vez, ela fechou os olhos, torcendo para tirar um Arcano favorável, como a Senhora da Sorte ou o Vestido de Vossa Majestade, que significavam mudanças ousadas e benesses extraordinárias.

A superfície de metal liso da carta não faiscou de magia como a do Aráculo, que Donatella guardava em seu bauzinho. Mas a jovem sentiu algo quando seus dedos pairaram em cima dela. A maioria das cartas era fria, algumas eram mais geladas do que outras, e havia as cartas mais quentes. Uma delas ardia tanto que Tella ficou tentada a tirar a mão de cima. Mas acabou por virá-la.

O metal tinha um brilho violeta. Uma mulher encantadora, com um vestido lavanda acizentado fitava Tella por trás das grades de uma enorme gaiola prateada.

A Dama Prisioneira.

Donatella sentiu um aperto no peito e não apenas porque a carta a fez lembrar da imagem de sua mãe que o Aráculo havia mostrado. A Dama Prisioneira tinha um duplo significado: às vezes, a imagem prometia amor. Mas, normalmente, significava um sacrifício. Em todas as histórias, ela era inocente de qualquer crime, mas permitia que a engaiolassem no lugar de alguém que ela amava profundamente.

As palavras de Nigel vieram à cabeça de Tella naquele momento.

"Mas esteja avisada: vencer o jogo custará um preço que, mais tarde, você irá se arrepender de ter pagado."

Tella olhou feio para Armando e declarou:

– Já tirei as quatro cartas. Agora me dê a próxima pista.

O artista retorceu os lábios e ficou com uma expressão indecifrável.

– Se você vier com um papinho de que não pode...

– Deixe essas suas garras dentro das luvas.

Armando se levantou da poltrona, atravessou o cômodo pequeno e pressionou a mão em um dos espelhos da parede, que se abriu com um som sibilante, revelando um túnel gelado de terra e teias de aranha antiquíssimas.

Donatella já ouvira falar que havia passagens secretas escondidas por toda a cidade de Valenda. Aquela deveria ser uma delas.

– Siga por esse caminho até alguma coisa te obrigar a parar. É aí que você vai encontrar a próxima pista. Mas não se esqueça, senhorita Dragna: o Caraval não depende só das pistas. Sua irmã não venceu porque resolveu charadas simples. Venceu graças ao que estava disposta a sacrificar para resolver as charadas e graças ao que estava disposta a sacrificar para encontrar você.

21

O mundo do jogo e o mundo real estavam começando a se fundir. Donatella sentia partes dos dois se encaixando – e se encaixando bem demais.

O jogo não era real. Ela sabia disso. Todo mundo sabia disso. Mas, mesmo assim, ao percorrer o túnel escondido de Armando em direção à segunda pista, quando deu por si, estava questionando se, talvez, o jogo não era mais real do que gostaria que fosse.

Tella entrara no Caraval acreditando que seu trato com o Príncipe de Copas era real. E que, se vencesse o jogo e trouxesse Lenda até o Arcano, poderia salvar a vida da mãe. Depois do baile, também começara a acreditar que Jacks era o verdadeiro Príncipe de Copas, um Arcano que tinha escapado da prisão das cartas, sabe-se lá como. Mas depois disso a garota parara de acreditar.

Até a mera tentação de pensar que alguma parte do jogo era real poderia causar um perigoso desequilíbrio mental. Lenda não pretendia destruir os Arcanos, e os Arcanos não pretendiam destruir Lenda.

Mas, se Tella tivesse mesmo razão e tudo não passasse de um jogo, será que realmente conheceria Lenda, caso vencesse? Ou será que o Mestre do Caraval seria interpretado por outro artista?

Lenda sempre era interpretado por artistas. Mas Tella acreditava que, desta vez, seria diferente. Nigel havia prometido: "Se você vencer o Caraval, o rosto do mestre será o primeiro que verá".

Quando o adivinho disse essas palavras, Donatella sentiu seu mundo inteiro se transformar. Sentiu o poder delas, a mesma magia capaz de prever o futuro que sentia quando encostava no Aráculo. Tinha certeza de que conheceria Lenda se vencesse o jogo. Mas, se o verdadeiro Lenda aparecesse no fim do jogo, será que o restante também seria real? Será que outros Arcanos estavam tentando voltar à Terra, além de Jacks? E, caso voltassem, será que Lenda seria destruído?

Tella estava tão perdida em suas dúvidas que nem percebeu o quanto já havia caminhado nem aonde levava o túnel serpenteante indicado por Armando. Até que ouviu vozes ecoando nas antiquíssimas paredes de pedra do túnel.

Apertou o passo, acompanhando os sons até chegar a uma porta tapada de teias de aranha. Não era a primeira porta que vira, mas era a primeira vez que parava de caminhar. Reconheceu as vozes do outro lado.

Eram de Scarlett e de Julian.

A porta imunda as abafava, mas eram inconfundíveis. Donatella conhecia a voz da irmã melhor do que a própria, e a de Julian era bem característica.

A primeira vez que viu Julian, lá em Trisda, não ficou tão atraída pelo rapaz quanto Scarlett ficou. Mas gostou do som de sua voz. Aveludada e sonora, perfeita para lançar feitiços. Mas, naquele momento, a voz dele poderia quebrar feitiços. Parecia um ruído de sal sem mar. Rouco, solitário e perdido.

O cheiro de fuligem e de teias de aranha penetrou no nariz de Tella quando ela aproximou o ouvido da porta, imaginando que, do outro lado, deveria ser o quarto da irmã dentro do palácio.

– Obrigado por me deixar entrar – disse Julian. – Achei que você não queria mais me ver.

– Quero ver você sempre – falou Scarlett. – É por isso que dói tanto.

No silêncio que se seguiu, Donatella imaginou a irmã do outro lado da porta. Já passava das três da manhã. Scarlett talvez estivesse de camisola. Mas, conhecendo a irmã, provavelmente tinha pegado um cobertor para se cobrir. Tella podia enxergar Scarlett se tapando, escondendo o corpo, sua mente sensível e a mágoa por ter sido enganada. Tudo isso para lutar contra o coração doído e o desejo que sentia por Julian.

– Minha irmã acha que eu devo te dar outra chance.

– Concordo com sua irmã.

– Então me dê um bom motivo para confiar em você novamente. Quero confiar, mas você só conseguiu ficar um dia sem mentir para mim.

Pela voz trêmula de Scarlett, Donatella imaginou que a irmã estava prestes a cair no choro.

Estava bisbilhotando uma conversa particular. Precisava deixar os dois a sós e continuar percorrendo o túnel.

– E o que sua irmã...

Tella parou de andar.

– ... quantas vezes...

– Não meta Tella nisso.

– Só quero saber por que é diferente – disse Julian. – Por que você pode perdoá-la por mentir a respeito do Caraval e de Armando e por todas as outras coisas que ela escondeu de você?

– Porque Tella é minha irmã. – O tom de luta havia voltado à voz de Scarlett. – Você deveria compreender isso. Não é essa a razão de você mentir tanto, por causa de seu irmão, Lenda?

O mundo inteiro de Donatella congelou.

Lenda era irmão de Julian.

Por que Scarlett guardara isso em segredo?

Porque Tella nunca perguntou.

Mas, mesmo assim, Donatella tinha a impressão de que era o tipo de coisa que Scarlett deveria ter lhe contado. Se fosse verdade, resolveria tudo. Tella não precisaria de mais nenhuma pista para vencer o jogo. Só precisaria convencer Scarlett a arrancar de Julian qual era a verdadeira identidade de Lenda.

Só que o rapaz era um mentiroso que trabalhava para o Mestre do Caraval. Donatella não sabia se podia acreditar no que ele dissesse. Aquilo também poderia fazer parte do jogo. Um truque. Uma distração, para impedir que Tella encontrasse as pistas que poderiam levá-la ao verdadeiro Lenda.

A menos que essa fosse uma das pistas...

Armando dissera que, se ela seguisse por aquele túnel, encontraria a próxima pista.

Donatella ficou ouvindo com toda a atenção, esperando o que Julian iria dizer.

– Carmim – suplicou ele –, por favor... Estou fazendo tudo que posso para você continuar comigo.

– Talvez seja esse o nosso problema. Não quero que você tente "ficar" comigo. Quero saber quem você é de verdade.

Julian respondeu em voz baixa, e Tella não conseguiu entender o que ele disse. E aí ouviu o rapaz sair do quarto.

A garota, provavelmente, deveria ter esperado mais para abrir a porta e entrar de surpresa no quarto da irmã. Mas, independentemente de quando entrasse, o fato de estar ouvindo a conversa dos dois deixaria de ser segredo.

Donatella girou a maçaneta.

No instante em que passou pela porta, entrou em uma lareira que – ainda bem – não estava acesa. Donatella bateu cinzas do vestido, saiu da lareira e entrou no recinto.

O quarto de Scarlett tinha a frieza das lágrimas. À primeira vista, parecia a parte de dentro de uma caixinha de música – as paredes revestidas em matelassê de cetim azul-safira cercavam uma câmara circular repleta de frágeis mesas de cristal com bordas que formavam ondas e poltronas com pés de vitral. Até a delicada cama de dossel parecia uma coisa efêmera, feita de quartzo reluzente e de sonhos. Aquele era um quarto digno de uma princesa encantada. Mas, naquela história específica, Scarlett estava mais para desencantada. Seu rosto estava pálido, emoldurado pelo cabelo castanho-escuro e liso. Até seu olhar de surpresa, ao perceber que a irmã estava ali, foi opaco.

A única coisa nela que não tinha uma aparência soturna era o vestido. Tella esperava que a irmã estivesse de camisola. Mas, das duas, uma: ou Scarlett acabara de voltar de um baile secreto ou ainda estava usando o vestido mágico que Lenda lhe dera – e o traje estava determinado a fazer sua parte para que Scarlett e Julian continuassem juntos. Um corpete tomara que caia, de seda vermelha, se abria em uma saia carmim tão volumosa que ocupava um quarto do aposento.

Donatella duvidava que a irmã tivesse ido a um baile. Aquele deveria ser o vestido encantado de Lenda, o que a deixou ainda mais perplexa. Da última vez que vira a irmã, Scarlett havia dito que não confiava em Lenda nem em ninguém que trabalhasse para ele. E, apesar disso, ainda estava usando o vestido que o Mestre do Caraval lhe dera.

Tella não queria duvidar da irmã mais velha, mas vê-la usando aquele traje foi o que bastou para que ela desconfiasse que Scarlett estava participando do jogo. Talvez estivesse fazendo isso para dar o troco na irmã mais nova, que mentiu para ela na última edição do Caraval.

Tella apertou os lábios, brava.

E aí viu uma lágrima rolar pelo rosto de Scarlett. Seguida de outra.

Ao contrário de Donatella, Scarlett não sabia fingir que chorava. Se soubesse, certamente sua irmã mais nova teria visto ela fazer isso antes.

Mais uma lágrima caiu. Depois mais outra, deixando um rastro no rosto de Scarlett.

Não. Sua irmã não estava atuando. Donatella estava sendo paranoica. Scarlett havia avisado que, uma hora, ela não conseguiria mais distinguir o que era real e o que era apenas parte do jogo.

Frustrada consigo mesma e com o jogo por fazê-la duvidar de Scarlett, Tella ficou olhando em volta do quarto circular, em busca de palavras de apoio, já que a irmã parecia estar mesmo infeliz, e ela, obviamente, tinha ouvido as causas que Scarlett atribuía ao seu sofrimento. Mas o que saiu foi:

– Julian é mesmo irmão de Lenda?

Scarlett se jogou na cama, formando um amontoado de seda vermelha amarrotada.

– Ele me contou, no fim do Caraval, que os dois são irmãos. Mas começo a achar que Julian falaria qualquer coisa para ficar comigo.

– Pelo menos, você pode ter certeza de que ele gosta de você.

– Será que gosta mesmo? – Mais lágrimas rolaram pelo rosto de Scarlett. – Quando a gente gosta de alguém de verdade, não deve ser sincera, mesmo que isso signifique que podemos perder essa pessoa?

– Acho que, normalmente, não é tão simples assim. Eu te amo mais do que qualquer coisa que existe no mundo, mas já menti para você, e muito – respondeu Tella, com um tom alegre, na esperança de fazer a irmã dar um sorriso.

A careta de Scarlett balançou, como se quisesse dar risada mas não se lembrasse de como fazer isso.

– Não consigo distinguir se você realmente acha que eu devia perdoá-lo ou se está apenas tentando fazer eu me sentir melhor.

– É claro que estou tentando fazer você se sentir melhor. E, em relação a perdoá-lo, depende: ele é ou não irmão de Lenda?

Donatella falou isso meio em tom de brincadeira. Mas também estava falando sério e, por um instante, se odiou por tirar vantagem da irmã. Mas, se não vencesse o jogo nem encontrasse Lenda, se morresse de novo, Scarlett ficaria muito mais do que inconsolável. Tella era a irmã que destruiria o mundo se algo acontecesse com Scarlett, mas o mundo de Scarlett seria destruído caso algo acontecesse com Tella.

– Já tentei perguntar para Julian, mas ele não quer me dizer quem Lenda realmente é. – Scarlett se encostou, encolhida, na coluna da cama e completou: – Julian tentou me convencer de que, para ele, é fisicamente impossível revelar esse segredo. Mas não teve dificuldade para dar a entender que Lenda é seu irmão. – Nessa hora, ela secou as lágrimas com o dorso da mão, furiosa. – E isso me faz pensar que tudo foi mentira. Estou quase inclinada a acreditar que *Julian* é Lenda. Mas, como não queria me contar, inventou que Lenda é irmão dele.

Scarlett fungou encostada no travesseiro e murchou ainda mais.

Tella ficou pensando no que a irmã acabara de dizer e viu a saia do vestido de Scarlett ficar mais curta e mais justa, transformando-se em algo mais parecido com uma camisola. A cor se suavizou até ficar de um tom bem clarinho de rosa. Era uma maravilha. Durante a última edição do Caraval, Donatella havia ficado com uma certa inveja daquele vestido. O traje se comportava como se tivesse mente e sentimentos próprios, mudando de tecido, de corte e de cor quando bem entendia. Sua magia era excepcional, até para os padrões do Caraval, e Lenda o dera de presente para Scarlett. Tella ouvira os comentários dos artistas sobre o vestido durante o último jogo, querendo saber por que o mestre dera um presente tão ímpar para a irmã dela. De repente, isso fazia mais sentido se Julian fosse mesmo Lenda, como Scarlett acabara de sugerir.

Donatella se sentou na cama ao lado da irmã e indagou:

– Você acredita mesmo que Julian pode ser Lenda?

– Não sei – murmurou Scarlett. – Acho que Lenda tem um poder que controla seus artistas. Não acredito que controle cada atitude deles, mas tenho a impressão de que pode impedi-los de revelar certos segredos. Sendo assim, duvido que Julian teria permitido que Armando tivesse me contado tudo sobre o papel que interpretou no último Caraval, se fosse mesmo Lenda.

– Odeio Armando.

– Ele só estava fazendo o trabalho dele. Mas também não posso dizer que vou muito com a cara de Armando.

Scarlett deu um soco no travesseiro onde fungava há pouco; um tanto de seu espírito de luta estava voltando.

– Você acha que Armando pode ser Lenda?

— Acho que qualquer um pode ser Lenda. — Scarlett reprimiu as últimas lágrimas. Quando olhou para Tella, sua expressão era determinada. — Acho que a única maneira de descobrir quem Lenda é de verdade é continuar usando Julian para vencer o jogo.

— Você quer usar Julian? — Tella quase caiu da cama. Aquilo não tinha nada a ver com sua irmã. — De onde saiu isso? Achei que você nem quisesse que eu jogasse.

— E não quero. Mas, se você vencer e conhecer Lenda, podemos descobrir a verdade a respeito de Julian.

Scarlett tirou um cartão da manga, como se fosse uma adaga escondida.

Definitivamente, aquele era um lado novo de Scarlett.

Tella gostou.

— Julian me entregou isso. É a próxima pista. Falou que quer te ajudar, mas acho que ele estava tentando me subornar.

Tella pegou o cartão e reconheceu a letra: era a mesma da pista que recebera na festa.

O OBJETIVO DESTE JOGO NÃO É O QUE VOCÊ
PENSA: VASCULHE A CIDADE.

E ENCONTRE A MULHER DE PERGAMINHO E
NANQUIM PARA DESCOBRIR A VERDADE.

ELA É A ÚNICA CAPAZ DE REVELAR
A PRÓXIMA PISTA,
QUE FOI DEIXADA APENAS
PARA VOCÊ, LONGE DA VISTA.

– Ouvi algo parecido de uma mulher que conheci no Bairro das Especiarias, na entrada de um lugar que faz cartazes de "Procurado".

Tella também ficou com a impressão de que aquela pista era mesmo destinada a ela – e apenas a ela. Duvidava que outros jogadores também tivessem parado no mesmo estabelecimento, Os Mais Procurados de Elantine. A garota até tinha esperança de conseguir dar mais uma passada naquela loja, mas era coincidência demais Lenda pedir para que ela voltasse justamente ao mesmo local que a colocara em contato com Jacks.

O jogo estava, mais uma vez, começando a parecer real demais.

Tella recordou que acabara de testemunhar os artistas de Lenda lançando mão de todo tipo de artimanha, lá no Distrito dos Templos. Estaria sendo ingênua, de propósito, se acreditasse que o Caraval era mais do que um jogo. O Caraval não passava de uma enorme farsa, mas a jovem conseguia sentir que o jogo estava tentando arrebatá-la.

Ela mostrou o cartão com a pista que Scarlett acabara de lhe entregar, e sugeriu:

– Venha conferir isso comigo amanhã à noite.

Scarlett mordeu o lábio.

– Que foi, você tem outros planos?

– E com quem eu teria planos? – retrucou Scarlett.

Mas ela fez essa pergunta com um tom meio estranho e estridente, e Tella teve a impressão de que a camisola da irmã se encolheu e piscou rapidamente, mudando de rosa para preto.

Donatella não sabia o que a irmã estava escondendo. Mas, mais uma vez, ficou com a sensação de que Scarlett não estava dizendo toda a verdade.

– Eu prefiro não sair à noite, só isso – completou Scarlett. – Não posso correr o risco de me deixar arrebatar pelo jogo mais uma vez.

– Eu entendo – disse Tella.

Só não tinha certeza se acreditava.

TERCEIRA NOITE DO CARAVAL

22

Tella teria dado um ano de vida em troca de mais uma hora de sono. A possibilidade de perder um ano nem sequer a preocupava. Não queria deixar o ditoso conforto azul de sua cama, com todos aqueles cobertores macios e travesseiros de pena. O dia anterior fora tão longo que chegou a ser brutal. Mas Donatella já tinha dormido mais do que deveria – e, se não levantasse, teria bem menos do que um ano de vida pela frente.

Tum... tum.
Nada.
Nada.
Tum... tum.
Nada.
Tum... tum...
Nada.
Nada.

O coração batia ainda mais devagar do que na noite anterior. Mas ainda batia. E Tella faria de tudo para que ele não parasse de bater. Estava um pouco mais lenta por causa disso. Só se sentiu mais normal depois que tomou um bule de chá bem forte e de comer várias tortinhas de caramelo e alguns folhados de frutas vermelhas.

Deu um jeito de terminar de se arrumar antes da chegada do crepúsculo. Escolhera usar um vestido sem espartilho de saia mais justa, no tom escuro de azul das lágrimas vertidas por nuvens de tempestade.

O tecido do traje talvez fosse fino demais para encarar o frio da noite, mas facilitava os movimentos. Apesar disso, ela ainda estava um pouco ofegante quando chegou à ala de safira, onde Scarlett estava hospedada.

Só que a irmã não estava no quarto.

Tella bateu na porta por um bom minuto e quase machucou a mão na pesada porta de madeira.

Tendo em vista que Scarlett fora tão taxativa quando disse que não queria sair do palácio à noite, para não se deixar arrebatar pelo jogo sem querer, Donatella esperava que a irmã estivesse na segurança do quarto. Mas, das duas, uma: ou Scarlett perdera a noção do tempo – o que era pouco provável – ou estava mesmo escondendo algo da irmã mais nova.

Tella odiou desconfiar da irmã novamente. Por mais cautelosa que Scarlett fosse, não fazia sentido ter saído do palácio. Ainda mais em uma noite como aquela, em que, pelo jeito, toda a cidade de Valenda havia se transformado no tabuleiro do jogo de Lenda.

Nas duas noites anteriores as constelações do Mestre do Caraval tinham marcado posição em locais específicos, mas, naquele terceiro ato do jogo, estavam cobrindo todos os distritos com explosões cintilantes de azul celestial.

Quando deu por si, Tella estava agradecendo Armando por ter insistido que ela procurasse a segunda pista, o que não deixava de ser inusitado. Mas, sem ela, a garota não teria nem ideia de por onde começar a busca.

Ao sair do palácio a bordo de uma carruagem aérea, viu estrelas formando todos os símbolos tradicionais do Caraval: uma cartola azul deslumbrante, um buquê de rosas azuis e uma ampulheta azul. Só que essas não eram as únicas figuras formadas no céu. Constelações que lembravam os Arcanos pairavam sobre os montes de Valenda e sobre os diferentes bairros. Donatella avistou um tapa-olho com pedras preciosas, uma coroa de adagas, uma chave em forma de esqueleto, uma gaiola de pérolas, lábios costurados e um par de asas azul-escuro cintilante. As asas, provavelmente, representavam a Estrela Caída. Mas eram tão parecidas com as asas tatuadas nas costas de Dante que era doloroso de ver. O coração moribundo de Tella acelerou ao avistá-las e fez uma onda de sangue quente correr por suas veias.

A carruagem pousou no Bairro das Especiarias, e Donatella percebeu que estava procurando por Dante. Mas, pelo jeito, o rapaz resolvera não segui-la naquela noite.

Tella olhou de novo para o céu cheio de estrelas, imaginando debaixo de qual constelação ele estaria e se estava com outra pessoa. Imaginou as mãos grandes e tatuadas do artista acariciando a veia pulsante do pescoço de outra garota enquanto a enfeitiçava com as mesmas palavras que havia dito para Donatella, com aquela sua voz grave, na noite anterior. "Mesmo que eu não fosse Lenda, ia querer que você vencesse."

Tella sentiu um doloroso frio na barriga, só de pensar. Não que quisesse Dante ali, ao lado dela. Não precisava dos deboches enigmáticos do rapaz nem do som grave de sua voz para distraí-la. As ruas estreitas do bairro já eram distração suficiente.

Todos os becos e vielas estavam lotados, muito mais do que da última vez que Donatella havia estado ali. Os habitantes coloridos do Bairro das Especiarias se confundiam com os camelôs que vendiam acessórios representando algum Arcano a preços exorbitantes, preparando a cidade para o feriado do Dia de Elantine. Os ambulantes tomavam a frente de quase todas as lojas, e todos gritavam.

– Cinco vinténs pela coroa do Rei Assassinado!
– Três vinténs pela gaiola de pérolas usada pela Morte Donzela!
– Quatro vinténs pela máscara do Príncipe de Copas!
– Dois vinténs pelas manoplas de Caos!
– Um vintém pelo véu de lágrimas da Noiva Abandonada!

Entre os ambulantes, Tella não avistou nenhum dos artistas de Lenda, pelo menos nenhum que ela conhecesse. Mas achou ter visto outras pessoas que também participavam do jogo. Mais de uma vez, ouviu alguém bater em uma parede de tijolos e falar "Venho por ordem de Lenda", como se fosse uma senha para abrir alguma porta oculta que levaria à próxima pista. Invejava a energia e a empolgação despreocupada desses jogadores. Pareciam estar tomando caminhos muito diferentes do dela, seja lá quais fossem.

Das duas, uma: ou o próprio Lenda estava pregando uma peça em Tella ou aquelas pessoas não estavam participando do mesmo jogo que ela.

De acordo com a segunda pista que recebera, Donatella devia encontrar uma mulher de pergaminho e nanquim. O que, claramente, indicava a senhora que trabalhava no Mais Procurados de Elantine. Mas, quando Tella chegou ao local, não havia ninguém.

Ela entrou na loja, e o aroma de relatos, barras de carvão para desenho e pergaminho lhe deu coceira no nariz. Um pequeno espaço quadrado, em um canto do estabelecimento, abrigava um ateliê bem equipado, mas desorganizado. Todo o restante do espaço era revestido de papel – até o teto estava entupido de cartazes amarelados, que pareciam ser ainda mais velhos do que a dona ausente do local.

Donatella tentou absorver cada uma das imagens enquanto esperava a mulher voltar. Aqueles cartazes não eram pedaços de papel com rostos desenhados de qualquer jeito. Eram obras de arte, retratos detalhados de criminosos que Tella conhecia só de ouvir falar. Muitos dos quais, nem isso. Cada quadrado de pergaminho ou de tela parecia contar uma história tão maravilhosa quanto macabra.

O nome Augustus, o Empalador, parecia dizer tudo sobre ele.

Também havia a Duquesa de Dao. Procurada por pirataria continental, venda de venenos e sedução.

– Não sabia que sedução é crime – murmurou Tella.

– Depende de quem você tentar seduzir.

Donatella virou para trás. Mas, em vez de deparar com uma senhora suja de nanquim, ficou cara a cara com uma garota que usava um luminoso vestido branco-pergaminho com pespontos pretos. Parecia que um dos retratos a nanquim tinha fugido da parede. Era Aiko, outra artista de Lenda.

Tella sempre teve dificuldade de interpretar essa garota. Como a função de Aiko no jogo era observar, ela era mais reservada. Trabalhava como historiógrafa, imortalizando a história do Caraval por meio de desenhos dos acontecimentos mais significativos, feitos em um diário mágico que, naquele momento, levava embaixo do braço.

O fato de Aiko ter aparecido deixava óbvio que estava no caminho certo, apesar de que Tella não podia dizer, com sinceridade, que ficara feliz de ver a garota. Fora do jogo, ela até gostava de Aiko. Mas preferia não ter topado com a historiógrafa dentro da competição. Aiko era famosa por propor tratos inclementes. Durante a última edição do Caraval, fizera um trato com Scarlett que custara dois dias da vida da irmã de Tella. A morte temporária de Scarlett não foi igual à de Donatella. Mesmo assim, não era algo que ela gostaria de vivenciar novamente.

– Pode olhar o quanto quiser – disse Aiko –, mas pense bem antes de fazer uma pergunta. Só vou responder uma de graça e, depois, cada pergunta irá custar algo insubstituível.

– Posso perguntar simplesmente qual é a próxima pista?
– Pode, mas não vou responder. O máximo que posso fazer é indicar o caminho que leva a ela, se você conseguir fazer uma pergunta melhor da próxima vez.

Droga. Tella não queria que seu comentário tivesse saído com tom de interrogação.

Ficou de bico calado enquanto seus olhos vasculhavam os diversos outros cartazes, procurando por alguma figura que existisse no Baralho do Destino, na esperança de que pudesse levá-la até a próxima pista.

Não avistou nenhum Arcano, mas viu crimes que iam de beber sangue a necromancia, passando por canibalismo e venda de feitiços ruins...

Donatella parou. Crimes, pistas e Arcanos sumiram de seus pensamentos quando bateu os olhos no cartaz que estava colado bem no meio da parede dos fundos.

Esqueceu de como se respira. De como se fala. De como se pisca. De como se movimentar.

O retrato tinha bordas de estrelas e era mais belo do que os demais, talvez porque o rosto debaixo da palavra "Procurada" era belo – um rosto que tinha uma estranha semelhança com o de Paloma, a mãe desaparecida de Donatella e Scarlett.

23

Paradise, a Perdida.
Procurada por roubo, sequestro e assassinato.

Tella não conseguia tirar os olhos do retrato. Não sabia se queria ou não acreditar.
   Depois de ter passado tantos anos imaginando o que teria acontecido com a mãe, a jovem, finalmente, podia ter encontrado a resposta para uma de suas muitas perguntas irrespondíveis. Mas não era a resposta que Donatella esperava. Sua mãe era uma ladra. Uma sequestradora. Uma assassina. Uma criminosa.
   Ela queria acreditar que o cartaz estava errado. A mãe que conhecia não era nada disso. Entretanto, Jacks havia dito: "Acredito que você não a encontrou até agora porque Paloma não é o verdadeiro nome dela".
   O nome verdadeiro da mãe de Donatella e Scarlett era Paradise, e a semelhança entre Paradise e Paloma era inegável. Não só pelo fato de terem o mesmo rosto oval e o mesmo cabelo grosso e castanho-escuro. Era o contorno dos lábios formando aquele sorriso encantador e enigmático, que Tella passara a infância imitando. Os olhos grandes eram puxados, em um equilíbrio perfeito entre inteligentes e pensativos. Com uma pontada de inveja, Tella se deu conta de que a mãe era quase igual a Scarlett. Naquele cartaz, até parecia ter mais ou menos a mesma idade.

Será que Scarlett sabia disso? Será que era por isso que a irmã se recusava até a falar o nome da mãe?

– O que você pode me dizer a respeito de Paradise, a Perdida? – perguntou Donatella.

– Ela era especial – respondeu Aiko. Nessa hora, a historiógrafa se aproximou do cartaz e passou o dedo sem anéis pelo rosto de Paradise. – Nunca havia reparado, mas ela é bem parecida com sua irmã, Scarlett. Só que Paradise era muito mais ousada do que sua irmã.

– O que mais você pode me dizer a respeito dela?

– De sua irmã ou de Paradise?

– Conheço minha irmã melhor do que ela mesma se conhece. Quero saber de Paradise.

Os olhos castanho-escuros de Aiko brilharam de um jeito bem característico. Com seu diário encantado de historiógrafa, era tão mágica e ardilosa que quase poderia ser um Arcano. Ou, quem sabe, Aiko fosse Lenda – seria incrível se o Grão-Mestre do Caraval, na verdade, fosse uma garota.

– Posso contar tudo que sei, mas preciso que você me pague antes.

– Você não pode cobrar um dia da minha vida – avisou Tella.

– Se quer saber da verdade a respeito de Paradise, não podemos dizer que você está em condição de regatear. Como essa mulher desapareceu há quase 18 anos, boa parte das pessoas não se lembra dela. Mas sou descendente de uma longa linhagem de contadores de histórias.

Tella deu de ombros, como se não tivesse ficado nada impressionada. Por dentro, só conseguia pensar em *18 anos, 18 anos, 18 anos...*

Seus pais haviam se casado há quase 18 anos. Donatella sabia disso porque, depois que a mãe desapareceu, tentou descobrir onde ela morava antes de se casar com o governador Dragna, mas não encontrou nada. Claro, se antes de se mudar para Trisda Paloma respondia pela alcunha de Paradise, a Perdida, fazia sentido a inexistência de informações. O que Jacks havia dito sobre o nome da mãe de Tella era verdade.

A jovem sempre fora amargurada, como se tivessem lhe roubado algo, porque convivera com a mãe por apenas metade de sua vida e conhecia pouco dela. Mas agora tinha a sensação de que não conhecia nada a respeito de Paloma.

– De graça, é tudo o que posso contar – disse Aiko. – Para revelar o resto da história, preciso receber algo em troca. E não se preocupe: não vou roubar nenhum dia da sua vida.

– O que você quer?

Enquanto pensava, Aiko inclinou a cabeça e seu longo cabelo preto caiu para o lado.

– O Caraval é um mundo feito de faz de conta e, às vezes, é difícil para quem vive dentro do jogo o tempo todo, como eu, sentir que algo é real. A maioria dos artistas não vai admitir, mas todos anseiam por algo real. – Nessa hora, ela ficou em silêncio por alguns instantes, como se fosse dizer mais alguma coisa, mas mudou de ideia. Então completou: – Hoje, só quero de você alguma coisa real. Uma lembrança.

– Você vai ter que ser mais específica. Tenho curiosidade de saber mais sobre minha mãe, mas não vou deixar você levar algo como a lembrança do meu próprio nome.

– Isso nem passou pela minha cabeça. – Os olhos escuros da historiógrafa brilharam. – Ótima ideia. Mas vou guardar para a próxima. Hoje, gostaria de ficar com a última lembrança que você tem de sua mãe.

Tella se encolheu toda e, por instinto, deu um passo brusco para trás.

– Não. Não vou te dar nenhuma lembrança que tenho com ela.

– Então não posso te fornecer mais nenhuma informação sobre Paradise, a Perdida.

– Você não pode escolher outra lembrança?

– Você chamou Paradise de "mãe". Quero saber o porquê.

– Nunca chamei Paradise assim – argumentou Donatella.

– Chamou, sim. Falou que tinha curiosidade a respeito dela. E, como sou especialista em história, posso te contar tudo que você quiser saber. Então, das duas, uma: ou você encontra outro especialista ou me dá a última lembrança que tem com sua mãe. Vou te dar um minuto para refletir.

Tella não podia abrir mão de nenhuma lembrança que tinha com a mãe. Eram poucas e tão preciosas... Mas, se o jogo realmente envolvesse sacrifício, como Armando havia dito, sacrificar uma lembrança poderia permitir que a garota criasse novas lembranças com a mãe, no futuro.

E, quem sabe, Donatella ficasse melhor sem aquela última lembrança. Aquelas cartas a assombravam desde que encontrara o baralho no quarto de Paloma; e Tella não conseguia parar de imaginar o que teria acontecido se nunca tivesse virado a carta do Príncipe de Copas ou a da Morte Donzela. Será que a mãe teria ido embora se a Morte Donzela não tivesse previsto a partida? Será que Donatella já teria se apaixonado por alguém se nunca tivesse virado a carta do Príncipe de Copas?

— Tudo bem. Pode ficar com a última lembrança que tenho com minha mãe.

— Esplêndido.

Aiko foi até a bancada nos fundos do estabelecimento com uma atitude um pouco afoita demais, o que só intensificou a inquietação de Donatella quando a historiógrafa abriu o diário encantado em uma página em branco, de pergaminho imaculado.

— Você só precisa colocar a palma da mão em cima da página. Algumas pessoas até gostam desse processo. Nossas lembranças pesam muito mais do que a gente imagina.

— Não tente me convencer de que está me fazendo um favor.

Donatella apertou a mão no papel seco, que aqueceu em contato com sua pele, uma sensação parecida com a que tinha sempre que encostava no Aráculo. Só que aquele calor específico foi além da mão. Subiu pelo braço até o pescoço, se espalhando feito manteiga derretida e deixando a cabeça dela agradavelmente confusa.

— O diário precisa acessar a lembrança para conseguir coletá-la — explicou Aiko.

Mas a voz dela parecia distante, como se estivesse falando do fim de um corredor bem comprido.

Os olhos de Tella foram se fechando e, quando se abriram de novo, ela estava no quarto encantado da mãe, lá em Trisda. Paloma estava sentada no chão, na frente dela. Nunca havia aparecido de forma tão clara nas lembranças de Donatella.

Tinha cheiro de jasmim. Um aroma que a garota acreditava ter esquecido. Desde que a esposa foi embora, o governador Dragna não permitia que colocassem flores em nenhum lugar de seu palacete. E, até aquele momento, fazia anos que Tella não pensava em flores. Tinha vontade de se afundar naquele aroma, de abraçar a mãe e nunca mais esquecer. Mas aquilo era só uma lembrança, e Donatella não podia alterá-la, por mais que quisesse.

Pouco antes de essa lembrança começar, Paloma fizera a filha prometer que nunca mais encostaria em outro Baralho do Destino. Era a lembrança que Tella achou que Aiko ia roubar. Mas aquilo era diferente. Uma memória tão profunda que Donatella esquecera que existia. Esquecera que a mãe pegara suas mãos e levantara os dedinhos minúsculos da filha para ver melhor o anel de opala que a menina acabara de roubar.

– Ah... O que é isso aqui? – perguntou Paloma.

– Eu já ia pôr no lugar – jurou Tella.

– Não, meu amorzinho. Você precisa guardar ele para mim, em um local bem seguro.

Então beijou os dedos da filha, como se, com esse gesto, passasse o anel para Tella oficialmente. Paloma sempre selava tudo com beijos, outro fato que Donatella havia esquecido.

– Agora – cochichou Paloma –, vou te contar um segredo sobre as cartas que acabei de guardar. Os Arcanos representados nelas já governaram a Terra e, nessa época, eram muito rudes e muito cruéis. Tinham o costume de atrair pessoas para jogar cartas, só por esporte e diversão, e não as deixavam sair. Apenas um Arcano conseguia libertá-los... *A menos que...*

Não. Tella se esforçou para reter a lembrança, que já começava a se dissipar diante de seus olhos e de seus ouvidos. A pele da mãe mudou de um tom de oliva para translúcida, e seus lábios pronunciavam palavras que ela não conseguia mais ouvir. Não. Não. Não! *Aquelas* eram as palavras que precisava ouvir. A resposta que estava procurando. Não sabia o que a mãe estava prestes a dizer, mas tinha certeza de que era de vital importância.

Donatella se agarrou àquela lembrança, tentou segurá-la entre os dedos. Mas, quanto mais tentava, mais turva a lembrança ficava, até se transformar em uma fumaça, algo que não dava para segurar. E aí se dissipou e virou nada.

Quando abriu os olhos, Tella não sentiu que havia se livrado de um peso. Tinha apenas a sensação de que tinha perdido alguma coisa. Como se tivesse se cortado, mas não sangrasse. E tampouco sentiu que algo havia desaparecido. A lembrança que ela esperava que Aiko roubasse ainda estava ali e, por mais que estivesse disposta a abrir mão dela, ficou aliviada ao perceber que não sumira.

Então por que tinha a sensação de que Aiko havia roubado algo ainda mais valioso?

24

O diário amaldiçoado de Aiko estava bem fechado, mas Tella percebeu que tinha ficado mais grosso. Exibia até um brilho suave.

O que ela havia roubado?

– Não faça essa cara tão melancólica – disse Aiko. – Você acabou de ganhar uma história fantástica sobre uma criminosa das mais notórias de Valenda.

A historiógrafa voltou a se aproximar dos retratos pendurados na parede e começou a contar:

– Antes de desaparecer, Paradise, a Perdida, era uma espécie de lenda nesta cidade. As pessoas se sentiam tão encantadas por ela que enviavam cartas pedindo para que Paradise as roubasse ou sequestrasse. Paradise, a Perdida era da nata da criminalidade. Corriam boatos que até príncipes de outros continentes enviavam cartas para os mandachuvas do Bairro das Especiarias, pedindo para se casar com ela.

Enquanto Aiko falava, Donatella tentava segurar a raiva e a frustração por ter perdido uma de suas lembranças. Para não ter um ataque, começou a imaginar a mãe, com a mesma clareza que a historiógrafa retrataria a cena em seu diário maligno. Donatella pintou Paloma como uma jovem de personalidade forte que deixava rastros de histórias brilhantes ao roubar, furtar e afanar. E, assim, foi escrevendo seu nome na história, até se tornar uma parte reluzente dela.

Então ela se casou com o pai de Donatella. Logo ele, de tanta gente que poderia ter escolhido.

– Por que Paradise não aceitou o pedido de casamento de nenhum príncipe? – perguntou Donatella.

– Suponho que tinha inteligência suficiente para saber que os príncipes, ou boa parte deles, são seres cruéis, mimados e egoístas. E Paradise, mais do que amar, queria viver aventuras. Ela se vangloriava de que não existia nada no mundo que não pudesse roubar. Então, quando foi desafiada a roubar um objeto de grande magia, algo impossível de roubar, Paradise aceitou na hora. Só que o objeto era muito mais poderoso e muito mais perigoso do que haviam lhe dito. Como não queria devolvê-lo e arriscar que outra pessoa ficasse com aquilo, ela fugiu. E, desde então, ninguém mais a viu.

Tella havia visto.

A história dava mais sentido ao fato de Paradise ter acabado em Trisda, com o pai de Donatella. Ninguém procuraria por ela em uma Ilha Conquistada pequena e sem encantos.

– Qual foi o objeto que ela roubou?

– Se quiser a resposta para essa pergunta...

– Não – interrompeu Donatella, com um tom de absoluta firmeza. – Chega de tratos. Já paguei por essa resposta, faz parte da história.

Aiko expandiu as narinas. Sua expressão, normalmente plácida, vibrava de frustração: óbvio que estava mais acostumada a tomar do que a dar.

Tella pegou o diário encantado da historiógrafa de cima da mesa e o segurou em cima de uma vela acesa.

– Conte o que foi que ela roubou ou esse diário vai virar cinza.

Aiko lhe deu um sorriso tímido e falou:

– Você é muito mais intrépida do que sua irmã.

– Scarlett e eu temos forças diferentes. Agora me fale qual foi o objeto.

Donatella foi aproximando o diário da chama lentamente, até dar para sentir o cheiro do couro ficando mais quente.

– Foi um Baralho do Destino amaldiçoado – disparou Aiko.

Tella atirou o diário em cima da mesa, com um estrondo. Todos os cartazes das paredes começaram a tremular, como se seus corações de papel batessem mais rápido, assim como o de Donatella: o coração dela não havia batido tão rápido desde que fora beijada por Jacks. Parecia que aquela revelação tinha sua própria magia.

O retrato de Paradise, a Perdida, foi o único que permaneceu imóvel, era o epicentro tranquilo de uma tempestade de papel.

Donatella sabia que retratos não têm sentimentos, mas imaginou que o retrato de Paradise, a mulher que sua mãe fora um dia, estava segurando a respiração, torcendo e insistindo, de forma silenciosa, para Tella ligar todos os pontos da história.

Sempre soube que o Baralho do Destino da mãe não era igual aos baralhos comuns. Só que Aiko dera a entender que não havia outro igual no mundo e o chamara de "amaldiçoado".

Amaldiçoado. Amaldiçoado. Amaldiçoado.

Essa palavra foi gritando cada vez mais alto na cabeça de Tella, competindo com o som dos cartazes, que ainda tremulavam nas paredes. Os Arcanos também foram amaldiçoados por uma bruxa e, de acordo com o Príncipe de Copas, essa maldição tinha aprisionado todos eles dentro de um baralho.

"Posso te dizer, por experiência própria, que é uma tortura", disse ele.

A possibilidade de Paloma ter roubado justamente aquele baralho era algo tão espetacular que ficava difícil de acreditar. Mas, quanto mais Tella pensava, mais fazia sentido.

Se o Baralho do Destino da mãe de Donatella fosse o mesmo baralho que aprisionava os Arcanos, isso explicaria por que Paloma ficou tão apavorada quando viu a filha brincando com as cartas. Tella recordou que, até aquele dia, o baralho ficava disfarçado dentro de um sachê fétido. O feitiço que escondia as cartas talvez estivesse perdendo a força quando ela as encontrou.

Tella não conseguia acreditar que havia tocado no baralho que continha todos os Arcanos – os Arcanos dos mitos, os que um dia governaram a Terra, já tinham estado na palma de sua mão.

Parecia impossível e, apesar de tudo, toda vez que o Aráculo lhe mostrava imagens do futuro, ela testemunhava uma prova disso. Nunca vira outra carta igual e duvidava que um dia fosse ver. Porque não era uma carta qualquer. Era um Arcano, e Tella o guardava dentro de um bauzinho simples.

Ao lembrar disso, a garota deu uma risadinha. Sua mãe deve ter sido uma potência, para roubar os Arcanos.

Mas agora a mãe estava impotente, presa dentro de uma carta, igualzinho aos Arcanos.

Desta vez, Donatella não deu risada. Até se arrependeu de ter rido antes.

Desde o dia infeliz em que a mãe foi embora, a garota acreditava que, em parte, tinha sido por culpa dela: se não tivesse desobedecido à mãe e brincado com seu porta-joias, se jamais tivesse tirado a carta da Morte Donzela, que previa a perda de um ente querido, Paloma nunca teria sumido. Tella culpava as cartas e a si mesma. E sempre tivera razão, mesmo que não fosse exatamente do jeito em que acreditava.

A mãe não fora embora apenas porque Tella tirara uma carta específica: tinha fugido porque a filha encontrou as cartas, e as cartas eram ainda mais poderosas e perigosas do que Donatella podia imaginar.

Os cartazes pendurados na parede por fim pararam de tremular. Em seguida, de repente, o estabelecimento ficou silencioso. Donatella ainda conseguia sentir que os olhos do cartaz da mãe estavam fixos nela, e isso lhe dava a sensação de que não sabia quase nada, apesar de tudo que acabara de descobrir. Estava deixando alguma coisa crucial de fora – algo que havia perdido.

– Você está com cara de quem tem mais uma pergunta – comentou Aiko.

Donatella esquecera por um momento que a outra garota estava ali e esquecera também a verdadeira razão de estar ali. Ainda tinha que encontrar a terceira pista, senão sua mãe continuaria presa, como os Arcanos. Tella achava que não se esqueceria disso. E também havia outra coisa de que não conseguia lembrar, mas não poderia ser tão importante quanto continuar procurando.

Então pegou, novamente, o cartão da segunda pista.

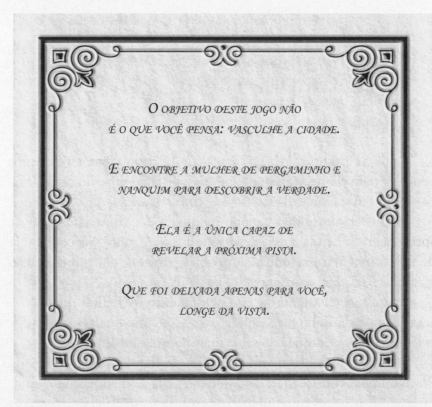

Os olhos de Tella alternaram do cartão para o cartaz que anunciava que sua mãe era uma criminosa procurada.

E se a pista não estivesse se referindo à mulher que desenhava os cartazes, como Donatella havia pensado? E se estivesse falando de uma mulher retratada em um desses cartazes, como Paradise, a Perdida? O retrato era de pergaminho e nanquim. E aquela imagem falava com Tella de um jeito que não teria chamado a atenção de nenhum outro participante do jogo.

Ela ficou nas pontas dos pés e arrancou o cartaz da parede.

Tella achou que Aiko reclamaria, mas a historiógrafa parecia estar quase tão afoita quanto ela. Então virou o pergaminho e encontrou, no verso do cartaz, algumas palavras escritas com letras prateadas.

> *"Se encontrou estas linhas, está no caminho certo,*
> *mas não é tarde demais para voltar atrás — isso é fato.*
> *Pistas não podem mais orientar seu trajeto:*
> *para encontrar o objeto de que Lenda precisa,*
> *seu coração deve guiar seus passos."*

A única coisa que havia no coração de Tella era a mãe, cuja história Lenda deveria conhecer, já que escrevera a pista no verso do cartaz. Mas o que a mãe de Donatella tinha a ver com o Caraval?

Paradise já possuíra o baralho no qual todos os Arcanos estavam aprisionados, e Lenda queria destruir todos os Arcanos. Será que a mãe de Tella também tinha roubado um objeto capaz de destruir esses seres místicos? Mas, se tivesse roubado, por quê...

Não. Donatella ignorou esse pensamento. Acreditar que o jogo era real era o caminho mais rápido para a loucura. E talvez já estivesse enlouquecendo, porque não sabia mais no que acreditar.

Precisava descobrir a verdade antes de dar os próximos passos. Precisava falar com Scarlett. Ela ajudaria Tella a entender tudo, ainda mais se as suspeitas que tinha a respeito da irmã estivessem certas e Scarlett não estivesse lhe contando tudo o que sabia a respeito do jogo.

Tella se dirigiu à porta.

– Antes de ir embora, você deveria ouvir o restante da história de Paradise – disse Aiko.

– Acho que sei como termina.

– Você só sabe o quase-final. O final verdadeiro ainda precisa ser escrito.

– O que mais você tem a dizer, então?

– Excluí uma parte do meio da história. Paradise descobre o verdadeiro poder e o verdadeiro perigo do baralho depois de tentar ler o próprio futuro com ele. Há quem diga que Paradise não fugiu para guardar as cartas a sete chaves, mas para impedir o futuro que viu nelas. Só que não sabia que, uma vez que esse baralho específico prevê um futuro, esse futuro não pode ser desfeito, a menos que as cartas sejam destruídas.

– Obrigada, mas acho que esse conselho chegou um pouco tarde demais.

O rosto de Aiko ficou com uma expressão lúgubre.

E foi aí que Tella sentiu. Algo escorria pelo seu rosto, mais denso que lágrimas. Algo que se acumulou em seus ouvidos e foi escorrendo, dos lóbulos das orelhas até o pescoço, que estava gelado.

Sangue.

Grosso, quente e terrível.

O coração da jovem deu uma batida engasgada e pulou várias, deixando-a zonza e sem ar. Donatella encostou a mão na parede mais próxima para não cair. O sangue que perdera na costureira era uma gota comparado àquilo. Brotava de suas orelhas e pingava no corpete do vestido, em volumosos riachos carmins. Era mais uma maneira que o Príncipe de Copas tinha de fazê-la se lembrar de que não estava participando daquele jogo só para se divertir. Donatella voltou para o palácio em um borrão de sons abafados e ouvidos hemorrágicos. Mesmo depois que o sangramento parou, continuou se sentindo fraca. O coração nunca havia batido tão devagar.

Tum...

Nada.

Tum...

Nada.

Tum...

Nada.

Logo, logo, só restaria o nada.

Tella comprou uma capa barata de um camelô na rua. Mas, quando voltou para o palácio, jurou que todos os criados e guardas conseguiam ver o corpete manchado de sangue, apesar da capa.

Mesmo depois de se limpar e colocar um vestido feito na Minerva formado por milhares de camadas de tecidos finos azul-topázio, Tella só conseguia sentir o sangue seco dentro de seus ouvidos. Aquele sangue devia ser amaldiçoado, como ela, porque não conseguiu limpar completamente as manchas do pescoço e das mãos. Poderia ter ficado mergulhada na água até o sangue sumir por completo, mas só se permitiu descansar nas águas perfumadas da banheira o suficiente para recobrar um pouco das forças. Precisava falar com Scarlett sobre o passado criminoso da mãe e sobre o Caraval.

Donatella calçou as luvas que Dante lhe dera, para cobrir as manchas de sangue, e saiu da torre. Perdera a noção do tempo, mas imaginava que devia ter passado muito da meia-noite quando chegou à ala de safira, onde Scarlett estava hospedada. Naquela ala parecia que todos os azuis tinham sido folheados de ouro glorioso. Uma única criada zanzava para lá e para cá, verificando as velas grossas como braços nas arandelas de tamanho exagerado e acendendo as que estavam apagadas. Não disse uma palavra para Tella, mas a garota sentiu que estava sendo observada pela criada enquanto se dirigia ao quarto da irmã.

Scarlett não atendeu a porta.

Tella bateu mais forte, caso ela estivesse dormindo.

Silêncio.

Donatella sacudiu a maçaneta, na esperança de assustar a irmã e acordá-la, mas nada aconteceu. Das duas, uma: ou Scarlett estava perdida nos sonhos, dormindo profundamente, ou não estava no quarto. O mais lógico era que ela estivesse. Era madrugada, e a irmã não estava participando do jogo. Àquela altura, seja lá aonde tivesse ido, já deveria ter voltado.

Tella foi para o outro lado do corredor, onde a criada jovem e sardenta estava bisbilhotando descaradamente o que Donatella fazia ou tentando reacender uma vela bem teimosa.

– Posso ajudar com alguma coisa? – perguntou a garota, dando as costas para a tarefa antes mesmo que Tella tivesse tempo de pigarrear. Definitivamente, estava bisbilhotando e era muito mais ousada do que a maioria das criadas acanhadas que Tella havia encontrado.

A garota se aproximou.

Donatella deu um passo para trás, mas a criada não tinha notado as manchas de sangue seco no seu pescoço.

– Se está procurando aquele artista bonito todo tatuado, posso avisar quando ele chegar. O rapaz não saiu do palácio com os demais artistas.

Os olhos afoitos da criada brilharam de um jeito que, infelizmente, Donatella conhecia muito bem.

– Desculpe. Não sei de quem você está falando.

– Não se preocupe. – A garota soltou uma risadinha estridente. – Sei que a senhora está noiva, não vou contar pra ninguém que estava procurando por ele.

Ou seja: provavelmente, contaria para todo mundo. Mas Donatella tinha mais com o que se preocupar naquele momento.

– Na verdade, estou procurando minha irmã. – Então apontou para o quarto de Scarlett e explicou: – Ela se chama Scarlett. É mais alta do que eu, de cabelo castanho grosso e...

– Sei quem é – interrompeu a criada. – Não a vejo desde ontem. – A garota ficou levemente mais pálida e falou mais baixo, em um sussurro: – Ouvi *ela* perguntar para alguém como fazia para chegar ao Castelo de Idyllwild, só que não voltou mais.

O Castelo de Idyllwild era o castelo de Jacks. Tella não conseguia pensar em um bom motivo para a irmã querer ir até lá.

– Claro, tenho certeza de que nada de terrível aconteceu com sua irmã – a criada sardenta foi logo completando, como se tivesse, de repente, se dado conta de com quem estava falando. – Não acredito nas histórias que o povo conta sobre o herdeiro do trono. Sei que as pessoas gostam de fofocar.

– E o que elas andam dizendo?

– Só que ele assassinou a última noiva. Mas também dizem que o herdeiro do trono é muito bonito – comentou, como se isso compensasse o fato de Jacks ser um assassino. – Boa parte das criadas fala que se casaria com ele mesmo assim.

Donatella teve vontade de dizer que eram todas umas bobinhas. Teve vontade de jogar o cabelo para trás e assustar aquela garota com o sangue que ainda manchava suas orelhas e seu pescoço. Mas Scarlett estava desaparecida. Em vez de ficar assustando criadas, Donatella precisava usar sua energia minguante para encontrar a irmã.

Atirou uma moeda para a garota sardenta, mas estava fraca até para fazer esse simples gesto. A moeda mal rodopiou.

Quando chegou ao pavilhão das carruagens, os sinos badalaram, marcando as três da manhã. O tempo estava passando rápido, e ela estava se movimentando devagar demais. Parecia que a carruagem flutuante também estava demorando mais do que o necessário e rastejava pelo céu iluminado pelas estrelas.

As constelações azuis de Lenda ainda estavam por toda a cidade, a não ser acima do Castelo de Idyllwild, como se quisessem avisar Donatella para não ir até lá.

Na noite do Baile Místico, o castelo parecia fruto da imaginação de uma menina. Mas, naquele momento, assim que Tella saiu da carruagem e se aproximou da fortaleza de pedra, pensou que o exterior reluzente de arenito branco que tinha visto na noite do baile fora apenas uma fantasia, uma ilusão criada por Lenda. As pedras estavam escuras como segredos bem escondidos e iluminadas por tochas de cor alaranjada tão enfraquecidas que pareciam estar perdendo a batalha que travavam contra a noite.

Quando chegou à ponte, Donatella parou para recuperar o fôlego e ficou feliz por ter vestido as luvas que Dante lhe dera. Não que tenha avistado algum perigo. Muito pelo contrário: na verdade, o castelo estava silencioso demais.

Tirando o vento que emaranhava seus cabelos e farfalhava as muitas camadas das saias cor de topázio, tudo estava mergulhado em silêncio. O tipo de silêncio que costuma ser reservado a tumbas, ruínas amaldiçoadas e outros lugares abandonados pelos vivos. Tella tentou segurar um tremor, mas ele acabou se transformando em um arrepio. Não tinha medo do perigo, mas preferia que viessem na forma de jovens garbosos. Quando deu por si, pela segunda vez naquela noite, estava desejando que Dante estivesse ali com ela.

Não que precisasse do rapaz.

Mas, talvez, quisesse, só um pouquinho, que Dante estivesse ali. Deu um passo pesado para a frente e sentiu uma pontada incômoda, uma sensação de triunfo inglório, ao pensar que, finalmente, ele havia resolvido deixá-la em paz. Sabia que Dante só a seguia porque isso fazia parte de seu papel. E, mesmo que o interesse que ele havia demonstrado por Donatella fosse verdadeiro, Tella não tinha dúvidas de que, uma hora ou outra, o rapaz desistiria dela. Todo mundo desistia dela, menos Scarlett – que, pelo jeito, não conseguia deixar de se preocupar com a irmã mais nova.

Donatella supôs que as irmãs tinham mais uma coisa em comum: nunca saber quando se afastar de algo. Talvez, se Tella tivesse uma noção melhor de quando desistir de uma missão malfadada, teria dado meia-volta naquele momento ou questionado se era verdade que Scarlett não havia voltado do castelo, como a criada sardenta havia dito. Castelo esse que, naquele momento, parecia mais vazio do que o olhar de uma boneca quebrada.

A ponte que levava até ele era ainda mais estreita do que Tella recordava. E mais alta também: erguia-se sobre águas turvas, que não estavam tão calmas quanto na primeira noite em que ela visitou o local.

Mas a jovem lembrou do que Dante havia dito e se negou a pensar no Ceifador da Morte, porque não queria dar ainda mais poder a ele.

Seus passos estavam mais trôpegos do que o normal e estava mais difícil de respirar também, mas Donatella não ia cair nem pular nem fazer nada que pudesse fazê-la se esborrachar lá embaixo, nas águas traiçoeiras. Ia atravessar a ponte, bater na porta e buscar a irmã. *Se Scarlett estiver lá dentro.*

Tella terminou de atravessar a ponte. Durante o tempo de uma batida lenta de seu coração, jurou ter ouvido o ruído de passos fantasmagóricos, mas não havia guardas nem espíritos malignos à vista.

Cerrou os punhos, concentrou todas as suas forças e bateu nas pesadas portas de ferro.

– Olá! – disse, alegremente.

Nada.

– Tem alguém aí? – gritou, um pouco mais ríspida.

Mais ondas arrebentaram lá embaixo.

– É Donatella Dragna, noiva do herdeiro do trono!

A garota ficou com a respiração mais rasa e, como ninguém atendeu, bateu na porta de forma mais agressiva.

– Cuidado! Você pode se machucar.

Donatella foi virando para trás lentamente, meio esperando dar de cara com Jacks mordendo uma maçã graciosamente.

Em vez disso, deu de cara com três vultos femininos.

Os vultos aproximaram-se de Tella com o peito estufado e mais pareciam assombrações. Usavam uma espécie de manto fino, com capuz, de um prateado opaco que, pelo jeito, perdera o brilho havia muito tempo. Uma era alta. A outra era cheinha. A outra era irrequieta. E todas cheiravam a perfume velho usado em excesso, um aroma floral e nauseabundo.

Um traje nada apropriado para uma noite inclemente como aquela.

Apesar de pouco prático, o manto das três impedia que Tella enxergasse direito os rostos daqueles vultos. Só viu de relance e, das duas, uma: ou suas feições eram incrivelmente imóveis ou estavam escondidas atrás de máscaras.

O trio chegou mais perto da garota, meio rastejando.

Apesar do frio, as luvas de Donatella ficaram empapadas de suor quando ela confirmou as suspeitas a respeito das máscaras. Aqueles três vultos estavam disfarçados de Arcanos: a Rainha Morta-Viva e Vossas Aias.

Tella reconheceu o tapa-olho de pedras preciosas e os lábios pintados de azul da Rainha Morta-Viva. Vossas Aias eram igualmente inconfundíveis: ambas tinham os lábios costurados com linha carmim. Nos Baralhos do Destino, as cartas representavam poder e lealdade eterna. Mas, naquele instante gelado, Donatella encarou aquela aparição conjunta como três sinais de muito mau agouro. Ninguém sai por aí de máscara – a não ser que esteja fantasiado para alguma festa ou cometendo um crime.

— Está um pouco cedo para usar fantasia – disse Tella. – Ninguém contou para vocês que a Véspera do Dia de Elantine só é depois de amanhã? Ou estão fingindo que se adiantaram à comemoração porque são feias demais para mostrar o rosto?

— Ao final desta noite, você será a única que terá má aparência – disse a Rainha Morta-Viva impostora. – A menos que nos dê o que queremos.

Donatella se virou e bateu de novo na porta. De um jeito agressivo, várias vezes.

— Isso não vai ajudar em nada – declarou a Rainha Morta-Viva. – Ele não está aqui.

Quando ela falou, as três se aproximaram, substituindo o ar gelado da noite com seu fedor. Era possível que a criada sardenta tivesse dado uma pista falsa para Tella, para que aquelas três pudessem roubá-la. E Donatella fora tão bobinha que havia caído na conversa. Até poderia sair correndo, apesar do coração defeituoso, mas as três bloqueavam a passagem para a ponte, que era a única saída visível, a menos que Donatella quisesse pular nas águas, logo abaixo.

A garota jurou ter ouvido a voz do Ceifador da Morte, insistindo para que ela pulasse, mas não estava disposta a ouvir. À primeira vista, o fosso escuro parecia fundo e sem pedras. Mas, quando olhou novamente, Donatella enxergou as rochas sobressaindo da água feito surpresas desagradáveis.

Então pegou a bolsinha onde guardava as moedas e falou:
— Se vocês estão aqui mendigando dinheiro para poder trocar esse perfume fedorento e esses mantos cafonas e totalmente fora de moda faz tempo, tomem.

Tella atirou a bolsinha no pequeno trecho de terra à sua esquerda. Como imaginava que era isso que as três queriam, torceu para que pelo menos uma delas fosse buscar o dinheiro, feito um cão que segue um graveto, e assim conseguisse uma chance de fugir. Mas ficou claro que os cães são criaturas mais espertas do que aquelas três: em vez de correrem atrás da bolsinha, deram mais um passo na direção de Donatella.

O cheiro do perfume estragado das três ficou mais forte, aguçando o aroma de flores podres e de obsessão perversa. Tella teve ânsia de vômito. Mas elas nem notaram.

— Não queremos suas moedas imundas – declarou a Rainha Morta-Viva. – Queremos toda a nossa glória de volta. Queremos as cartas que sua mãe roubou, as cartas que você pretende entregar para Lenda para que ele nos destrua e roube o que restou dos nossos poderes, que já foram tão magníficos.

— Pelos dentes do Altíssimo. — Seja lá quem fossem aquelas três mulheres, estavam levando o jogo a sério demais. — Vocês estão mais loucas do que peixes envenenados!

Por um instante, as três ficaram surpresas com esse xingamento insólito, mas não deu tempo de Tella fugir. Ela até poderia ter corrido até a ponte, mas era mais provável que caísse de uma das laterais do que chegasse ao outro lado antes que aquelas mulheres a agarrassem.

Uma lufada de vento soprou, mas Donatella achou que o ruído mais parecia a risada do Ceifador da Morte.

— Se disser onde estão as cartas, vamos desfigurar apenas metade de seu rosto.

A Rainha Morta-Viva girou os dois pulsos e, imediatamente, Vossas Aias tiraram as mãos dos bolsos das capas. A pele delas era de um branco fantasmagórico e brilhou ao luar quando mostraram as grossas unhas pretas, compridas, pontudas e afiadas, feito garras. Aquilo não fazia parte da fantasia tradicional.

Felizmente, Donatella também tinha garras. Apertou as pérolas negras de suas luvas e, em pensamento, mandou um "obrigada" para Dante, quando as dez lâminas afiadas foram acionadas.

Só que as Aias nem se abalaram.

A Rainha Morta-Viva girou o pulso mais uma vez, e Vossas Aias foram para a frente, feito marionetes assassinas, bufando com os lábios costurados.

Tella estava com as forças prejudicadas, mas foi para cima delas com tudo o que tinha. Atacou com ambas as mãos e chutou. De início, estava tentando mais assustar do que brigar. Mas, instantes depois, ficou claro que, quando disse que ia desfigurar o rosto da garota, a Rainha Morta-Viva não estava mentindo. As Aias atacaram os olhos e as bochechas de Donatella, arranhando e unhando, em dolorosas explosões de caos.

Tella sacudiu as próprias garras com movimentos mais frenéticos e conseguiu arranhar o braço de uma das Aias com força suficiente para tirar sangue.

Só que não saiu sangue.

A ferida da Aia só exalou fumaça.

Donatella cambaleou para trás, porque a Aia desapareceu diante de seus olhos.

– Os infernos imundos que te carreguem! – blasfemou a garota.

Segundos depois, a Aia estava de volta, com os contornos um pouco borrados, como se fosse um pouco menos corpórea do que antes. Mas, definitivamente, não era um fantasma. Fantasmas, teoricamente, não conseguem arranhar nem ferir.

Já com dificuldade para respirar, Tella continuou sacudindo as mãos e chutando.

– Vocês são o que, *hein*?

– Que decepção. Achei que você não precisaria perguntar – respondeu a Rainha Morta-Viva, cerrando um dos punhos.

No segundo seguinte, uma das Aias deu um soco no estômago de Donatella, com uma força descomunal.

A jovem caiu de costas no chão duro, e o ar foi expulso de seus pulmões em uma única e dolorosa lufada.

Cléc.

Um sapatinho pisou no seu pulso, esmigalhando-o com uma força absurda.

Tella gritou. Seus ossos estavam despedaçados. O coração estava lento, e a cabeça girava. Mas, mesmo com as costas grudadas no chão, continuou atacando com a outra mão, com mais força do que antes. Arranhava, unhava e cortava. Toda vez que conseguia atingir uma Aia, ela desaparecia magicamente, mas reaparecia segundos depois. Donatella tinha vontade de negar que isso estava acontecendo – já tivera revelações decisivas suficientes naquele dia –, mas era óbvio que aquelas mulheres não eram artistas nem participantes que tinham levado o jogo a sério demais. Eram Arcanos de fato.

E não sangravam porque não eram humanas.

Se Tella já não estivesse deitada no chão, teria ficado de pernas bambas e caído. Como todos aqueles Arcanos estavam se libertando? Jacks deveria tê-la avisado que havia mais imortais andando por aí, pensando em assassinato.

Por que você simplesmente não desiste?

A voz do Ceifador da Morte conseguiu penetrar nos pensamentos de Tella.

– Nunca! – exclamou a garota, cerrando os dentes.

– O que foi isso? – perguntou a Rainha Morta-Viva.

– As cartas que você quer nunca serão suas – murmurou Donatella. – Quando eu entregar o baralho para Lenda, ele fará questão de sumir com todos vocês, para sempre.

As Aias bufaram de novo, atacando com uma ferocidade ainda maior. Mas, por um instante, Tella não sentiu dor porque se deu conta da verdade que existia por trás do que acabara de dizer: o Baralho do Destino de sua mãe não era apenas o objeto que aprisionava os Arcanos. De acordo com a Rainha Morta-Viva, também era o objeto que poderia destruí-los.

O mundo de Donatella se resumia a um borrão de dor. Mas, de repente, o que precisava fazer ficou muito claro: para vencer o Caraval, só tinha que encontrar o Baralho do Destino da mãe. Era esse o objeto que Lenda queria.

A parca sensação de triunfo trazida por esse pensamento teve vida curta.

— Se não nos ajudar, vamos fazer de você um exemplo do que acontece com quem desafia os Arcanos — ameaçou a Rainha Morta-Viva.

— Não é para menos que a bruxa prendeu você dentro de uma carta. Eu te prenderia só para te fazer calar a boca — xingou Tella.

Seu corpo inteiro gritava de dor, e ela ainda estava no chão. Mas, até aquele momento, as garras tinham impedido Vossas Aias de subjugá-la completamente. Só precisava continuar lutando por mais um tempinho, até alguém aparecer.

Por que Dante não havia seguido Donatella naquela noite?

Ou talvez tivesse seguido, só que ainda não havia chegado ao castelo. Se ele aparecesse, Tella teria uma atitude mais simpática do que das outras vezes.

Espirais escuras surgiram no seu campo de visão. Donatella atacou com mais ânimo e cortou a panturrilha de alguém. Só que, mais uma vez, o ferimento apenas fez a Aia desaparecer momentaneamente.

— Acabem com ela — ordenou a Rainha. — Nosso tempo está acabando.

O sapatinho esmigalhou ainda mais o pulso esfacelado de Tella, pulverizando seus ossos e lhe dando vontade de chorar lágrimas de pura dor, porque Vossas Aias haviam se abaixado e estavam aproximando as garras do rosto dela. Sabia que pretendiam desfigurá-la. Mas, naquele momento, parecia que queriam matá-la.

Donatella parou de sacudir o braço que não fora machucado por um instante. E então, gritando de dor, ergueu os dois braços e enfiou as garras bem fundo no calcanhar das duas.

As Aias urraram e viraram fumaça. Tella só dispôs do tempo de uma batida de seu coração lento antes que elas reaparecessem. Apoiou-se no braço que não estava ferido e levantou do chão de pedregulhos, ofegando a cada respiração. E aí correu em linha reta até a ponte.

O que lhe pareceu um erro no instante em que ela bateu na água.

Não atingiu as pedras, mas o fosso estava gelado demais. O pulso estava quebrado demais. O coração estava fraco demais. O vestido era pesado demais. Mas a garota se debateu feito um demônio que tenta sair do inferno para entrar nos céus. Ignorou as coisas que chuparam suas canelas e tudo o que rastejou pelos seus pés, agora descalços. Tella não tinha conseguido escapar do pai, de uma trinca de Arcanos e de todas as outras provações que teve na vida, para se dar ao luxo de morrer por causa de um pouco de água gelada e de um pulso esmigalhado.

A Morte teria que se esforçar mais se a quisesse de volta, e Donatella não permitiria que o Ceifador a levasse. Se sucumbisse, não haveria mais ninguém para cuidar de Scarlett, para garantir que a irmã vivesse todas as aventuras que devia e beijasse outros rapazes além de Julian. Scarlett merecia todos os beijos do mundo. Talvez Tella também quisesse mais beijos, beijos que não acabassem em morte.

Tella não esperou que a água a levasse até a margem enlameada do fosso, saiu dela com a força de sua fúria, em um emaranhado de cachos molhados, saias e ferimentos, com o peito arfando, a pele azulada e tremendo, mas ainda estava de pé, respirava e estava viva.

Infelizmente, não era a única.

A Rainha Morta-Viva e Vossas Pavorosas Aias estavam à sua espera.

Donatella tentou se convencer de que poderia correr mais rápido do que elas. Mas, quando se aproximaram, percebeu que mal conseguia cambalear. Suas pernas tinham virado geleia, tremiam de dor, de exaustão e da infelicidade de toda aquela situação. Os pulmões mal conseguiam sorver o ar úmido. Um vento poderia derrubá-la.

Àquela altura, se Tella fosse Scarlett, alguém teria vindo resgatá-la. Julian, provavelmente, teria surgido voando pelos ares, de balão, e aí criaria asas para descer e levá-la para longe dali. Infelizmente, Tella não era o tipo de garota que as pessoas salvavam – era aquela que as pessoas deixavam para trás.

Mas também era o tipo de garota que as pessoas subestimavam.

Recordou que era filha de dois criminosos perigosos.

Que um dia apostou a própria vida na certeza de que a irmã a amava. Tinha beijado o Príncipe de Copas e ainda estava viva.

Aqueles Arcanos não conseguiriam matá-la naquela noite.

Todo Arcano tem uma fraqueza. A de Jacks era seu único e verdadeiro amor, aquele com poder de fazer o coração do Príncipe de Copas voltar a bater. Vossas Aias eram meros joguetes da Rainha Morta-Viva, que possuía a apavorante habilidade de controlar quem jurasse servir a ela. Para superar as Aias, Donatella precisava superar a rainha. E a Rainha Morta-Viva tinha comentado que o tempo do trio estava chegando ao fim. E, como as Aias viravam fumaça sempre que Donatella feria uma delas, ela pensou que, talvez, ainda estivessem presas às cartas da mãe. Que aqueles Arcanos poderiam não estar tão livres quanto o Príncipe de Copas. Talvez, atacando a rainha, as três voltassem à prisão de papel.

Ainda bem que Tella sabia qual era a fraqueza da Rainha Morta-Viva: dizia-se que ela dera um olho em troca de seus terríveis poderes.

A jovem só precisava apunhalar o tapa-olho de pedras preciosas da rainha. Então, com sorte, viveria por mais uma noite.

— Se você é mesmo um Arcano todo-poderoso, venha brigar comigo.

Tella mostrou as lâminas que restavam nas luvas: apenas quatro.

A Rainha Morta-Viva inclinou a cabeça, nem um pouco impressionada.

Mais uma lâmina caiu: só restavam três.

E aí Tella sucumbiu. Poderia ter continuado de pé, mas apanhara tantas vezes na vida que sabia quando fingir que não aguentava mais.

Ela caiu de joelhos e se encolheu dentro da água. Virou um amontoado nada gracioso de roupas encharcadas e de fracasso.

A água fedorenta bateu no rosto de Tella, e um dos vultos se aproximou. A garota ainda estava de olhos fechados. Não podia se arriscar a abri-los. Ainda não. Só podia torcer para que o vulto que se aproximara fosse a Rainha Morta-Viva, finalmente disposta a pôr as mãos na massa. Donatella conseguiu sentir um par de mãos geladas tateando o fosso, procurando por ela naquela água parada. Mãos compridas, que apalpavam, invasivas. Tentando sentir a pulsação na jugular de Tella.

A jovem foi entreabrindo um dos olhos, lentamente. Naquela escuridão, o contorno do pescoço fino de sua agressora brilhou, de tão claro. Era a Rainha Morta-Viva. Havia levantado a máscara. Tella viu de relance um rosto bonito, maculado por uma expressão feia.

Respirou todo o ar que teve coragem de respirar. As veias vibravam. Os dedos tremiam. Apesar de toda a sua costumeira bravata, Tella nunca tinha feito algo parecido: sempre foi mais de fugir do que de brigar. A Donatella que nunca havia morrido talvez tivesse desistido e encarado o Ceifador da Morte.

Mas aquela garota havia morrido, literalmente.

Tella atacou, com os dois olhos bem abertos.

O grito que se seguiu foi aterrador e abafou os ecos da água que Donatella espalhou quando caiu novamente no fosso raso.

– Humana imunda! – grunhiu a Rainha Morta-Viva, agarrando o tapa-olho estragado. Um sangue preto escorria pelo rosto dela. – O que você fez?

– Eu deveria ter te avisado: não vale a pena se meter comigo, porque causo muito estrago.

Tella mostrou, mais uma vez, as garras que lhe restavam, mas na mesma hora a Rainha Morta-Viva e Vossas Aias viraram fumaça e sumiram.

E não voltaram mais.

Donatella tinha conseguido. Lágrimas nublavam os cantos de seus olhos. Não sabia se já estava chorando de dor, por causa do pulso destruído, ou porque aquela vitória fora infeliz. Podia até ter vencido, mas nunca se sentira tão arrasada. Até então, nunca sofrera ferimentos tão graves e sobrevivido.

Os músculos pareciam uma corda desfiada, e a garota tinha mais hematomas do que pele. Os olhos enxergavam com dificuldade na escuridão da noite e lágrimas de exaustão escorriam pelo rosto. O trajeto até o pavilhão das carruagens era escuro e uma maldição de tão longe. Achou que, enquanto lutava pela própria vida, tinha se afastado ainda mais dele.

Ficou claro que Scarlett não tinha ido ao Castelo de Idyllwild: Tella queria que, àquela altura, ela já estivesse de volta ao palácio e pudesse dar um jeito de consertar a irmã. Donatella só precisava dar um jeito de chegar até Scarlett.

Só que suas pernas tinham outra opinião. Os joelhos se afundaram novamente na água, que não estava mais tão gelada quanto Tella recordava. E a lama era surpreendentemente macia. Só fecharia os olhos por um instante. Descansaria até conseguir reunir forças para ficar de pé ou ir se arrastando até o pavilhão das carruagens. A água que lambia sua pele era tão relaxante que a jovem ficou surpresa. À medida que ela ia afundando, o líquido foi anestesiando o pulso ferido e levando embora todo o sangue, a terra e o fedor...

Passos de botas. Pesados.

– Donatella?

A voz não lhe era estranha, mas de alguma forma isso era frustrante. A cabeça de Tella estava tão enlameada que ela não conseguia distinguir se ouvira Dante ou Jacks. Era uma voz ríspida, como a do Príncipe de Copas; mas também autoritária e retumbante, como a do artista. A garota precisava abrir os olhos, mas isso exigia movimentos em demasia. Se não fosse Dante, Tella só queria dormir, dormir...

– Donatella!

A voz estava mais próxima e mais aflita e vinha acompanhada de duas mãos muito insistentes que a arrastaram para fora da água, envolvendo-a com um cheiro de nanquim e de coração partido. *Dante*.

Tella poderia choramingar chamando o nome dele. Mas seu corpo inteiro doía, tanto... Talvez ela tenha tentado enfiar a cabeça de volta na água, mas o maldito se recusou a soltá-la.

Dante segurou a cabeça ensopada de Donatella com as duas mãos, perto do peito, e perguntou:

– Você consegue abrir os olhos?

– Acho que quero dormir aqui – resmungou Tella. – Aposto que é mais seguro do que dormir em seus braços.

– E o que meus braços têm de tão perigoso? – murmurou o rapaz.

– Para mim, tudo.

Tella ergueu uma das pálpebras, bem devagar.

Veios de neblina da madrugada coroavam os cabelos castanho-escuros de Dante, feito uma auréola macabra. Há quanto tempo ela estava deitada ali?

E por que ele estava com cara de anjo vingador?

Os olhos de Dante estavam escurecidos, os traços do rosto mais pareciam uma sequência de linhas duras, e os lábios esboçaram algo que mais parecia um rosnar. Aquele não era o mesmo rapaz que falou, com um brilho nos olhos, que Donatella sempre deveria se vestir de flores. A expressão de Dante tinha a ferocidade de alguém que lutaria contra o sol nascente. E, apesar disso, Tella jurou que aquele olhar brutal ficou vidrado quando viu o pulso e o rosto dela.

– Quem fez isso com você?

– A Rainha Morta-Viva e Vossas Aias. Estou começando a acreditar... – nessa hora, a fala de Tella começou a ficar arrastada – que o Caraval não é apenas um jogo...

Dito isso, tornou a fechar os olhos.

– *Nem pense* em cair no sono.

Dante terminou de tirá-la da água.

Ping. Ping. Ping.

Donatella mais parecia um trapo molhado e estava se sentindo ainda pior do que isso.

O rapaz a puxou para mais perto de si. Nada no corpo dele era macio. O peito mais parecia um bloco de mármore. E, apesar disso, Donatella queria fechar os olhos, se aconchegar nele e dormir ali para sempre.

– Não faça isso – censurou Dante. – Nem pense em desistir. Você precisa continuar acordada até eu conseguir te levar para um local seguro.

– E onde fica isso?

Tella entreabriu os olhos doloridos; a cabeça batia no corpo de Dante a cada passo que ele dava, afastando-se do acesso principal do castelo. Quando ele havia começado a caminhar?

Os dois não estavam voltando para o Castelo de Idyllwild, mas tampouco parecia que estavam se dirigindo ao pavilhão das carruagens. Naquele estado delirante, Donatella pensou na possibilidade de estar vendo o próprio futuro. Porque, pelo jeito, estavam em uma espécie de cemitério. Ela só conseguia enxergar os contornos granulados de lápides cobertas de limo com querubins caindo aos pedaços no topo ou rodeadas por estátuas que choravam e usavam véus. As árvores, lá no alto, também pareciam estar de luto: todas choravam galhinhos frágeis, que eram esmigalhados pelas botas de Dante.

– Você resolveu me enterrar antes do tempo? – perguntou Tella.

– Você não vai morrer. Vamos encontrar alguém para cuidar desses ferimentos.

Dante começou a descer degraus de pedra muito antigos, ladeados por uma enorme escultura de homens de vestes longas e asas que seguravam um caixão acima da cabeça.

Tella bem que poderia ter soltado uma risada: não importava aonde fosse que, pelo jeito, a morte e a maldição estavam determinadas a segui-la.

– Menti para você lá na butique – disse a garota. – Você tinha razão a respeito de Jacks...

Ela obrigou os próprios olhos a se abrirem novamente. A cabeça girava. O mundo girava. Só queria que aquilo parasse. Que tudo parasse.

– Eu não deveria tê-lo beijado – resmungou. – Nem sei por que beijei. Eu nem estava com medo que Jacks me expulsasse do palácio por ter mentido que era noiva dele. Acho que queria deixar você com ciúme.

– Conseguiu – disse Dante, com a voz rouca.

Aquela resposta teria arrancado um sorriso de Donatella se todo o seu corpo não estivesse doendo tanto.

Ele a abraçou mais apertado e tirou uma mecha de cabelo que havia caído no rosto de Tella. E aí seus dedos ficaram acariciando delicadamente o contorno dos lábios dela.

– Nunca quis tanto ser outra pessoa até o momento em que vi Jacks beijar você naquela pista de dança.

– Você deveria ter me tirado para dançar antes dele.

– Vou fazer isso, da próxima vez. – Nessa hora, Dante deu um beijo de leve na testa dela. – Não desista, Donatella. Se você continuar acordada até eu conseguir te levar para um local seguro e quente, prometo que não vou te abandonar como fiz naquela noite. Juntos, vamos consertar tudo isso.

A rudeza sumiu do rosto de Dante e, por um instante, ele parecia ser tão jovem e traiçoeiro. Os olhos castanho-escuros estavam mais abertos do que o normal, delineados por partículas de luz das estrelas. Donatella teve vontade de ficar fitando aqueles olhos para sempre. Os cabelos do rapaz estavam bagunçados, pareciam fios de nanquim perdido, e sua boca perigosa continuou entreaberta. Os lábios de Dante pareciam vulneráveis, prestes a revelar um segredo perverso.

– Você é o mentiroso mais lindo que já vi na vida.

Donatella tentou murmurar mais, mas a boca já não queria se movimentar. Os músculos estavam tão, tão cansados...

Quando chegou a um mausoléu e abriu o portão, Dante apertou o corpo dela, trazendo-a tão para perto de si que chegava a ser perigoso. Tella jurou para si mesma que só fecharia os olhos por mais um instante. O jovem estava murmurando alguma coisa, e ela queria ouvir. Parecia ser algo importante. Mas, de repente, todo o ambiente ficou bem mais quente. E, por acaso, não era justamente isso que Donatella queria: saber como seria pegar no sono nos braços de Dante?

26

Tella teve vontade de voltar a dormir no mesmo instante em que acordou, se é que aquela forma embotada de consciência podia ser chamada de acordar. Os olhos não queriam abrir. Os lábios não queriam se mexer. Mas ela conseguia sentir a dor, tão aguda e lancinante... Todo o seu mundo se resumia a ossos fraturados e pele cortada, pontuado por fragmentos de sons e palavras dispersas, como se sua audição não conseguisse decidir se queria funcionar ou não.

Duas vozes ecoavam, e eram masculinas. A cabeça grogue de Donatella conjurou imagens de paredes rochosas escondidas bem no fundo de algum subterrâneo.

— O que foi...

— Eu...

— Salvar... Dela...

— Sei quais são os riscos.... mas os Arcanos... Ela não vai se recuperar.

— Achei que o príncipe.... era o único Arcano livre.

— Esses Arcanos.... ficaram escondidos por anos... ou o feitiço que os aprisiona está enfraquecendo.

A outra voz murmurou um palavrão.

E foi aí que Tella sentiu algo, que não era dor, molhando seus lábios. Mais denso do que água, com um gosto levemente metálico. *Sangue*.

— Beba.

Uma coisa quente apertou mais os lábios de Tella, até que ela conseguiu sentir a umidade do sangue, pingando na língua. Seu primeiro instinto foi de cuspir. Só que ainda era impossível se mexer, e aquele gosto lhe agradou: de poder, força e algo tão feroz que seu coração bateu acelerado. Fazendo um esforço tremendo, Donatella conseguiu lamber e engolir um pouco mais.

— Isso, garota.

Uma das vozes que ela ouvira pronunciou essas palavras. Mas, como a dor tinha diminuído um pouco, Tella conseguiu pensar em um nome para acompanhar a voz. *Julian.*

— Acho que basta.

A segunda voz era mais grave e mais autoritária. *Dante.*

O coração da jovem bateu ainda mais acelerado.

Um segundo depois, acabou-se o sangue. A dor ainda marcava presença, mas já estava bem mais fraca.

— Vá buscar a irmã. — Dante, de novo. — Faça Scarlett ir para o quarto de Tella, lá no palácio. Não quero que ela acorde sozinha.

Um silêncio se seguiu e se prolongou por tanto tempo que Tella temeu que sua audição estivesse prejudicada. Até que a voz de Julian interrompeu o silêncio.

— Você se preocupa mesmo com ela?

Mais um silêncio.

— Estou preocupado com as cartas, e ela é a melhor chance que temos de encontrá-las, meu irmão.

27

Era para Tella, quando recobrou a consciência, ter ficado com a sensação de que sua existência estava chegando ao fim. Tudo deveria estar doendo, de todos os jeitos possíveis e impossíveis. Era para ter acordado em um mundo de dor, com o pulso gritando, o rosto inchado e os pés machucados. Só que, ao acordar, o corpo estava inteiro e descansado, e o coração batia mais forte do que na noite anterior. Não sabia onde estava, mas aquele novo universo era deliciosamente aconchegante e quentinho, parecia que alguém a havia aninhado bem no meio de um feriado.

Algo crepitou, um fogo que tinha um leve aroma de cravo e canela. E também ouviu um vapor espiralado de risos desafinados e ofegantes – a risada da irmã, quando realmente achava a companhia engraçada.

Se Scarlett estava dando risada, nem tudo devia estar mal.

Donatella entreabriu os olhos com todo o cuidado.

E os fechou imediatamente e com força. Ou tentou fechar os olhos, mas eles se recusaram a fechar, como se não pudessem desviar da imagem vívida da irmã, trajando tons sedutores de vermelho, e de Jacks, brilhando de leve, esparramado de um jeito insolente em um dos divãs capitonê dos aposentos de Tella, na torre do castelo. Sua irmã e seu falso noivo riam, papeavam e se entreolhavam, como se estivessem absolutamente encantados um pelo outro.

Donatella se sentou na cama. Pelo jeito, estava em cima da cama, mas não debaixo das cobertas. Não sabia se queria saber quem havia tirado seu vestido dizimado e trocado por outra coisa nem como. Mas, de alguma forma, ela estava usando um vestido novinho em folha: cor de sal marinho, no mesmo tom prata azulado dos olhos de Jacks. O traje tinha mangas com uma amarração simples, saia rodada e corpete amarrado com fitas cor de cardo, de um roxo mais escuro, que deixavam Tella parecendo um pacote de presente já meio desembrulhado.

Pelo jeito, Dante havia sumido do mapa, e Julian tampouco estava ali. A garota vasculhou cada canto do quarto com os olhos. A luz opaca, cor de pêssego, que atravessava a janela dava a impressão de que era de manhã, uma manhã bem arrastada. Não havia nenhum sinal de que Julian ou Dante haviam estado ali. Só de pensar em Dante, Donatella sentiu uma onda de tontura e teve vontade de fechar os olhos de novo. Sentiu um calor na pele ao recordar que o rapaz a carregara nos braços, todo protetor. Mas aí, ardeu, porque pensou nas últimas palavras que Dante disse para Julian. Tella queria acreditar que a conversa que ouvira não passava de um sonho. Mas, se fosse, quem teria cuidado de seus ferimentos? E como tinha ido parar na torre?

A irmã e o Príncipe de Copas ainda conversavam, sentados na frente da lareira quase apagada: nenhum dos dois percebeu que Donatella não estava mais dormindo. Jacks atirava uma maçã azul-clara para o ar e dizia alguma coisa, baixo demais para Tella conseguir ouvir. Mas as bochechas de Scarlett ficaram rosadas.

Tella tossiu. Bem alto.

— Ai, Tella! — Scarlett pulou do divã, e Donatella jurou que o rosto da irmã ficou mais avermelhado. — Que bom que você acordou. Jacks e eu ficamos tão preocupados.

Donatella olhou direto para o vilão e falou:

— Nem me passou pela cabeça que você tinha permissão para entrar aqui.

— Eu adoro quando você esquece que sou o herdeiro do trono — disse o Arcano, tranquilamente. — Este palácio é praticamente meu. Mas, mesmo que não fosse, ninguém me impediria de ficar ao seu lado, mesmo que este seja apenas um pequeno acidente.

O Príncipe de Copas olhou bem nos olhos de Tella e foi se aproximando pela lateral da cama, uma ordem tácita para Donatella não desmentir o que ele iria dizer.

— Sei que a queda foi de poucos metros, por sair da carruagem antes do tempo, e só bateu a cabeça. Mas ainda temo o que poderia ter acontecido se eu não estivesse por perto para amparar a queda e te trazer de volta para cá, meu amor.

Jacks disse tudo isso com um tom afetuoso, como se achasse tudo que Tella fazia absolutamente encantador.

Donatella jurou que os olhos de Scarlett se transformaram em coraçõezinhos.

E começou a desconfiar que aquele poderia ser o verdadeiro sonho, apesar de estar mais parecido com um pesadelo. Sua irmã estava encantada demais pelo Príncipe de Copas, que nem deveria estar ali. Dante e Julian é que salvaram a vida de Tella – e onde *eles* estavam?

O Arcano segurou a mão da jovem e apertou seu pulso com delicadeza. Se não o conhecesse bem, Donatella poderia dizer que Jacks estava com uma expressão preocupada.

– Parece que seu pulso está forte. Mas você deve estar precisando comer alguma coisa. – Então se dirigiu a Scarlett: – Você faria a gentileza, tesouro, de ir buscar uma bandeja de frutas, chá e biscoitos para sua irmã? Se chamarmos uma criada com a sineta, vai demorar muito, e acho que não devemos correr o risco de deixar minha noiva desmaiar de novo.

– Claro – respondeu Scarlett, e saiu porta afora, deixando Tella a sós com Jacks.

Por um instante, o momento se resumiu ao crepitar do fogo e ao olhar preocupado do Príncipe de Copas, prateado como estrelas cadentes: o Arcano estava imitando emoções verdadeiras melhor do que há três noites, quando tinha se encontrado com Tella.

– O que você está fazendo aqui? – indagou Donatella.

Imediatamente o olhar de Jacks perdeu toda emoção.

– Tenho espiões por todo o palácio – respondeu. Com um tom de tédio, como se tivesse ficado decepcionado com Donatella por ela não ter feito uma pergunta mais original. – Sei de tudo o que acontece aqui. No mesmo instante que aquele artista te carregou pelos túneis, fui avisado. E que bom. Sua irmã veio correndo para cá minutos depois de eu chegar, e tive que inventar aquela história de que você caiu de uma carruagem, porque Scarlett tinha a impressão de que você quase havia morrido.

– E eu quase morri, sim! Por que você não me contou que outros Arcanos tinham se libertado das cartas?

— Com quem você cruzou? — perguntou o Príncipe de Copas, friamente.
— Com a Rainha Morta-Viva e Vossas Aias.

Jacks deu uma mordida despreocupada na maçã azul, mas Tella jurou que sua expressão ficou mais dura enquanto ele mastigava, como se não fosse tão indiferente quanto parecia ser. — Você tem sorte de elas estarem fracas.

— Não me pareceram nada fracas. Aquelas Aias quase me mataram. Mais quantos Arcanos estão livres?

O Príncipe de Copas deu uma gargalhada amarga e respondeu:

— Só porque alguns de nós saíram daquele baralho não significa que estamos livres. Quando a bruxa nos amaldiçoou, ficou com metade de nossos poderes. Sou uma sombra do que outrora fui. Você acha que ter um beijo mortal era meu único poder? Eu era chamado de Príncipe de Copas porque conseguia controlar muito mais do que as batidas do coração de alguém. Com um único toque, eu podia dar ou tirar sentimentos e emoções. Se eu pudesse contar com todos os meus poderes, não estaríamos nem conversando. Você estaria tão apaixonada por mim, e esse sentimento seria incontrolável, que você faria qualquer coisa que eu pedisse, sem questionar.

Tella não se deu ao trabalho de segurar o riso.

— Não há poder na face na Terra que faça eu me apaixonar por você.

— Veremos. A menos que você não sobreviva a esta semana.

Jacks atirou a maçã na lareira. A fruta soltou faíscas de um azul celestial, que revestiu brevemente o recinto com um brilho que não combinava nem um pouco com aquela conversa mortífera dos dois. E fez Tella recordar das estrelas de Lenda, na noite anterior.

Ou será que eram estrelas de Dante?

Donatella estava se sentindo melhor para pensar de verdade na conversa que ouvira entre Dante e Julian. Não foi só que usaram sangue para fazer os ferimentos dela cicatrizarem magicamente. Dante chamou Julian de "meu irmão".

Julian havia dito para Scarlett que era irmão de Lenda. Se isso fosse verdade, Dante era o verdadeiro Lenda. Mas, se Dante fosse Lenda, por que pediria para Julian cuidar dos ferimentos de Donatella? Talvez, no fim das contas, Julian é que era o verdadeiro Lenda.

Tella gostaria de ter conseguido abrir os olhos para ver de qual dos dois era o sangue que bebeu. Existia a possibilidade de não ser nem de

Julian nem de Dante: talvez Julian tivesse estoque de sangue mágico guardado em algum lugar. O que parecia muito pouco provável. Mas também era surreal imaginar que um dos dois irmãos era Lenda e havia dado o próprio sangue para Donatella beber, salvando a vida da jovem.

De qualquer modo, naquele momento Tella tinha uma sensação bem diferente quando pensava em entregar Lenda de bandeja para Jacks, no fim do jogo.

E, apesar disso, o lado cruel de Donatella sentia prazer ao pensar que, na verdade, Dante era Lenda. Depois de ouvi-lo dizer para o suposto irmão que só se preocupava com Tella porque ela poderia achar as cartas, esse seu lado teria entregado o rapaz para o Arcano de bom grado – mesmo que seus outros lados alertassem que essa era uma péssima ideia.

Donatella se virou para Jacks novamente e deu de cara com ele mexendo em um dos seus cachos cor de mel. Seu corpo inteiro se arrepiou, partes que já haviam cicatrizado se sentiram despedaçadas de novo. Ela tentou ignorar esse pressentimento. Só que, quando deu por si, estava imaginando como Jacks seria se pudesse contar com todos os seus poderes. Quando os Arcanos governavam a Terra, eram mais deuses do que humanos. A garota imaginava os lábios do Príncipe de Copas eternamente manchados de sangue, com um monte de donzelas mortas aos seus pés.

– É por isso que você quer encontrar Lenda? Para pegar o resto dos seus poderes de volta?

– Acho que você já sabe qual é a resposta para essa pergunta – disse o Arcano, arrastando as palavras.

– E o que vai acontecer com Lenda quando completarmos nossa transação?

Os olhos de Jacks ficaram com um brilho de irritação.

– Por acaso você está temendo pela vida do imortal Mestre do Caraval?

– Não, mas tenho medo de dar mais poderes a monstros como você e a Rainha Morta-Viva.

– Os monstros terão seu poder, independentemente do final desta história – retrucou o Arcano, com um tom de satisfação. – O que você acha que vai acontecer com Lenda se ele nos destruir e ficar com toda a nossa magia? Eu gosto do poder, mas nenhum ser humano nem nenhum imortal deveria ter tanto poder assim. Se Lenda conseguir o que quer, será o maior vilão que o mundo já viu.

– Então você acredita que o jogo é real?

– Talvez não seja para todo mundo que joga, mas é para você, para mim e para Lenda. Isso faz você mudar de opinião, meu bem? Porque, se ficou em dúvida, permita-me lembrá-la de duas coisas. Se você não cumprir sua parte no trato que fez comigo, vai morrer no fim desta semana, bem como sua mãe. Só existem duas maneiras de libertar alguém de uma carta. Um humano deve assumir o lugar dessa pessoa dentro da carta, de livre e espontânea vontade; ou um imortal com um poder maior precisa quebrar a maldição e libertar *todos* os que estão aprisionados nas cartas. Lenda jamais escolheria libertar os Arcanos. Se puser as mãos nas cartas, vai destruí-las, incluindo a da sua mãe.

O Príncipe de Copas se inclinou até roçar os lábios gelados na orelha da garota. Em seguida, colocou a mecha de cabelo atrás da orelha de Tella e sussurrou:

– A carta dentro da qual sua mãe foi aprisionada está ligada ao baralho que aprisiona todos os Arcanos. A menos que você queira que sua mãe morra, assim que vencer o jogo vai entrar em contato comigo, usando a moeda sem sorte, e me entregará Lenda de bandeja, como prometido.

– Eu te odeio – urrou Donatella.

Jacks deu uma risadinha com os lábios encostados no lóbulo da orelha de Tella, como se o ódio dela o empolgasse.

– Estou interrompendo alguma coisa?

A voz de Scarlett veio de perto da porta.

Donatella se virou e viu a irmã, que trazia uma bandeja de comida colorida e ainda dava um sorriso um tanto largo demais para Jacks.

– Eu só estava me despedindo – disfarçou o Arcano.

O Príncipe de Copas franziu o cenho enquanto tirava uma mecha perdida de cabelo da testa de Donatella, como se odiasse ser obrigado a abandoná-la.

Scarlett fez uma cara de quem ia desmaiar só de ver aquilo. E Tella pensou que aquela cena devia parecer absurdamente romanesca: ela ali, toda pálida, deitada em cima das almofadas, e Jacks transtornado, brilhante e dourado; o cabelo de ouro caído no olho, todo misterioso.

— Eu gostaria de poder ficar mais. Mas não se preocupe, meu amor, volto para te buscar à noite, para irmos ao jantar com a imperatriz.

Scarlett soltou um suspiro de assombro e colocou a bandeja no chão, ao lado da cama.

— Vocês vão jantar com a imperatriz?

— Ah, vamos — Jacks foi logo dizendo, antes que Donatella tivesse tempo de reagir àquela nova informação. — Vossa Majestade está louca para conhecer a jovem que roubou meu coração. Não gostava muito da minha última noiva, mas sei que vai amar Donatella, tanto quanto eu amo.

O tom de voz não seria mais adocicado nem se o Arcano tivesse mergulhado as cordas vocais em mel. E, desta vez, Tella não conseguiu distinguir se ele havia dito aquilo só para Scarlett ouvir ou se para atormentar a falsa noiva. Se a imperatriz amasse Donatella tanto quanto Jacks a amava, não a amaria nem um pouco.

Aquele jantar lhe pareceu uma péssima ideia.

Para Tella, de certo modo, a imperatriz sempre fora um ser místico, como os Arcanos: uma governante poderosa, da qual ouvira falar, mas nunca vira. E, apesar de ter curiosidade, passaria muito bem sem ter a honra de conhecer Vossa Majestade. Mais do que isso: passar uma noite com a imperatriz significava ter uma noite a menos para participar do jogo e encontrar as cartas da mãe. E Donatella agora tinha certeza de que essas cartas eram a chave para vencer o jogo.

— Não posso jantar com você hoje — declarou. — Só faltam três noites para o Caraval terminar.

— Você continua se esquecendo que sou muito importante. Então agora você também é significativa. Contei para a imperatriz que minha noiva está adorando o jogo, e ela cancelou todos os planos de Lenda para esta noite, para você não ficar para trás.

— Mas...

— Já está resolvido — ronronou Jacks, lançando um olhar para Scarlett e falando com um toque de ardor que, até então, não havia empregado. Só para que a garota recordasse de tudo o que tinha a perder, caso a farsa do noivado fosse revelada.

Donatella teve vontade de perguntar por que aquilo era tão importante para o Príncipe de Copas. Na noite do baile, o Arcano alegou que, se aquela mentira viesse à tona, ele passaria por fraco, e sua vida estaria em perigo. Assim que descobriu que Jacks era um Arcano, imaginou que isso era mentira, mas talvez o Príncipe de Copas estivesse mais vulnerável até conseguir recobrar todos os seus poderes.

– Agora – completou Jacks, bem alto –, preciso mesmo ir embora.

Em seguida, disse um rápido "até logo" para Scarlett. Ainda bem que não tentou beijar nem a mão nem o rosto dela.

Mas, pelo jeito que Scarlett ficou batendo as pestanas ao fechar a porta depois que ele se foi, Tella imaginou que a irmã queria que Jacks, pelo menos, roçasse os lábios nos dedos dela.

– Você precisa tomar cuidado com ele, Scar.

– Que engraçado – disse Scarlett, virando a cabeça bruscamente para a irmã. – Eu ia te dizer a mesma coisa.

28

Scarlett segurava a maçaneta de vidro da porta com tanta força que as juntas dos cinco dedos já estavam brancas. Parecia que queria tentar impedir que uma pessoa específica entrasse ali de novo.

– O que você está fazendo com o herdeiro do trono, Tella?

O sorriso de Scarlett havia desaparecido, e seu tom de voz se transformou de uma doçura melosa ao azedume.

– Achei que você gostasse dele, já que não parava de sorrir.

– Ele tem uma reputação terrível e é da realeza: já vi retratos dele por todo o palácio. De que outro jeito eu deveria me comportar? – Scarlett foi pisando firme até a cama e sentou na beirada, um pássaro carmim cintilante prestes a atacar. – O que está acontecendo, Tella? Quando Julian me pediu para vir até aqui, deu a entender que você tinha quase morrido. E aí Jacks me conta essa história ridícula de que você caiu de uma carruagem. Ele machucou você?

– Não, Jacks não encostou um dedo em mim.

– Então me conte o que foi que aconteceu. Julian não quis explicar. Saiu correndo. E olhe que, desta vez, nem fui eu que mandei ele ir embora.

Donatella ficou puxando as fitas azul-sal-marinho penduradas no vestido sem olhar nos olhos inquisidores da irmã. Scarlett ficou olhando para Tella como se a irmã mais nova tivesse feito alguma coisa errada. Só que Tella não estaria naquela situação se Scarlett não tivesse guardado certos segredos.

– Você quer saber o que foi que aconteceu? Eu saí para te procurar. Passei no seu quarto depois da meia-noite, mas você não estava lá. – Tella finalmente ergueu os olhos e perguntou: – Aonde você foi, Scarlett?

– Não fui a lugar nenhum – respondeu ela, sem emoção. – Eu estava no meu quarto, dormindo.

Tella espremeu os olhos e insistiu:

– Eu bati na porta.

– Eu não devo ter acordado.

– Bati tão forte que machuquei a mão.

– Eu estava exausta. – Nessa hora, Scarlett pôs a mão na saia e alisou uma ruga inexistente. – Você sabe que meu sono é bem pesado.

Tella não queria duvidar da irmã. O tom dela era de sinceridade. Mas, como as mãos não paravam de mexer nas pregas impecáveis do vestido, Donatella ficou com a impressão de que, mesmo que Scarlett estivesse dizendo a verdade, não tinha contado a história toda. A garota não parava de alisar, alisar e alisar a saia.

Pelo jeito, captara as dúvidas crescentes da irmã.

– Não estou participando do jogo. Aonde eu poderia ter ido, Tella?

– Talvez você não esteja jogando porque está trabalhando para Lenda – acusou Donatella.

– Você... Você acha que estou envolvida no jogo? – balbuciou Scarlett.

– Eu não sei o que achar! Depois de tudo que aconteceu ontem à noite, não sei nem se ainda acredito que tudo não passa de um jogo – confessou Tella.

Scarlett fez a gentileza de não dizer que havia, justamente, avisado a irmã que isso poderia acontecer. Respirou fundo, alisou a saia mais uma vez e disse, calmamente:

– Você, por acaso, já esqueceu do que Lenda me fez passar no último Caraval? Acredita mesmo que eu faria algo assim com você? Não precisa responder. É óbvio, pela sua cara, que acredita. Mas eu jamais magoaria você desse jeito, Tella. Juro. Não estou trabalhando para Lenda e, se acredita que estou, você é que está sob o efeito dos truques dele.

Scarlett pegou uma das mãos da irmã mais nova com firmeza e afeto, mas um pouco trêmula. Tella poderia ter interpretado o gesto como prova de que a irmã não estava dizendo a verdade. Ou de que Scarlett, que raramente mentia para ela, estava mesmo magoada.

Donatella sentiu uma flechada de culpa.

— Desculpe. Você tem razão. Eu não deveria tirar conclusões precipitadas e dizer que você trabalha para Lenda só porque não abriu a porta.

A jovem quase deu risada quando verbalizou essas palavras: tinha se precipitado, e muito. Mas ainda era cedo demais para rir daquilo. Scarlett continuava segurando sua mão, mas a ligação entre as duas parecia estranhamente frágil, como se pudesse ser rompida com o peso dos muitos segredos de Donatella.

Ela olhou para a janela. A luz mudara de tom, de um pêssego arrastado para um damasco brilhante, tornando tudo que havia dentro do quarto um pouco mais dourado. Tella não estava prestando atenção às badaladas, mas imaginava que deveria ser por volta do meio-dia ou um pouco mais tarde. Ainda teria tempo suficiente para confessar tudo a Scarlett antes de anoitecer e do jantar com a imperatriz. E chegou a pensar nessa possibilidade. Mas duvidava que Scarlett fosse acreditar em alguma coisa que ela havia descoberto durante o jogo, o que a amedrontava quase tanto quanto a possibilidade de a irmã acreditar em tudo.

Donatella quase tinha vontade de ouvir Scarlett garantindo que tudo não passava de um jogo. Mas se o Caraval fosse completamente real — como Tella estava começando a acreditar depois do encontro com a Rainha Morta-Viva naquela madrugada —, fingir que tudo não passava de um jogo não a ajudaria em nada. Entretanto, convencer a irmã de que o jogo era real tampouco ajudaria Scarlett em alguma coisa. Ela só ficaria ainda mais preocupada com Donatella.

Mas talvez pudesse revelar um segredo, um segredo que pudesse melhorar a situação em vez de piorá-la.

— Acho que Dante pode ser irmão de Julian.

— Por que você diz isso? — O tom de Scarlett era de puro ceticismo. — Os dois não são nem parecidos.

— Ouvi uma conversa ontem à noite.

— Que devia ser uma encenação por causa do jogo.

— Para mim, pareceu bem convincente.

Scarlett espremeu os olhos e perguntou:

— Você está mesmo começando a acreditar que o Caraval não é apenas um jogo, não está?

— Não — mentiu Tella.

— Mas acha que Julian e Lenda são irmãos?

– Sim. Acho.

Ou achava, até a irmã mais velha começar a olhar para ela como se achasse que Donatella estava perdendo a cabeça.

Scarlett deu um suspiro profundo e falou:

– Eu gostaria de poder acreditar em você, mas nem estou jogando e já estou questionando várias coisas. – Nessa hora, a garota apontou para a porta e completou: – Ainda não consigo entender por que você e o herdeiro do trono andam falando que estão noivos. Tenho certeza de que é por causa do jogo, mas não consigo ver qual é a relação. Só sei que tenho medo, Tella. E, se eu estou tão confusa assim, você deve estar ainda mais.

A voz de Scarlett ficou embargada, e Tella também sentiu um nó na garganta.

Não queria mentir para a irmã de novo, mas também sabia que não podia contar toda a verdade.

– Estou participando do jogo por Jacks – confessou Tella. – Se eu vencer e entregar o prêmio para ele, Jacks vai nos levar até nossa mãe – resumiu, omitindo alguns fatos.

Scarlett ficou com uma expressão mais dura, mas não disse uma palavra.

Segundos se passaram.

Donatella quase teve medo de que a irmã não respondesse, que ignorasse o assunto, como sempre fazia. Mas foi quase pior quando ela falou.

Scarlett pronunciou cada uma das palavras como se fosse uma maldição, como se preferisse ter descoberto que a mãe morrera.

– Por que você ainda está procurando essa mulher?

– Porque ela não é uma mulher qualquer, é nossa mãe.

Tella chegou a pensar em levantar, pegar o bauzinho e tirar dele a carta onde Paloma estava presa, mas essa carta não era indestrutível, como a do Aráculo, e ela ficou com receio de que Scarlett fizesse algo impensado, como tentar rasgá-la ao meio.

O vestido de Scarlett mudou de cor. Passando de um carmim sedutor para um tom extraordinário de vinho, mais escuro, combinando com o tom sombrio de sua voz:

– Sei que você só quer enxergar o que ela tem de bom. Por muito tempo, eu também tentei pensar assim. Só que ela nos abandonou,

Donatella, e não apenas nos deixou para trás, nos deixou com o pai. Sei que você continua tendo esperança de que exista um bom motivo para isso. Mas a verdade é que, se essa mulher nos amasse, teria ficado ou nos levado com ela.

Donatella considerou contar para a irmã que a mãe das duas fora embora para protegê-las de um Baralho do Destino amaldiçoado que mantinha todos os Arcanos aprisionados. Mas, só de pensar nisso, a história lhe pareceu risível. E, se contasse das cartas para Scarlett, também teria que confessar que a mãe delas era uma criminosa, pois ela havia roubado aquelas cartas. E duvidava que essa informação ajudaria a fazer a irmã mudar de ideia.

— Lamento que a gente tenha visões tão diferentes – comentou Tella.

— Só não quero ver você triste por causa disso de novo. – Nessa hora, Scarlett se encostou na coluna da cama e se encolheu. – Olhando para essa situação, para o fato de você ter se associado a um herdeiro do trono violento para tentar encontrá-la, salta aos olhos que isso não vai acabar bem.

— Sei que você não gosta de nada disso. Mas, se é com Jacks que você está preocupada, pode acreditar quando falo que essa parceria entre nós vai acabar assim que o jogo terminar.

— Tem certeza? Quando ele estava aqui, não parecia querer abrir mão de você tão cedo.

— Ele finge bem.

— Acho que não é isso.

— E é por isso que estou pedindo para você confiar em mim. – Donatella apertou a mão da irmã e completou: – Eu acreditei quando você disse que não está trabalhando para Lenda. Juro, daqui a três dias, nem eu nem você vamos mais ver Jacks, pelo resto da vida.

— Muita coisa pode mudar em três dias.

Depois disso, Scarlett não disse mais nada. E Tella ficou matutando se a irmã mais velha não teria também um segredo só dela.

O QUE DEVERIA
TER SIDO
A QUARTA NOITE
DO CARAVAL

Tella não conseguia parar de enfeitar o cabelo com flores. Sabia que tinha ido além da conta: a cabeça, repleta de jasmins azuis, já parecia um jardim. E ela continuou colocando mais.

Depois que Scarlett foi embora, um buquê de jasmins azuis foi entregue na sua porta, sem cartão. Tella imaginou que as flores eram um presente de Jacks, já que combinavam com o vestido de baile esvoaçante que o Príncipe de Copas havia mandado para que ela usasse naquela noite. A garota já ia atirar as flores pela janela, mas reconheceu algo em seu perfume, algo que lhe causou dor só de pensar em se separar do buquê azul. Colocou um jasmim no cabelo, depois mais um e mais outro em seguida, perdendo-se no aroma adocicado e se concentrando naquela tarefa simples de enfeitar os cachos com as flores e não no fato de que ia a um jantar organizado pela Imperatriz do Império Meridiano.

Só de pensar, já ficava perturbada.

Como o pai era governador, Donatella aprendeu todos os detalhes da etiqueta necessários para participar de banquetes da nobreza, mas nunca fora de obedecer a essas regras. E não sabia nada sobre jantares da realeza.

Pegou mais um jasmim do buquê dilapidado.

Uma risadinha veio pairando no ar, começando na porta até chegar ao quarto.

Tella virou de costas para a penteadeira e deu de cara com Jacks, que estava encostado no batente.

Esperava que, pela primeira vez na vida, o Arcano fosse se esforçar um pouco mais para ter uma aparência régia. Mas, como na noite do Baile Místico, Jacks nem sequer estava de casaca. Vestia uma camisa mais solta, cor de conhaque derramado, com ombros meio rasgados – parecia que algum tipo de detalhe fora arrancado deles –, do lado de fora da calça marrom avermelhada, que estava para dentro das botas de couro sem engraxar. "Traje casual" era uma palavra muito requintada para descrevê-lo, mas a magia ainda pulsava ao redor do Príncipe de Copas, lançando um brilho ardente, cor de cobre.

Em uma das mãos sem luvas segurava uma maçã, que era branca como a neve das montanhas mais geladas.

— Boa noite, Donatella.

— Você sabe que é falta de educação entrar sem bater no quarto de uma jovem dama.

— Acho que deixamos a educação de lado há um bom tempo. Mas... — nessa hora, Jacks se afastou do batente da porta e estendeu o braço para Tella com um único e sutil movimento – ... prometo que vou me comportar hoje à noite.

— Isso não quer dizer muita coisa.

Tella levantou do banquinho e alisou as saias volumosas. O vestido era mais pesado do que todos os outros que Jacks já havia mandado. Metade era de seda azul, perolada e sem detalhes, e a outra era uma combinação rebuscada de espirais de pedras preciosas, flores de veludo azul-crepúsculo e aplicações de renda azul-glacial, que se espalhavam pela saia de forma aleatória, que fez Donatella pensar em um porta-joias derrubado.

— Não se preocupe. Tenho certeza de que El vai adorar você.

— Por acaso você acabou de chamar a imperatriz de "El"?

— "Elantine" é uma palavra tão comprida...

— Mas você me chama de Donatella.

— O gosto do seu nome me agrada.

Os dentes do Príncipe de Copas partiram a casca da maçã lentamente. Então ele deu uma boa mordida, revelando a polpa vermelho-escura.

Tella se obrigou a dar o braço para Jacks, sabendo que, se desse algum sinal de constrangimento ou desprazer, só causaria deleite ao Arcano. Porém, para surpresa dela, o Arcano se comportou como um cavalheiro enquanto subiam as escadas da torre dourada de Elantine, indo ao encontro da imperatriz, no último andar.

Nos primeiros lances de escada, o Príncipe de Copas segurou o braço de Donatella com delicadeza, de forma que ela pudesse se desvencilhar a qualquer momento, e parecia mais interessado na maçã do que na garota. Então, de uma hora para outra, soltou o braço de Tella e ficou de frente para ela.

Em vez de morder a fruta, os dentes afiados de Jacks morderam seus próprios lábios, e os olhos de relâmpago do Arcano ficaram pairando sobre o cabelo dela. Donatella perdera várias flores ao subir as escadas. Provavelmente, foi melhor assim. Mas Jacks franziu o cenho e a olhou de cima a baixo.

– Que foi? – perguntou Tella.

– A imperatriz precisa acreditar que estamos apaixonados. – Ele ficou em silêncio por alguns instantes, como se estivesse escolhendo, com todo o cuidado, as palavras que iria dizer. – Minha situação com El é complicada. Se eu pudesse matá-la, mataria. Mas ela conta com certas proteções que me impedem de fazer isso. E, apesar de velha, a imperatriz não vai morrer tão cedo. Mas, logo, logo, vai passar o trono para mim. Porém, isso só vai acontecer se eu conseguir encontrar alguém que, na opinião dela, esteja à altura de reinar a meu lado.

– E você acha que sou este alguém?

As palavras de Tella foram acompanhadas por uma risada.

Só que Jacks não sorriu.

– Você convenceu Lenda a te ajudar, morreu, voltou à vida e teve coragem de me beijar. É claro que você é este alguém.

O Príncipe de Copas olhou Donatella nos olhos por um instante e desviou o olhar em seguida.

Ela acompanhou o olhar do Arcano até um espelho pendurado na parede, que refletia a imagem dos dois. Tella ficou pasma, porque a aparência de Jacks ficava diferente quando refletida no espelho: o objeto não conseguia capturar sua verdadeira essência. De camisa rasgada e botas sem engraxar, parecia que tinha acabado de cair da cama ou de uma janela baixa – mas também parecia mais jovem, mais menino, mais levado e não o mal encarnado. Os olhos estavam com um tom claro de azul, sem nenhuma nuance prateada. A pele continuava sendo bem branca, mas as bochechas tinham um toque de cor. E, com aquele esgar sutil nos lábios, parecia que estava prestes a dizer uma coisa bem safada.

– Você está olhando para a pessoa errada, querida.

Jacks pousou delicadamente a mão no rosto de Donatella e inclinou a cabeça dela, ajustando seu campo de visão, para que conseguisse enxergar o próprio reflexo.

A garota ficara sentada na frente do espelho enfeitando o cabelo com flores por mais de uma hora, mas não havia olhado para si mesma, não de verdade. Às vezes, quando olhava no espelho, Donatella jurava que via a sombra do Ceifador da Morte, não a própria imagem. Mas, naquele momento, ao ver o próprio reflexo, não viu o Ceifador. Sua pele brilhava, não só porque estava corada de subir a escada. Era o brilho da vida, capaz de durar dias, semanas e estações de aventuras que ainda estavam por vir. Jacks, por outro lado, parecia ainda mais branco. O brilho que o Príncipe de Copas emanava sinalizava que o Arcano jamais morreria de causas naturais nem de ferimentos letais, mas a radiância de Tella era sinal de que a jovem viveria de verdade.

– Certas pessoas podem até subestimá-la, Donatella. Mas eu não.

Ela tentou não sentir nada ao ouvir as palavras do Arcano. Fora subestimada a vida inteira: pelo pai, que a achava uma inútil; pela irmã, que a amava, mas temia que Tella não conseguisse ficar longe de confusões; pela avó, que a via apenas como um fardo. Até a própria Donatella se subestimava, de vez em quando. Perceber que a pessoa que mais acreditava nela era o mesmo ser que a estava matando, lentamente, não deixava de ser uma crueldade.

– Se eu não conseguir, você vai me matar antes da hora, assim como matou sua última noiva?

Jacks fechou a cara e declarou:

– Não fui eu que a matei.

– Quem matou, então?

– Alguém que não queria que eu subisse ao trono.

O Príncipe de Copas soltou a maçã – que rolou escada abaixo – e tomou novamente o braço de Tella. Chegou um pouco mais perto do que antes, de um jeito quase protetor, mas continuou em silêncio enquanto subiam os degraus, como se tivesse ficado chateado por causa do comentário de Donatella sobre sua ex-noiva. Talvez, se Tella acreditasse nele, teria se sentido culpada. Mas aquele rapaz era o Príncipe de Copas, e todo mundo sabia que o príncipe era incapaz de amar. De acordo com as histórias, o Arcano tinha um único e verdadeiro amor, mas a garota achava que Jacks jamais havia encontrado essa pessoa.

E o jeito casual como ele falou que gostaria de matar a imperatriz só reforçava a descrença de Donatella de que o Príncipe de Copas tinha ficado perturbado por ter perdido uma vida humana.

– Por que o trono é tão importante para você? – perguntou, depois de subirem mais alguns degraus. – Sendo um Arcano, achei que você não ia querer carregar o fardo de um poder mortal.

– Acho que gosto da ideia de usar coroa. – Jacks inclinou a cabeça, e o cabelo dourado caiu ainda mais nos seus olhos. – Você já viu a coroa da imperatriz?

– Não tive a oportunidade.

Mas Tella era testemunha da falta de capricho com que Jacks se vestia e, mesmo que isso não viesse ao caso, não conseguia imaginar que o Príncipe de Copas teria se esforçado tanto para virar herdeiro do trono só porque poderia usar coroa.

Ela já ia perguntar o que aquela coroa tinha de tão especial, mas os lances de escada terminaram.

Donatella não havia contado o quanto já tinham subido, mas imaginou que já estavam quase no último andar. Portas duplas pretas laqueadas aguardavam por eles, com um guarda de armadura completa de cada lado. Eles devem ter reconhecido Jacks. Sem dizer uma palavra, abriram as portas.

De cada centímetro do teto branco pendiam velas que pareciam gotas enceradas de chuva luminosas lançando espirais bruxuleantes de luz cor de calêndula no recinto abobadado. Tella só teve um instante para absorver tudo aquilo, para olhar de relance o vapor que saía do festim elaborado sob a luz daquelas velas e o palco com entalhes intrincados do outro lado do salão. E, aí, uma voz feminina interrompeu o silêncio:

– Até que enfim vocês chegaram!

A Imperatriz Elantine levantou da cadeira em que estava sentada, na cabeceira da mesa do banquete.

Tella esperava encontrar uma mulher pálida feito assombração, magra, esquelética e mais fria do que vovó Anna. Mas Elantine tinha bochechas cheias e rosadas, pele cor de oliva escura e um jeito acolhedor que dava vontade de abraçar.

– Você, minha querida, está um encanto.

Elantine sorriu, e seu sorriso foi luminoso, como se tivesse poupado todos os seus sorrisos só para Tella. Essa expressão iluminou todo o rosto de Vossa Majestade, fazendo o diadema de ouro que enfeitava sua cabeça e as pedras preciosas que ornavam seu manto azul-real brilharem ainda mais.

Donatella fez uma mesura e disse:

– É um prazer conhecê-la, Majestade. Jacks falou muito da senhora.

– E ele contou como pretende me matar?

A garota se segurou para não soltar um suspiro de assombro.

– Não faça essa cara tão assustada. Só estou brincando! Jacks é o meu sucessor preferido até agora.

A imperatriz deu uma piscadela e abraçou Donatella bem apertado.

Por causa de vovó Anna, que sempre fora magra como um galho de árvore, Tella sempre achou que pessoas mais velhas eram frágeis e quebráveis. Mas Elantine abraçava com força, com um carinho e um desprendimento suficientes para amarrotar seus trajes imaculados.

Então soltou Donatella e abraçou Jacks. Até bagunçou o cabelo do príncipe, como se ele fosse uma criança.

– Você ficaria tão lindo se tivesse um pouquinho mais de cuidado com sua aparência.

Para surpresa de Tella, o Arcano chegou a ficar corado: sua pele era mais azulada do que avermelhada, mas com certeza estava corado. A jovem não sabia que era possível fingir faces coradas – Jacks não podia ter ficado envergonhado de verdade com os comentários da imperatriz, de jeito nenhum –, mas as bochechas brancas do Príncipe de Copas ficaram um pouco azuis. Um instante depois, ele também deu um sorriso amarelo, sem dúvida para convencer a imperatriz de que, apesar de tímido, gostava de receber a atenção dela. Jacks fingia tão bem que chegava a ser perturbador.

Elantine ficou radiante, mas não durou muito.

– Você está magro demais, Jacks. Espero que hoje coma um pouco, mais do que só uma maçã. – Então se virou para Tella e falou: – Você precisa cuidar para que ele coma. Sempre estão tentando envenenar meu querido Jacks, é por isso que esse rapaz nunca belisca nada nos meus humildes banquetes. Mas espero que ele se refestele hoje. Encomendei um festim digno de... bom, digno de mim.

A imperatriz deu risada e levou o casal para a mesa, que estava repleta de comida, abarrotada de todos os pratos possíveis e imagináveis, de torres de favos de mel com flores comestíveis a um porco caramelado, com maçã na boca. Havia até árvores frutíferas em miniatura, que davam ameixas mergulhadas em chocolate e pêssegos confeitados com açúcar mascavo. Pedaços de queijo saíam de miniaturas de baús do tesouro feitos de pão. Sopas em cascos de tartaruga virados para cima. Sanduichinhos para comer com a mão no formato de mãos. Pratos coloridos de rabanetes vermelhos e cor-de-rosa ao sal. Água com gás de lavanda e vinho cor de pêssego servido com frutas vermelhas no fundo da taça.

– Podem reparar que não temos criados. Queria que esse jantar fosse mais íntimo, para poder conhecer você melhor.

Elantine se sentou na cabeceira da mesa. Só havia mais duas cadeiras, ambas viradas para o palco italiano, do outro lado do salão. O arco de madeira que havia em cima do palco era todo entalhado, com desenhos de máscaras ovais lisas, sorrindo, franzindo o cenho, dando risada e fazendo diversas outras expressões esquisitas. Todas olhavam para uma cortina fechada verde-conto-de-fadas, que ficava logo abaixo.

– Agora me fale de você – disse a imperatriz. – Jacks contou que está em Valenda procurando sua mãe desaparecida, verdade?

Assim que sentou, Donatella abriu a boca para responder. Mas a imperatriz não permitiu que a garota falasse, continuou enumerando uma longa e impressionante lista das coisas que Jacks havia dito a respeito da noiva. Elantine sabia até que Tella faria aniversário em breve e prometeu dar uma festinha.

– Jacks também me contou que você é obcecada pelos Arcanos. Eu cheguei a ter um Baralho do Destino especial, muito tempo atrás. Só que nunca previu nada de bom.

Então deu risada novamente.

O riso surpreendeu Tella, quase tanto quanto da primeira vez. Não esperava que Vossa Majestade fosse tão bem-humorada. Nem que amasse tanto Jacks. A imperatriz balançava a cabeça ou dava risada de tudo o que ele dizia e enchia o prato do príncipe de comida, como se o Arcano fosse criança. Mas Tella reparou que Jacks não encostava na comida. Tirou a maçã da boca do porco, mas tampouco comeu. Só ficou rolando a fruta na palma da mão.

E aí pôs a outra mão no pescoço de Tella e ficou mexendo a esmo no cabelo da garota, com aqueles dedos gelados. Era uma encenação, mas parecia algo tão pouco ensaiado... Como se acariciá-la fosse, simplesmente, a coisa mais natural do mundo. Donatella jurou ter sentido o olhar dele também, gelado como a geada da manhã: roçava nos seus lábios enquanto Jacks observava cada garfada que a garota dava.

– Vocês dois têm que provar isso.

Elantine apontou para uma travessa de bolinhos do tamanho de uma mão fechada, decorados para parecerem presentes, em todas as combinações de cores possíveis e imagináveis. De tangerina com azul-petróleo a prata com geada marinha, da cor dos olhos de Jacks.

– É uma iguaria tradicional de noivado, feita apenas para a realeza. O confeiteiro imperial é o único que pode fazer esses bolinhos. É proibido por lei outras pessoas encomendarem. Dentro de cada um, tem uma surpresa diferente, que simboliza o futuro que vocês terão juntos. Alguns têm recheio de creme de confeiteiro, que representa uma vida doce. Outros, são recheados de ovos caramelados, simbolizando muita fertilidade.

Elantine deu outra piscadela, e Donatella quase se engasgou com a água que bebia.

Jacks, que desde a maçã que comera, ainda na escada, não havia encostado em nada, pegou um bolinho de pedras preciosas com cobertura azul aveludada, no mesmo tom do vestido de Tella, e mordeu. Quando tirou da boca, uma geleia de framboesa bem grossa saiu do doce.

A imperatriz bateu palmas e disse:

– Pelo jeito, sempre haverá paixão entre vocês dois. Agora é a sua vez, minha querida.

Como Donatella jamais iria se casar com o Príncipe de Copas – preferia ser aprisionada dentro de uma carta –, não deveria fazer diferença qual bolinho escolheria. Mas não queria mesmo escolher um dos bolos. Já tinha previsões demais de seu futuro. Só que tanto Jacks quanto Elantine não tiravam os olhos dela. Aquilo não era um pedido: era um desafio.

– Que interessante – murmurou a imperatriz.

Tella olhou para baixo e percebeu que seus dedos tinham pegado um bolinho preto-ônix sem alma, com um laço de glacê azul-noite – do mesmo tom das asas tatuadas nas costas de Dante.

– Ele me fez lembrar da noite de lua nova em que conheci Jacks – mentiu a garota.

– Ah, eu não estava falando do bolo. – Elantine fixou o olhar régio no anel de opala em forma de supernova que a garota tinha no dedo. – Fazia muito tempo que eu não via uma pedra dessas.

– Herança de família de minha mãe – comentou Tella.

– E ela deu para você, foi? – A imperatriz perguntou isso com a mesma afetuosidade de todas as perguntas que fizera naquela noite. Mas Donatella jurou que Elantine estava espremendo os olhos, parecia que seu sorriso não era mais sincero. – E por acaso sua mãe contou para que serve?

– Não. Este anel é apenas uma das poucas coisas que ela deixou para trás quando sumiu.

– E você o usa para recordar dela? – A expressão da imperatriz suavizou. – Você é mesmo uma preciosidade. Quando Jacks me contou que estava noivo novamente, não levei muito a sério. Temia... bom, não importa o que eu temia. Agora consigo ver por que ele quis ficar com você. Mas tome cuidado com essa sua herança de família. – A imperatriz baixou o tom da voz e cochichou para Tella: – É muito parecido com as chaves do Templo das Estrelas. E, se for uma dessas chaves, sua mãe deve ter pagado bem caro por ela.

Donatella olhou para a própria mão. Parecia inacreditável, mas seu lado perdidamente esperançoso imaginou que aquele anel, que usava há sete anos, poderia ser a chave do cofre onde estavam guardados todos os segredos da mãe.

– Desculpe pela interrupção – disse uma voz rouca, vinda do palco.

Tella ergueu os olhos e deu de cara com Armando, fantasiado de Rei Assassinado – um Arcano que poderia representar traição ou a volta de algo perdido. O rapaz sorriu para seu pequeno público, um sorriso tão assustador quanto sua fantasia. Levava uma espada manchada de vermelho presa à cintura, tinha um corte aberto na garganta e uma coroa maligna, feita de adagas, na cabeça.

– É um grande prazer estar aqui esta noite – completou o artista.

30

Metade das velas penduradas no teto se apagou, deixando a mesa de banquete na penumbra. Apenas Armando e o palco permaneceram iluminados.

– Ah, que bom! – disse Elantine, batendo palmas. – O espetáculo da noite já vai começar.

– Muito obrigado por nos receber, Majestade. – Armando fez uma mesura bem exagerada, com uma postura tão humilde que chegava a ser surpreendente. – Desde o dia de vossa coroação, o maior desejo de Lenda era se apresentar em Valenda com os artistas do Caraval. Estamos profundamente gratos pelo vosso convite. Em honra de Vossa Majestade, preparamos uma apresentação muito especial para esta noite, mostrando como era a vida quando os governantes não eram tão sábios e benevolentes quanto a senhora. Esperamos que todos vocês gostem.

As cortinas se abriram.

A peça mais parecia uma paródia de uma paródia.

O palco fora montado para parecer uma antiga sala do trono. Mas tudo em cores vivas e berrantes demais – todo o cenário era pintado em tons chamativos de verde-limão, violeta elétrico, fúcsia fascinante, azul cósmico e amarelo latejante – parecia que uma criança havia pintado o pano de fundo, os figurinos e o trono em que Armando estava sentado. Jovan, vestida de Rainha Morta-Viva, com direito a tapa-olho de pedras preciosas e vestido preto longo e justo, estava esparramada no braço do trono.

Tella sentiu um arrepio, porque as lembranças do que havia ocorrido na ponte do Castelo de Idyllwild logo lhe vieram à cabeça.

Jovan retorceu os lábios em uma expressão cruel, nada característica – igualzinha à do verdadeiro Arcano –, e examinou a corte reunida em cima do palco. Donatella desviou o olhar. Reconheceu vários dos outros artistas: alguns estavam vestidos de nobres, mas muitos estavam fantasiados de outros Arcanos. Naquele pequeno grupo, avistou a Criada Grávida, Vossas Aias e o Envenenador.

Dante não estava lá. Tella ficou frustrada consigo mesma por tê-lo procurado.

No palco, Jovan, a Rainha Morta-Viva, soltou um suspiro exagerado e falou:

– Estou tão entediada...

– Talvez eu possa ajudar.

Caspar surgiu em cena, de casaca de veludo vermelho, no mesmo tom do sangue que pingava do canto de sua boca e de um dos seus olhos. Pelo jeito, estava interpretando o Príncipe de Copas.

Tella criou coragem e olhou de relance para Jacks, para ver a reação do Arcano ao se ver representado no palco. Ele continuou com uma expressão neutra, que beirava o desinteresse, mas a garota sentiu o braço que o Príncipe de Copas havia passado em volta de seus ombros ficar gélido quando Caspar sacudiu a mão e chamou dois jovens artistas para entrar no palco.

Donatella não conhecia nenhum dos dois. Eram adolescentes, um garoto e uma garota um pouco mais novos do que ela. Algo em seus figurinos era especialmente perturbador. Os demais artistas estavam obviamente caracterizados. Mas aqueles dois pareciam estar usando suas melhores roupas, passadas com capricho e ligeiramente fora de moda, comparadas às do restante da corte. Como se não tivessem muitas oportunidades para se vestir bem e, por isso, não tivessem muitos motivos para atualizar o guarda-roupa. Os trajes faziam a dupla parecer mais real do que os demais artistas, como se Caspar tivesse acabado de abordá-los na rua e prometido um saco de balas para cada um, caso o acompanhassem.

– Como você se chama? – perguntou para a garota.

– Agathe.

– Que lindo nome, Agathe. E o seu, qual é?

– Hugo.

– Outro nome excelente. – Nessa hora, o tom de Caspar foi de simpático a ambíguo. – Na verdade, gostei tanto do nome de vocês que vou anotar, para nunca mais esquecer.

Agathe e Hugo se entreolharam, intrigados, como se tivessem percebido que havia alguma coisa de errado. Mas, em seguida, ambos balançaram a cabeça, obviamente muito dispostos a agradar um Arcano.

Caspar tirou dois cartões do bolso, do mesmo tamanho e formato de uma carta de baralho.

– Ai – resmungou. – Acho que acabou o nanquim. Suponho que terei que escrever com meu sangue imortal.

Então pegou uma adaga enfeitada com pedras preciosas e furou a ponta do dedo. Saiu sangue e, com ele, Caspar escreveu na carta, com gestos exagerados. Quando terminou de escrever, uma lufada de fumaça cênica prateada explodiu no palco, suficiente para tapar metade do cenário. Quando se dissipou, Agathe havia sumido. Em seu lugar, havia uma carta.

Caspar pegou a carta e mostrou para Jovan e Armando.

– Você transformou a menina em uma carta! – gritou Jovan. – Faça de novo!

Hugo começou a correr, mas o dedo ensanguentado de Caspar já estava se movimentando, escrevendo o nome do menino na outra carta em branco.

Mais uma nuvem de fumaça, e Hugo sumiu.

O artista foi até onde o garoto estava e pegou a carta do chão. Jovan bateu palmas e perguntou:

– Por quanto tempo eles vão ficar assim?

Caspar se aproximou do trono.

– A senhora pode deixá-los assim até se cansar deles – respondeu. Então mostrou a língua comprida e cor-de-rosa. Lambeu uma das cartas, entregou para Jovan e disse: – Vou fazer um baralho inteiro para a senhora. Assim, poderá jogar com elas de verdade.

De repente, o braço de Jacks que estava no ombro de Tella ficou mais pesado e mais gelado.

– Foi assim mesmo? – cochichou ela. – Foi isso que você fez? Transformou pessoas em cartas e jogou com elas?

O Arcano respondeu com os lábios no ouvido de Donatella:

– Nunca lambi uma carta daquele jeito.

– Mas o resto...

A jovem se virou para ver o rosto do Príncipe de Copas, procurando sinais de remorso. Sabia que os Arcanos eram malignos – Jacks havia lançado uma maldição nela para conseguir o que queria. Mas aprisionar alguém, transformando a pessoa em um pedaço de papel impotente, e jogar com essas cartas só por prazer e diversão lhe pareceu um tipo completamente diferente de vileza.

Jacks deu um sorriso insolente para Tella e cochichou:

– O que você está tentando encontrar, Donatella? Está procurando algo de bom em mim? Nunca vai encontrar, porque isso não existe.

– Não precisa me dizer isso.

– Então por que você fica olhando para mim como se estivesse em busca de respostas?

Ela inclinou a cabeça para o palco e perguntou:

– É isso que você pretende fazer com o nome verdadeiro de Lenda? Aprisioná-lo em uma carta?

– Ele quer me destruir – respondeu o Príncipe de Copas, baixinho. – Só estou tentando me defender.

– Então por que mudou de ideia e não vai se satisfazer apenas com o nome dele?

– Porque posso ter mais.

O Arcano apertou os ombros da garota quando pronunciou a palavra "mais".

– Como? Como você pretende roubar mais de Lenda?

– Se eu responder, você só vai ficar ainda mais infeliz.

– Prefiro saber a ficar feliz nessa situação.

– Vou beber o sangue dele, direto das veias. É assim que se concede e se rouba poder. Não funciona se o sangue for engarrafado. Eu poderia pegar parte da magia de Lenda assim, mas não seria minha para sempre.

E poderia mesmo. Tella recordou que o Príncipe de Copas fizera o coração de todos os presentes no baile parar de bater, depois que os dois se beijaram. Durou apenas um minuto, mas ele não precisou de mais.

Sem dizer mais nem uma palavra, Jacks voltou a olhar para o palco e sorriu, como se estivesse se divertindo com a apresentação. Mas Donatella pensou que o constrangimento dela era a verdadeira fonte de prazer do Arcano.

Jacks gostava de atormentá-la, assim como o Príncipe de Copas da peça gostava de brincar com as crianças que aprisionara nas cartas.

Com aquela peça, Lenda não estava se equilibrando em uma linha tênue: estava ultrapassando todos os limites.

A garota podia até estar interpretando demais, mas pensou que, na verdade, a peça não era destinada a Elantine, mas à própria Tella – para convencê-la de que os Arcanos eram mesmo malvados e a ajudar Lenda a destruí-los, em vez de ajudar Jacks a recobrar seus poderes.

E foi aí que outra ideia lhe ocorreu. Há pouco tempo, o Príncipe de Copas havia lhe dito que só havia duas maneiras de libertar alguém aprisionado em uma carta. "Um humano deve assumir o lugar dessa pessoa dentro da carta, de livre e espontânea vontade; ou um imortal com um poder maior precisa quebrar a maldição e libertar *todos* os que estão aprisionados nas cartas."

Jacks havia dito que libertaria a mãe de Donatella, mas a jovem sabia que o Arcano jamais assumiria o lugar de Paloma dentro da carta. E se ele só quisesse ter acesso a Lenda para recobrar os próprios poderes? E se Jacks quisesse o poder do Mestre do Caraval para conseguir quebrar a maldição das cartas e libertar todos os Arcanos? Talvez o verdadeiro motivo para o Príncipe de Copas querer subir ao trono fosse possibilitar que esses seres místicos reinassem de novo, exatamente como era antes.

A peça continuou a se desenrolar em cima do palco.

Tella ouviu um estalo. Sabia que era de mais uma explosão de fumaça. Quando olhou novamente para o palco, todos os nobres que formavam a corte haviam sumido. E, em seu lugar, havia mais cartas.

Então, ficou olhando, horrorizada, Caspar recolher as cartas e embaralhá-las para Armando, o Rei Assassinado, e Jovan, a Rainha Morta-Viva.

– Se cansarem delas, posso fazer mais – disse Caspar. – Ou podemos facilmente trocar alguma, escrevendo o nome de outra pessoa na carta.

– Você consegue imaginar como seria se governássemos assim? – comentou Elantine.

E começou a dar risada, uma risada espontânea, que foi logo se transformando em uma tosse seca. E aí as cortinas verdes se fecharam, anunciando o intervalo.

A imperatriz tentou pegar o cálice de água que estava bebendo, mas acabou esbarrando em sua taça e a de Jacks, derramando o que restava do vinho no copo dos dois.

Tella tentou passar seu cálice para Elantine, mas a imperatriz sacudiu a cabeça, como se não confiasse na garota.

— Jacks — disse ela, com a voz bem rouca.

O Arcano levantou correndo para buscar mais água.

Elantine tossiu, soltando um último estalido. Sua expressão ficou mais concentrada. A imperatriz então dirigiu um olhar astuto e límpido para Tella. E, quando falou, sua voz também estava diferente: não era mais a imperatriz elogiosa que ficara paparicando Jacks. Falou com um tom mais afiado que um dente de leão.

— Se mentir para mim, vou mandar expulsarem você daqui antes que Jacks tenha tempo de voltar. Se me contar a verdade, terá uma aliada poderosa. Responda rápido: o que você está fazendo com esse rapaz cruel que quer usurpar meu trono?

A garganta de Donatella ficou seca de repente. Seu primeiro instinto foi achar que aquilo era um teste, armado pelo Príncipe de Copas. Mas aí recordou que Elantine havia perguntado como Jacks pretendia matá-la. A imperatriz disse que só estava brincando. Mas, aos ouvidos de Tella, a pergunta não pareceu uma mera piada.

— Seu tempo está acabando — pressionou Elantine.

— Ele mantém minha mãe prisioneira — admitiu a garota. Não que não confiasse na imperatriz, mas uma mulher que governava sozinha um império há cinquenta anos só podia ser mais astuta que uma raposa. O que, com sorte, queria dizer que Elantine conseguia saber quem era o verdadeiro Jacks. — Enquanto minha mãe não estiver livre, eu também não estarei livre dele.

A imperatriz apertou os lábios, fazendo uma expressão bem séria.

A pulsação da jovem ficou levemente mais acelerada.

Antes que Elantine tivesse tempo de responder, Jacks já estava voltando e entregando um cálice de água para ela.

— Obrigada, meu querido menino. — Elantine encostou o copo nos lábios, mas Tella jurou que a imperatriz não bebeu. Enrolou Jacks, dizendo: — Eu estava falando para sua encantadora futura esposa que gostaria de desfrutar da companhia dela na Véspera do Dia de Elantine, para assistir à queima de fogos no alto da torre.

Donatella não se lembrava muito do que aconteceu depois disso. Jacks e Elantine continuaram conversando, mas ela mal ouviu uma palavra do que os dois disseram. Não conseguia parar de pensar na peça, nos Arcanos que encontrara fora do Castelo de Idyllwild e que estava condenando tanto Lenda quanto o Império à morte se vencesse o jogo e entregasse o Mestre do Caraval de bandeja para o Príncipe de Copas.

Quando voltou para o quarto, Tella consultou o Aráculo.

A imagem ficou borrada até ela se imaginar vencendo o jogo e entregando Lenda para Jacks, como prometido. No mesmo instante, a imagem ficou nítida, mostrando uma cena em que Donatella estava com a irmã e a mãe das duas, todas felizes e se abraçando. Uma imagem boa demais para ser verdade. E talvez fosse.

Há anos, Tella acreditava no Aráculo sem questionar. Mas, se o verdadeiro Aráculo estivesse preso dentro daquela carta, será que não lhe mostraria qualquer coisa para convencê-la a ajudá-lo a escapar daquela prisão?

QUINTA NOITE
DO CARAVAL

31

À primeira vista, parecia que não havia estrelas no céu. Do chão, o firmamento parecia um espelho de puro breu reluzente. Mas de cima, de dentro da carruagem aérea, Tella pôde ver, por um breve instante, que o céu não era só escuridão. Um fino contorno de estrelas brancas luzia em forma de coração. Um coração que abrangia quase toda a cidade de Valenda, lançando uma luz fina como poeira de fadas nos limites da cidade ancestral, evocando feitiços, encantamentos e sonhos de criança.

Donatella se aproximou da janela da carruagem. Mesmo com a luz incandescente das estrelas, estava escuro demais para enxergar claramente as pessoas lá embaixo. Mas pensou que quem ainda estivesse participando do jogo estaria zanzando pelas ruas, com pressa. Ninguém havia lhe dito nada, mas ela ouvira a conversa de algumas criadas comentando que todo mundo estava decepcionado por Elantine ter cancelado a quarta noite do Caraval.

Como sua vida dependia do resultado do jogo, Tella também não queria perder uma noite de Caraval. Mas seu corpo aceitou o descanso, com avidez. Depois de jantar com a imperatriz, a garota dormiu, dormiu e então dormiu mais. Meio que esperava acordar banhada em sangue, sangue esse que sairia de seus olhos. Mas, das duas, uma: ou Jacks havia lhe dado uma trégua ou o sangue que Dante e Julian a fizeram beber ainda surtia efeito, neutralizando o beijo assassino do Arcano.

Infelizmente, Donatella não estava cem por cento livre da maldição. O coração voltara a bater mais devagar do que deveria.

Tum... tum.
Nada.
Tum... tum.
Nada.
Tum... tum.
Nada.
Nada.

Tella levou a mão ao peito e xingou o Príncipe de Copas. Teve a sensação de que aquela batida a mais que faltava era um jeito que o Arcano havia encontrado para cutucá-la e pressioná-la a andar mais rápido.

Enquanto a carruagem ia se preparando para pousar no Distrito dos Templos, ela pegou o papel com a terceira pista, que havia copiado do verso do cartaz com o retrato da mãe, para ser mais fácil de carregar.

Se encontrou estas linhas, está no caminho certo, mas não é tarde demais para voltar atrás – isso é fato.

Pistas não podem mais orientar seu trajeto: para encontrar o objeto de que Lenda precisa, seu coração deve guiar seus passos.

Tella agora tinha quase certeza de que o Baralho do Destino amaldiçoado da mãe era o objeto que precisava encontrar para vencer o jogo. Também acreditava que o Caraval não era apenas um jogo e que Lenda queria muito aquele baralho. Mas percebeu que ele não sabia onde as cartas estavam. Por isso a pista orientava Donatella a seguir o coração, na esperança de que ela soubesse onde a mãe as escondera.

Quando a carruagem em que Tella estava pousou no Distrito dos Templos, o veículo foi envolvido por uma nuvem de incenso pungente. Orações e cânticos ainda ecoavam pelas ruas, que estavam bem menos lotadas do que nas noites anteriores. Nenhum boato a respeito de Lenda chegou aos ouvidos de Donatella.

Pelo jeito, ela era a única jogadora que fora até ali seguindo o próprio coração. Apesar que não foi bem o coração da garota que a levou até o local, mas o anel de opala de fogo da mãe. Que, segundo Elantine, era uma espécie de chave ligada ao Templo das Estrelas.

Tella torcia para que a imperatriz tivesse razão: se a pedra fosse mesmo uma chave, revelaria os segredos que ela precisava desvendar para encontrar o Baralho do Destino. Mas duvidava que seria assim, tão simples, e ficou desconfiada da ligação do anel com o templo.

Os locais religiosos de Valenda pareciam mais templos de entretenimento do que santuários de fé. Mas Donatella ouvira dizer que a congregação do Templo das Estrelas era formada por verdadeiros devotos, dispostos a sacrificar sua juventude, beleza ou qualquer outra coisa que as estrelas exigissem deles. E, apesar de não saber muita coisa a respeito das estrelas em si, ouvira dizer que esses seres ancestrais eram desalmados, ainda menos humanos do que os Arcanos. Era por isso Donatella desconfiava de qualquer um que estivesse disposto a fazer parte da congregação.

Ela ajustou o cordão que segurava a toga de tecido fininho na cintura. Tella tinha pedido a uma criada do palácio que a comprasse: para conseguir entrar no Templo das Estrelas, precisava parecer um dos dóceis e aquiescentes fiéis, por isso estava usando aquela horrorosa toga de devota.

Tella tremeu de frio porque o vento gelado passou no meio de suas pernas. Nunca fora recatada, mas tinha a impressão de que estava coberta apenas por um lençol cortado ao meio, preso apenas por um nó no ombro e um cordão trançado em volta da cintura. O cordão arrastava no chão a cada passo que ela dava. O traje, além de não favorecê-la em nada, ainda por cima atrapalhava sua corrida.

E cada detalhe do Templo das Estrelas lhe deu vontade de virar as costas e sair correndo na direção contrária.

No telhado abobadado do templo luziam asas enormes, ardentes como chamas. E, apesar de toda a magnificência do local, não havia ninguém parado perto da entrada grandiosa. Talvez fosse por isso que tantas estátuas se espalhavam pelos amplos degraus de pedra da lua, para dar a impressão de que havia visitantes e vida ali. Mas qualquer um que olhasse para as esculturas de perto jamais as confundiria com seres humanos.

Eram altas e largas, feito colunas de um templo. Os homens tinham braços musculosos da largura de troncos de árvore, e as mulheres foram esculpidas com seios exagerados e olhos de águas-marinhas. Tella pensou que deveriam representar as estrelas. Que até poderiam ser bonitas, caso a garota não tivesse reparado nas outras estátuas. As menores, mais estreitas, ajoelhadas diante das estrelas. Eram de tamanho real e tinham um realismo perturbador. Tochas acesas lançavam uma luz avermelhada, cor de erva-do-fogo, nas estátuas humanas, nas gotas de suor que tinham nas têmporas e nos calos de suas mãos. Todas estavam descalças. Algumas se encolhiam, submissas, outras estendiam os braços, entregando, a título de oferenda, bebês de colo entrouxados ou crianças pequenas, ainda muito novinhas.

Donatella se engasgou, sentindo um gosto de nojo, ao imaginar o que a mãe poderia ter dado em troca do anel de opala que estava no dedo dela.

— Se não gostou das estátuas, não vai aprovar nada que encontrar lá dentro.

Dante estava encostado em um dos pilares que ladeavam a enorme porta do templo, com sua pele cor de bronze e tatuagens reluzentes...

E – *glória às deusas!* – estava sem camisa.

Tão sem camisa...

Tella se segurou para não ficar olhando, para passar reto pelo rapaz e ignorar o que ele disse, mas não conseguia tirar os olhos de Dante nem impedir a onda de calor que começou no peito e subiu pelo pescoço. Já vira rapazes sem roupa antes – tinha quase certeza de que já vira *Dante* sem camisa – mas, sabe-se lá como, o artista parecia diferente no alto daquela escada. Mais alto, mais corpulento. Mais arrebatador. Seu traje era igual ao das estátuas: um simples pano branco e largo em volta da cintura, que realçava a perfeição cor de bronze das pernas e do peito.

A garota tentou disfarçar, mas era tarde demais. Dante percebeu que Tella ficara impressionada e depois disso aquele bastardo vanglorioso só sorria. Um sorriso de dentes brancos e lábios perfeitos, mais parecido com uma das estrelas que eram cultuadas dentro do templo. E tinha que admitir: naquele momento, o rapaz poderia tê-la convencido de qualquer coisa. Assim como conseguira enganá-la e fazê-la acreditar que realmente se preocupava com ela.

Era a primeira vez que o via desde que Dante a carregara no colo, toda quebrada, depois do ataque no Castelo de Idyllwild.

A jovem imaginou que o artista esperava ouvir um agradecimento por tê-la salvado naquela noite. Mas, depois do que Dante disse para Julian, que só estava preocupado com Donatella porque ela poderia levá-lo até as cartas, não ia agradecer coisa nenhuma. Teve vontade de fazer um comentário debochado ou mordaz. Mas, para seu horror, o que disse foi:

— Você devia sempre andar por aí sem camisa.

O sorriso que Dante deu foi arrasador. Afastou-se do pilar, foi até uma das estátuas mais próximas de Donatella e apoiou o cotovelo na escultura. O luar dançava nos grandes espinhos de breu tatuados nas clavículas dele, e os olhos do rapaz fizeram a mesma coisa com Tella. Foram subindo pela fenda da toga até que...

Ele fez uma careta.

Donatella sentiu um frio na barriga e perguntou:

— Por que você está olhando para mim desse jeito?

Dante esticou o braço, pegou a ponta do cordão que prendia o trapo no corpo dela e puxou.

Tella sentiu calor em cada centímetro da pele.

— O que você está fazendo? — indagou.

— Estou te ajudando.

Ele sinalizou com a cabeça uma das estátuas femininas que usavam um traje parecido com o dela. O cordão estava amarrado bem embaixo dos seios e fazia várias voltas cruzadas, criando losangos. Depois, era amarrado na cintura, deixando apenas um pingente discreto pendurado de cada lado, na curva dos quadris.

— Você amarrou tudo errado — disse o rapaz, já pegando a outra ponta do cordão. — Vamos ter que tirar e amarrar tudo de novo.

Donatella arrancou as duas pontas do cordão das mãos dele e deu um passo cambaleante para trás.

— Você não pode me deixar praticamente sem roupa aqui nessa escada.

— Quer dizer que em outro lugar posso?

A voz grave de Dante exalava promessas obscuras.

Tella bateu nele com o cordão.

— Eu só estava brincando. — O artista levantou as duas mãos, em um gesto de rendição, e deu um sorriso surpreendentemente espontâneo. — Não pretendia tirar a sua roupa, nem aqui nem em lugar nenhum. Mas a gente precisa dar um jeito nesse seu lençol, se você quiser que te deixem entrar.

— É uma toga, não um lençol — retrucou Tella. — E ninguém vai reparar no jeito que o cordão estiver amarrado.

— Se é isso que você acha, é óbvio que não sabe quase nada sobre este santuário. Existe um outro mundo do outro lado daquelas portas de mármore. Mas, se quiser entrar assim, fique à vontade.

Dante balançou uma das pontas do cordão que Donatella segurava.

A garota olhou bem feio para ele e disse:

— Acho que você gosta de me atormentar.

— Se você me odeia tanto, por que ainda não foi embora?

— Porque você está no meu caminho, não consigo passar.

Uma desculpa esfarrapada, e ambos tinham consciência disso.

Era muito mais fácil desdenhar de Dante em pensamento do que cara a cara. Donatella só conseguia enxergar o jeito como o rapaz tinha olhado para ela, quando a carregou no colo, lá no Castelo de Idyllwild. Houve um momento traiçoeiro em que Dante deu a impressão de ser muito vulnerável e jovem. Será que foi porque realmente não queria perdê-la? Ou só tinha medo de perdê-la porque, se isso acontecesse, perderia também a oportunidade de encontrar o Baralho do Destino da mãe de Tella?

Ficou tentada a perguntar, a jogar na cara dele a conversa que ouvira e ver se o rapaz se encolheria de medo ou amoleceria.

As palavras estavam na ponta da língua.

Mas nenhuma delas saiu pela boca de Donatella.

Não queria ouvir a resposta de Dante porque, independentemente do que ele dissesse, aquela história não teria um final feliz. Tella continuava sem saber quem era o verdadeiro Lenda, se Dante ou Julian. Depois que conversou com Scarlett, ficou em dúvida. Mas, se Dante fosse mesmo Lenda, a garota precisaria desligar qualquer sentimento que porventura nutrisse por aquele rapaz.

Depois de assistir à peça da noite anterior e concluir que Jacks pretendia libertar todos os Arcanos, Donatella repensou seus planos. Não queria que, por culpa dela, os Arcanos voltassem a andar pelo mundo e governassem o Império feito deuses cruéis. Mas tampouco queria morrer outra vez. E também não podia chegar tão perto de salvar a vida da mãe – e, por fim, fazer todas as perguntas que acumulava dentro de si desde o dia em que Paloma desaparecera de Trisda – e fracassar.

Não seria covarde e fingiria não ter escolha só porque não gostava das alternativas que estavam à sua disposição. Tinha escolha, sim, e já se decidira. No fim do jogo, entregaria Lenda de bandeja para o Príncipe de Copas.

Torcia para Dante não ser o verdadeiro Lenda. Mas, mesmo que não fosse, a relação dos dois não tinha futuro.

A garota não se orgulhava dessa decisão nem de não ter tentado resolver os assuntos pendentes entre os dois. Sabia que, se mencionasse que poderia ter morrido se não fosse por Dante, estaria escolhendo a alternativa mais fácil. Mas ele tampouco tocou no assunto. Era provável que também quisesse que as coisas ficassem como estavam.

– Tudo bem. – Donatella atirou as duas pontas do cordão para o artista. Era a última coisa que deixaria Dante fazer por ela e, depois, mandaria o rapaz seguir seu caminho. – Mas seja rápido.

Tella segurou a parte de cima do lençol, dobrando os braços em cima do tronco. Recordou que não era uma garota recatada. Mas tinha a sensação de que não estava apenas segurando o lençol, estava se segurando para não desmoronar. Cada centímetro de sua pele ficou mais sensível e começou a formigar quando Dante se aproximou. O rapaz tinha cheiro de nanquim e de outras coisas obscuras e sedutoras.

Quando o artista pôs as mãos no nó que circundava a cintura dela e começou a desfazê-lo, bem devagar, Donatella apertou ainda mais o tecido fininho da toga. O rapaz foi sacudindo e puxando o cordão até trazê-la tão para perto dele que Tella só conseguia enxergar os contornos do peito tatuado de Dante. Ao contrário dos braços, que eram cobertos de símbolos, o peito parecia contar uma história. Um navio naufragado de velas rasgadas se espatifava na altura da barriga, estrelas partidas olhavam de cima. Uma floresta pegando fogo de um lado das costelas. Embaixo da clavícula, um coração de puro breu – que combinava com o do braço –, chorava sangue e era tão realista que Donatella pensou tê-lo ouvido bater. E, quando Dante se virou de leve, Tella viu de relance as pontas das penas pretas azuladas que formavam as belas asas tatuadas nas costas do rapaz.

A jovem tentou não ficar olhando. Mas, quando fechou os olhos, tudo se intensificou. O roçar dos dedos dobrados de Dante na curva de seus quadris fez seu coração palpitar. O dedão que pressionava delicadamente sua cintura a deixou sem ar, porque o artista continuou desfazendo o nó até o cordão deslizar da cintura de Tella até ficar inteiro nas mãos dele. Ela ficou apenas com o lençol.

Donatella abriu os olhos de repente.

Dante passou a língua nos lábios, feito um tigre que acabara de fazer amizade com um gatinho.

Tella segurou o tecido com mais força e falou:

— Não ouse ir embora e levar este cordão!

O rapaz ergueu uma das sobrancelhas e falou:

— Você acha mesmo que eu largaria você aqui, no meio da escada, vestida desse jeito, depois de eu ter me esforçado tanto para conquistar sua confiança?

— Achei que você trabalhava para *Lenda*.

Ele chegou mais perto.

— Pode pensar o que quiser, mas se realmente acredita que esse é o único motivo para eu estar aqui, passando a mão em você, neste exato momento, é muito menos inteligente do que eu imaginei.

E aí enlaçou Donatella com o cordão.

Uma descarga febril de sangue inundou o coração da garota, porque Dante colocou os braços atrás dela e puxou o cordão, amarrando-o bem embaixo dos seios.

— Muito apertado?

— Não.

— Tem certeza? Por um instante você parou de respirar. Ou será que sou eu quem causa este efeito em você?

Dante roçou os lábios na orelha de Tella e deu uma risadinha. Aquele trecho tão sensível de pele ficou formigando.

Se a toga não fosse cair no chão, Donatella teria dado um soco na cara dele.

— Você está gostando disso, não é?

— Você prefere que eu odeie abraçar você?

As mãos de Dante deram mais uma volta com o cordão e, desta vez, ele não examinou a toga apenas com os olhos. Donatella sentiu a pressão dos dedos do rapaz descendo por suas costelas, dando voltas e mais voltas com o cordão, até cruzá-lo logo acima do umbigo.

Tella não deveria ter ficado toda corada por causa daquilo. Aquele era o ponto final da história dos dois, não uma virada onde tudo voltava a ficar interessante.

Dante passou o cordão pelas costas de Donatella mais uma vez e ficou com as mãos pairando na cintura da garota.

– Que tal?
– Bom.
– Estava falando do cordão.
– Eu também – disse Tella. Mas tinha quase certeza de que suas palavras ofegantes deixaram transparecer que o comentário foi mentira. – Fale de suas tatuagens – desconversou, tentando se distrair enquanto o rapaz terminava de amarrar o cordão. – Significam alguma coisa ou são só desenhos bonitos?
– Por acaso você acabou de dizer que minhas tatuagens são *bonitas*?
– Você tem alguma coisa contra essa palavra?
– Não se você estiver falando de mim – respondeu ele. Mas Tella podia jurar que Dante fez um nó mais apertado do que o necessário. – Interpreto tantos papéis que as tatuagens me ajudam a lembrar de quem eu sou. Cada uma conta uma história verdadeira do meu passado.
– O coração de breu que chora sangue, por exemplo. Você fez essa para uma garota que um dia amou?
– Dessa eu não falo. Mas vou te contar do navio com as velas rasgadas. – Ele passou rapidamente os dedos na lateral do corpo de Tella, só para lembrar o ponto exato onde o navio ficava tatuado no corpo dele. – Meu pai tentou se livrar de mim quando eu era pequeno. Ele me vendeu para uma família nobre de outro continente. Mas, das duas, uma: ou o destino estava do meu lado ou queria mesmo me destruir. O navio dos nobres foi atacado por piratas, daqueles que matam todo mundo, em vez de levar prisioneiros. Eu poderia estar entre os mortos, mas falei para os piratas que eu era um príncipe que tinha fugido.
– E eles acreditaram?
– Não. Mas acharam graça, tanto que não me mataram.
Tella, quando deu por si, estava sorrindo e imaginando o pequeno Dante tentando enganar uma tripulação inteira de piratas.
– Então quer dizer que você conhece os truques dos piratas?
– Conheço todo tipo de truque. – Dante terminou de amarrar o cordão, mas deixou a mão na curva da cintura de Donatella, uma mão quente, que contrastava com o tecido frio e fino. – Se você parar de tentar me despachar, posso te ensinar alguns.
– Por acaso estou com cara de quem está despachando você?
– Não, mas parece que você quer.

Dante encostou dois dedos embaixo do queixo de Donatella e inclinou a cabeça da garota mais para perto da dele. Continuou com uma das mãos no cordão, mas tirou a outra do queixo e começou a acariciar o rosto dela, bem devagar. Não era raro Tella pensar que os olhos do rapaz eram quase de breu total. Mas, sob a luz radiante das tochas, parecia que os olhos de Dante estavam delineados de dourado, transmitindo algo muito parecido com saudade. Olhava como se quisesse que Donatella se perdesse em seu olhar, só para poder encontrá-la.

Mas Tella sabia que as atitudes do rapaz não tinham nada a ver com o desejo de encontrá-la. Tinham a ver com o desejo de localizar o baralho. Tinham a ver com Arcanos, poder, vida e morte. A jovem gostaria de saber o que, porventura, aconteceria caso se perdesse em alguém como Dante e acreditasse que ele iria encontrá-la. Mas só podia acreditar em si mesma.

— Obrigada pela ajuda, mas acho que agora posso me virar sozinha.

Donatella deu um passo para trás, se desvencilhou da mão dele e foi logo se afastando.

Quando seu coração pulou a próxima batida, teve a impressão de que foi mais de tristeza do que pela pressão exercida por Jacks, mas se obrigou a ir em frente. E a não virar para trás.

O ar obscuro se tornou doce como um néctar e foi ficando meio narcótico à medida que Tella se aproximava das portas. Donatella bateu.

Ouviu que Dante ficou do lado dela, mas não se virou para o rapaz e perguntou:

— Por que você não pode me deixar em paz?

— Eu posso. Mas não quero. E acho que você também não quer.

Antes que Tella tivesse tempo para, mais uma vez, pedir para Dante ir embora, as portas celestiais se abriram diante dos dois.

Tudo que havia do outro lado era claro, feito asas esmigalhadas de pombas brancas. Ou dourado, feito estrelas cadentes. Ao contrário da Igreja de Lenda, aquele lugar parecia um templo de verdade. E o jovem que abriu a porta era quase igual a uma das estátuas de deuses-estrela que havia nos degraus da entrada.

32

Tella meio que esperava ver Caspar, Nigel ou algum dos outros artistas de Lenda, mas aquele rapaz era um completo desconhecido. Teve a sensação de que era mais uma confirmação de que o jogo havia se tornado bem real – ou, então, estava trilhando o caminho errado. Acreditava que, para vencer o Caraval, só precisava encontrar o Baralho do Destino da mãe. Mas acreditar em algo não faz disso realidade.

Ao entrar no Templo das Estrelas, Donatella estava com a pulga atrás da orelha.

O homem que abriu a porta bem que poderia ser uma escultura que ganhara vida. Os braços, as pernas e as partes do corpo que Tella conseguia enxergar – apesar de ele estar com o peito e as coxas cobertos por uma armadura de couro –, pareciam mais de pedra do que de músculos. Talvez não fosse tão alto quanto as estátuas da fachada do santuário, mas era mais alto do que Dante. Tanto que a jovem teve que inclinar a cabeça para trás para conseguir ver todo o rosto dele.

Donatella segurou um suspiro de assombro quando viu os traços do homem.

A metade direita do rosto era quase perfeita demais: maxilar quadrado, nariz aquilino, e olhos amendoados, de gato, delineados com lápis preto. Mas, quando olhou para aquele rosto, Tella só enxergou a metade da esquerda, que tinha uma marca na bochecha feita a ferro e fogo: uma estrela de oito pontas brutal, com um símbolo no meio – uma série de nós intrincados que Donatella não sabia o que significava.

Tentou desviar o olhar, mas teve certeza de que o homem percebera que ela estava olhando. Como se quisesse constrangê-la, passou a ponta do dedo ornamentado com um anel de sinete nas linhas impiedosas que formavam a estrela gravada em seu rosto.

Além do rosto marcado, o homem tinha a testa coroada por um diadema e levava no ombro direito um manto azul-real preso por um alfinete de prata gravado com o mesmo símbolo do anel. Devia ter uma posição de poder, o que só deixou Tella ainda mais nervosa. Se aquele templo fosse mesmo perverso, como todo mundo dizia, o rapaz severo deveria ter feito coisas inenarráveis para alcançar aquela posição na congregação.

– Eu sou Theron.

Com um simples aceno, como se estivesse acostumado com que as pessoas obedecessem às suas ordens, fez sinal para Tella e Dante adentrarem no saguão.

O teto do templo era arqueado e parecia uma série de asas pretas interconectadas, e partículas de ouro se agrupavam em alguns pontos, evocando constelações. O espaço era octogonal, e nele se destacava um chafariz de três andares que pingava luz de velas. O chão era de pedra-sabão branca, tão lustroso que dava para ver o reflexo de um portão reluzente que escondia uma porta dupla na parede dos fundos.

Aquele era o tipo de lugar em que só se fala sussurrando. Tella teve um ímpeto súbito de tirar os sapatos, como se o calçado pudesse sujar aquele chão imaculado. Mas, apesar de todo aquele brilho e toda aquela cintilância, o local tinha algo de insidioso. As paredes exibiam mais estátuas enfileiradas, tão realistas quanto as da fachada, com expressões petrificadas de choque, pavor e dor.

– Nosso templo é sustentado pela magia ancestral das estrelas – explicou Theron. – Os cofres, no andar de baixo, são os mais impenetráveis do mundo. Mas, de vez em quando, alguns tolos acham que podem arrombá-los e roubar o que há dentro deles.

– Que bom que não pretendemos roubar nada – falou Tella.

Theron nem sequer esboçou um sorriso e perguntou:

– O que querem aqui, precisamente?

– Queremos saber sobre...

– Se vieram aqui por causa do jogo, não temos pistas em nosso poder – Theron foi logo interrompendo. – Tampouco somos uma atração turística, como muitas das outras basílicas. Para conhecer o que há além deste saguão e obter respostas para suas perguntas, precisam provar que seus motivos não são espúrios e que realmente estão aqui por causa das estrelas. – Ele fez sinal para Tella e Dante se aproximarem de um pedestal de marfim que sustentava uma cuba de cobre batido que parecia velha e gasta, em comparação com o resto do ambiente. – Exigimos uma gota de sangue, como teste.

Dante lançou um olhar de esguelha para Donatella.

Mas a jovem não precisava que o rapaz a lembrasse do poder que uma única gota de sangue pode ter. Julian e ele haviam empregado sangue para tratar os ferimentos que o ataque da Rainha Morta-Viva e Vossas Aias causara em Tella. E o sangue também podia ser usado para roubar coisas, como dias da vida de alguém.

– Só preciso furar um dedo.

Theron estendeu a mão direita, revelando um anel de opala em forma de supernova engastado em uma aliança cor de ônix. A pedra tinha pontas afiadas, capazes de perfurar a pele, e era, de um jeito inquietante, familiar demais.

O anel era tão parecido com o da mãe de Tella que chegava a ser impressionante.

Elantine tinha razão.

Donatella olhou para a própria mão. As pedras engastadas nos dois anéis tinham forma de supernova e eram brutas. Mas a cor da opala de Theron era diferente. Era preta, com laivos de um azul pulsante e partículas verdes. A de Tella era de um tom de lavanda brilhoso e ardente, com um centro flamejante, cor de cereja, e uma linha dourada no meio, bem fina, que parecia uma faísca prestes a pegar fogo. Tinha mudado de cor quando a mãe da garota desapareceu. Mas, mesmo antes disso, era muito mais clara do que a pedra do anel de Theron.

– Esse seu anel só serve para furar o dedo das pessoas ou representa alguma outra coisa? – indagou Donatella.

– Você ainda não se provou digna de receber a resposta para essa pergunta.

– E se eu tiver um anel parecido? – insistiu Tella, mostrando a mão.

Dante espremeu os olhos e os pousou no dedo de Donatella.

Uma ruga se formou entre os olhos delineados de preto de Theron.

– Como essa joia chegou às suas mãos?

– Era de minha mãe.

– Ela morreu?

– Não.

– Sua mãe não deveria ter te dado este anel.

– Por que não? O que ele significa?

– Significa que sua mãe tem uma dívida conosco, que ainda não foi paga.

Dante, que estava ao lado da garota, ficou tenso.

Aquela não era uma boa notícia, mas era melhor do que não ter informação nenhuma.

– Este anel que está no seu dedo é uma chave – explicou Theron. – Se realmente pertencia à sua mãe, ela deve ter guardado alguma coisa em um de nossos cofres, que só podem ser abertos com anéis como este. A cor, contudo, significa que foi amaldiçoado.

– E como quebro essa maldição?

– Só existe uma maneira: pagar a dívida – respondeu Theron, secamente. – Enquanto o pagamento não for feito, a chave que está em seu dedo não abrirá o cofre de sua mãe.

– Tella... – disse Dante, com um certo tom de alerta.

Mas Donatella não quis ouvir, independentemente de qual seria o conselho. Além de sua mãe ter estado ali, os cofres do templo guardavam algo que era dela. Talvez fosse o Baralho do Destino que Tella precisava encontrar. Ou outra coisa que poderia trazer mais informações sobre a vida pregressa de Paloma.

– Qual é a dívida? – perguntou Tella. – O que foi que ela guardou nesses seus cofres?

– Não posso responder a essas perguntas. Mas o anel pode. Essa joia tem uma memória, que é ativada com sangue. Se foi mesmo de sua mãe, o sangue de seu dedo deve desencadear uma visão do que ela nos prometeu. Você só precisa furar o dedo com uma das pontas da pedra e pingar o sangue na cuba.

– Tella – rosnou Dante. – Acho que você não deveria...

Só que a garota já estava apertando a ponta do dedo no antigo anel da mãe. Uma gota vermelha se formou, de um tom vivo como uma pétala de rosa, caiu na cuba de cobre e ficou branca.

Donatella segurou a respiração enquanto via a gota leitosa de sangue se transformar em uma neblina que refletia a imagem de uma mulher parada diante de uma cuba igualzinha à que estava na sua frente. Mas não era qualquer mulher. Era Paloma, mãe de Tella. Estava mais velha do que no retrato que encontrara no Mais Procurados de Elantine – devia ter mais ou menos a idade que tinha quando sumiu de Trisda. Mas também parecia muito mais dura do que a filha recordava. Não havia nem sinal do sorriso enigmático e os olhos castanho-escuros não brilhavam. Era uma versão insensível da mãe, que a garota não conhecia.

Naquela visão, Paloma não estava vestida com o traje típico do templo, como o que Tella estava usando. Ou, se estava, o traje estava sob um manto azul-escuro. Parecia estar falando com alguém, mas essa pessoa não passava de uma sombra.

– *Paradise, a Perdida* – disse a sombra. A voz mais parecia uma fumaça que ganhara vida. Densa, pesada e sufocante. – *Você não jurou que jamais faria outro trato conosco?*

– *Promessas existem para não serem cumpridas* – disse Paloma. – *E, pelo jeito, feitiços também. Porque o feitiço que você jogou nas minhas cartas para escondê-las enfraqueceu.*

– *Foi por isso que sugerimos que você guardasse essas cartas nos cofres do templo, com os outros objetos que estamos guardando para você.*

– *Sugeriu, é?* – Paloma até deu risada. – *Da outra vez você disse que eu não poderia guardar as cartas no cofre.*

– *Não, falamos que você teria que pagar mais por isso.*

Paloma ficou tensa.

– *Ah, então você se lembra* – disse a voz. – *E, como somos generosos, a oferta ainda está de pé.*

– *Pelo mesmo preço?*

– *Sim. Dê graças às estrelas por não exigirmos ainda mais para guardar um objeto tão terrível.*

– *E o que mais você poderia pedir de uma mãe além de que ela abra mão de sua filha primogênita?*

– *Poderíamos pedir sua segunda filha também.*

– *Eu jamais daria as duas para vocês* – disse Paloma. – *Mas pode ficar com a mais nova.*

– *Que serventia sua filha mais nova tem* – indagou a sombra –, *além de ser um belo objeto decorativo?*

– Eu vi o futuro. Ela conquistará um grande poder. Se não acredita em mim, tenho as cartas para provar. Mas, se eu nunca mais consultá-las, acho que será melhor para todos nós. – Nessa hora, Paloma ergueu o queixo, altiva. – A maldição que aprisiona os Arcanos está perdendo poder. Enfraquece toda vez que as cartas são consultadas.

– Isso não é problema nosso.

– Mas deveria ser. Outros Arcanos vão fugir. Permita que eu use os cofres do templo para guardar essas cartas enquanto procuro uma maneira de destruí-las. A menos que você queira que este local de adoração se transforme no Templo da Estrela Caída. Porque posso garantir que, se os Arcanos voltarem, não vão permitir que as pessoas adorem outra coisa além deles.

O vulto ficou mais escuro, passando daquele cinza esfumaçado para quase preto.

– Muito bem – disse o vulto, por fim. – Se entregar sua filha mais nova, permitiremos que você use nossos cofres para guardar suas cartas amaldiçoadas.

– Combinado. – Paloma cortou a palma da mão com uma faca. – Minha filha...

– Não! – Tella derrubou a cuba de cobre do pedestal, destruindo a visão antes que pudesse lhe mostrar mais coisas terríveis. – Minha mãe não tinha o direito de fazer isso! – A garota sacudiu a cabeça, puxou os próprios cachos e foi dando passos para trás. – Mesmo que essa visão seja verdadeira, não sou um objeto do qual ela pode se desfazer assim, como se fosse minha dona.

– E, apesar disso – interveio Theron –, ela já se desfez de você. Foi um trato firmado com sangue. Assim que você...

Donatella começou a correr antes que Theron tivesse tempo de terminar a frase. O homem disse "Assim que você", dando a entender que Tella precisava fazer alguma coisa antes que a congregação pudesse tomar posse dela. E não pretendia permitir que isso acontecesse, jamais. Jamais seria posse de ninguém.

Theron não foi atrás dela. Isso poderia significar que aquilo fora um teste, e que a visão que Donatella teve não foi real. Ou, quem sabe, o homem não precisasse ir atrás da garota, porque as pessoas só perseguem coisas que ainda não possuem.

Dante tampouco foi atrás dela, porque Tella não ouviu passos. Mas também não se deu ao trabalho de olhar para trás quando desceu correndo a escadaria do Templo das Estrelas. O lençol inútil que usava quase se rasgou naquela correria, mas ela não parou de correr.

Scarlett tinha razão. A mãe das duas era ainda pior do que o pai. O pai, pelo menos, esperou até Scarlett ficar mais velha para vendê-la feito uma cabra. Tella jamais havia sentido um vazio tão grande no peito. Sacrificara tudo pela mãe, arriscara a própria vida, a própria liberdade, acreditando que a mãe ainda a amava e precisava dela. Mas a verdade era que Paloma nunca havia se importado com a filha. Não tinha apenas abandonado Tella, se desfizera dela como se fosse um vestido usado.

Donatella poderia ter continuado a correr, mas não sabia mais que ruas eram aquelas. Para piorar, seus sapatos estavam se despedaçando e se sujando de uma grama mal cortada, escurecida pela noite. O ar não tinha cheiro de incenso nem de óleos aromáticos, mas de cerveja densa e cidra ácida de frutas vermelhas. Tella deu uma rápida olhada: viu palcos temporários e cortinas de teatro penduradas nas árvores.

Estava em um parque. Mas não fazia ideia de em que parte da cidade aquele parque ficava.

Não estava no Bairro das Especiarias. Tudo era bonito demais. Dos doces fritos polvilhados de açúcar e pétala de violeta esmigalhada vendidos pelos ambulantes, aos vestidos bordados com pedras preciosas usados pelas mulheres, passando pelas guaiacas que enfeitavam os homens. Só que as espadas presas às guaiacas não pareciam de verdade, assim como as pedras preciosas.

Pelo jeito, a garota tinha ido parar no meio de um pequeno festival, com peças encenadas ao ar livre. Ou em alguma espécie de feira para comemorar antecipadamente o aniversário da imperatriz – talvez um evento dirigido a todos os valendanos que não estavam participando do Caraval. Olhares curiosos se dirigiam a Donatella. Mas ela duvidava que a confundiriam com um dos integrantes da trupe de artistas. A menos que alguma das encenações exigisse o sacrifício de uma mulher, Donatella estava com um traje totalmente inadequado. As mulheres estavam tapadas dos pés à cabeça, usando vestidos de baile com mangas boca de sino e saias volumosas, e Tella estava com as pernas e os braços à mostra. De repente, começou a sentir muito frio. Tinha parado de correr e a exaustão a atingira em cheio, como uma onda de gelo, deixando-a trêmula e sem ar, com aquele coração que não funcionava direito, sem força para aquecê-la.

Donatella avistou um camelô que vendia mantos e surrupiou um bem escuro, que parecia ser do tamanho dela.

– Pega ladrão! – gritou o ambulante.

Tella começou a correr.

– Devolva!

Dois braços fortes a derrubaram no chão e um peito pesado a apertou contra a grama áspera.

– *Saiadecimademim!* – gritou. E se debateu, tentando se desvencilhar do homem. – Podeficarcomseupanoimundo!

O ambulante saiu de cima da garota e arrancou o manto dos ombros dela. Só que continuou com a mão no pescoço de Donatella e foi apertando. Bem forte. Até Tella sentir as cordas vocais se unindo.

– Ladra safada. – O camelô continuava segurando o rosto de Donatella contra o chão. – Agora você vai aprender a não...

– Solte a moça! – urrou uma voz.

A mão foi arrancada do pescoço de Donatella. E aí dois braços levantaram o corpo dela e abraçaram bem apertado, contra um peito que tinha cheiro de nanquim, suor e fúria.

– Receio que não seja crime pegar um manto emprestado – berrou Dante, dirigindo-se ao camelô.

O rosto barbado do homem estava inchado e vermelho de raiva.

– Ela não pegou emprestado. Roubou!

– Não é isso que me parece – continuou Dante. – O manto está nas *suas* mãos. Não o vi nas mãos dela. Mas vi, sim, que você tentou matá-la.

O ambulante soltou uma série de palavrões.

– Se nos der a roupa, não vou pedir para prenderem você – declarou Dante.

Do ângulo em que estava, Donatella só conseguia enxergar o peito do rapaz, mas imaginava que ele devia estar parecendo um guerreiro – parado ali, sem camisa, em todo o seu esplendor divino, vestido como uma estrela vingadora que acabou de cair do céu.

– Tudo bem – resmungou o homem. – Não quero mais esse negócio manchado.

– Vou ficar com um também. Preto.

A voz de Dante era impiedosa, um tom que Tella jamais tinha ouvido. Mas, com ela, todas suas atitudes eram delicadas. O rapaz cobriu os ombros à mostra e as pernas trêmulas de Tella com a capa, de um jeito afetuoso.

— Você está bem?

Donatella queria balançar a cabeça, dar risada ou debochar de Dante, por ter ficado tão preocupado. Mas, quando tentou rir, o som saiu abafado. E, quando tentou fazer que sim, a cabeça enconstou no peito dele e ficou apoiada, de um jeito meio ridículo.

Ela não queria chorar. Aquele ambulante imundo e a mãe não eram dignos de uma única lágrima sua. Mas, apesar de conseguir ignorar facilmente a sensação das mãos ásperas do ambulante, não conseguia fazer a mesma coisa com as palavras pronunciadas pela mãe. Paloma não tinha apenas abandonado a filha: tinha vendido Donatella. Scarlett não — isso estava fora de questão. Pelo jeito, a mãe não era desprovida de amor. Apenas não amava Tella.

Mais lágrimas rolaram dos olhos da garota.

— Tomara que ela morra! — Tella não sabia se tinha murmurado ou berrado. — Passei anos rezando, para todos os santos que pudessem ouvir, pedindo "Por favor, não permita que ela morra antes de eu conseguir encontrá-la". Gastei todas as minhas orações com essa mulher, e ela se desfez de mim, como se eu fosse um trapo manchado. Mas retiro todas as minhas preces! — Nesse momento, Tella gritou mesmo. — Retiro todas as minhas preces! Podem deixar essa mulher morrer ou apodrecer naquela prisão de papel. Não ligo mais. Não ligo mais!

Donatella não saberia dizer quantas vezes repetiu, murmurando, essa última frase.

Dante a pegou no colo e ficou fazendo cafuné e acariciando as costas dela com os dedos fortes e reconfortantes. De vez em quando, dava um beijinho na cabeça de Tella. Quando a jovem finalmente se calou ele perguntou:

— Para onde você quer que eu te leve?

— Para algum lugar onde eu possa esquecer.

33

Tella afundou a cabeça no peito quente de Dante. Estava tão cansada... Cansada de joguinhos e de mentiras, de corações partidos – e estava cansada de tentar salvar a própria pele e a vida da mãe. Queria esquecer tudo. Talvez tenha fechado os olhos e dormido. Ou talvez Dante só tenha levado alguns instantes para tirá-la do parque, no colo. Parecia que pouco tempo havia se passado desde a última vez que ouvira a voz grave do rapaz.

– Você está em condições de caminhar?

Donatella conseguiu responder balançando a cabeça, e Dante a colocou delicadamente no chão, na frente de uma escada estreita e caindo aos pedaços, coberta de limo e repleta de teias esquecidas. Ruínas tão abandonadas que nem mesmo as aranhas tinham ficado ali. Mas parecia que as estrelas iluminavam os dois. Tella ergueu os olhos e viu que estavam na ponta do coração branco e cintilante que Lenda havia colocado no céu.

– Que lugar é esse? – perguntou.

– Os mitos mais antigos de Valenda dizem que este local pertencia a um governador que comandava o território bem antes da fundação do Império Meridiano, na época em que os Arcanos reinavam sobre a Terra.

Dante subiu com ela os degraus que levavam ao esqueleto de um antigo palacete. Anna, a avó de Tella, sempre dizia que a beleza de alguém é determinada pelos ossos da pessoa. A garota pensou que, se isso fosse verdade, os ossos daquela mansão eram sinal de que o local havia sido resplandecente um dia.

Os pilares em ruínas e os pátios cheios de mato indicavam uma riqueza ancestral. As estátuas rachadas e os fantasmas dos tetos pintados eram vestígios de obras de arte quase desaparecidas. Apenas uma das relíquias parecia ter ficado longe das carícias mortais do tempo: uma fonte no pátio central que abrigava a escultura de mulher usando roupas parecidas com as de Tella. A estátua segurava um jarro e servia um fluxo interminável de água vermelho-groselha, que caía na base circular da fonte e molhava os tornozelos dela.

— Dizem que este local é amaldiçoado — prosseguiu Dante. — Durante uma das muitas festas dadas pelo governador, a esposa dele descobriu que o marido pretendia envenená-la para se casar com a amante, uma mulher mais jovem. A esposa não bebeu o veneno, como se esperava; ao contrário: colocou três gotas do próprio sangue nele e o derramou, fazendo uma oferenda a um dos Arcanos, o Envenenador. Então jurou devotar o resto da vida a ele, na condição de Aia, desde que o Arcano atendesse ao seu único pedido.

— E o que foi que a mulher pediu?

— A esposa não sabia quem era a amante do marido, mas sabia que a mulher estava na festa. E por isso pediu que o marido se lembrasse apenas da esposa.

— E o que foi que aconteceu?

— O Envenenador atendeu ao pedido dela. Depois de beber uma taça de vinho envenenado, o governador esqueceu de todas as pessoas que já conhecera na vida, com exceção da esposa.

Dante lançou um olhar sarcástico para a estátua, que derramava seu jarro sem fundo.

— A estátua é a esposa?

— Se você acreditar na história, sim. — Dante se sentou na beirada da fonte, enquanto a água vermelha pingava atrás dele soltando notas musicais suaves, e continuou a contar o mito. — A esposa não ficou feliz. O Envenenador tinha apagado todo mundo da memória do marido. E um governador não é nada útil se só conhecer uma única pessoa. Assim que ficaram sabendo da condição dele, o homem foi deposto do cargo, e pouco depois o casal foi expulso da casa. Então, apesar de seu primeiro trato não ter acabado bem, a esposa derramou mais sangue e invocou o Envenenador novamente, pedindo para restabelecer a memória do marido. O Arcano avisou que, se fizesse isso, o governador tentaria matá-la de novo. Então a mulher prometeu servir ao Envenenador também na vida após a morte, e pediu mais um favor. Pediu o poder de fazer o marido esquecer uma única pessoa. O Envenenador concordou, mas avisou, mais uma vez, que aquilo traria consequências. A mulher fez pouco-caso: não se importava, desde que ficasse com a casa e o título.

– Acho que eu sei o que vai acontecer – disse Tella.
– Quer tentar terminar a história? – sugeriu Dante.
– Não. – Nessa hora, Donatella se sentou ao lado dele, na beirada da fonte. – Você tem uma voz boa para contar histórias.
– Claro que tenho.
– Você é tão convencido...

Ela chegou mais perto e cutucou o rapaz de leve com o cotovelo; Dante aproveitou a oportunidade para passar o braço na cintura de Tella e puxá-la para bem perto de si.

Ele estava tão quentinho, parecia um escudo humano que protegia Donatella do resto do mundo. A jovem se permitiu ficar mais perto de Dante, que continuou contando a história:

– O Envenenador restaurou a memória do marido. E aí o Arcano disse para a esposa que, se ela pegasse um jarro de água e derramasse na fonte que havia no meio do pátio, a água se transformaria em vinho, um vinho que teria o poder de fazer o marido dela esquecer da outra mulher que amava. A esposa obedeceu. Mas, enquanto derramava a água e a água se transformava em vinho, ela também começou a se transformar: o corpo dela foi virando pedra enquanto o marido observava tudo da sacada. O governador só recobrou a memória por poucas horas, mas foi tempo suficiente para também invocar um Arcano.

– Então foi ele que pediu para a mulher virar pedra?
– O governador queria que a esposa morresse, mas o Envenenador havia prometido que a mulher poderia ficar com a casa e o título. E os Arcanos sempre cumprem suas promessas.

Tella e Dante se viraram para olhar, mais uma vez, a mulher petrificada. A estátua não tinha uma expressão furiosa, como a garota suspeitava, nem parecia estar tentando combater o feitiço. Pelo contrário: quase dava a impressão de se deleitar com o encantamento, derrama aquele vinho amaldiçoado com a postura de quem está encarando um desafio ou uma aposta.

– Acredita-se que quem beber dessa fonte pode esquecer o que quiser – completou Dante.

– Achei que você estava me contando essa história para tentar me ajudar a esquecer.

– E funcionou?

– Por um minuto, sim – admitiu Donatella.

Mas, infelizmente, esse minuto já havia passado. Tella mergulhou o dedo na fonte, que ficou envolvido por nuances de um amargo tom de vinho. Seria tão fácil colocar o dedo na boca, fechar os olhos e apagar o que a mãe havia dito e feito.

Mas, mesmo que acreditasse no mito trágico contado por Dante, não sabia se queria mesmo esquecer. Baixou a mão, manchando a toga branca com o vinho amaldiçoado.

– Você sabe o que é mais triste? Eu deveria ter adivinhado desde o começo. Fui avisada – declarou Tella. – Quando eu era criança, li minha sorte. Tirei o Príncipe de Copas. Então, por quase toda a minha vida, soube que estava predestinada a nunca corresponderem ao meu amor. Nunca me permiti ter um relacionamento mais próximo com ninguém, só com minha irmã, de medo que pudessem partir meu coração. Nunca me ocorreu que, na verdade, eu só precisava me proteger de uma única pessoa: minha própria mãe.

Donatella tossiu, com a sensação de que foi um soluço de dor, e o ruído saiu mais parecido com uma risada amarga.

– Pelo jeito, as pessoas que dizem que não podemos mudar nosso destino têm razão – concluiu Tella.

– Não acredito nisso.

– No que você acredita, então?

– O destino é apenas uma ideia, mas acho que, quando acreditamos nele, transformamos essa ideia em algo mais. Você acabou de dizer que fugia do amor porque acreditava que isso não faria parte do seu futuro, e foi isso que aconteceu.

– Essa não foi a única carta que tirei. Também tirei a Morte Donzela e, um tempo depois disso, minha mãe sumiu.

– Foi só uma coincidência. Do pouco que conheço de sua mãe, acho que ela teria ido embora mesmo que você não tivesse tirado essa carta.

– Mas...

Donatella quase contou para Dante do Aráculo e de todas as previsões que a carta havia mostrado para ela. Mas será que o Aráculo tinha mesmo revelado o futuro ou apenas manipulara Tella, como a garota suspeitou na noite anterior? Teria a carta usado vislumbres de futuros possíveis sem intenção de ajudá-la, mas para levá-la até Jacks, para que ele pudesse libertar os Arcanos?

Donatella acreditou que estava sendo tão corajosa e ousada por tentar mudar o futuro da mãe e da irmã... Mas, talvez, o noivo de Scarlett fosse mesmo uma pessoa decente. E o Aráculo poderia ter mentido quando mostrou a mãe da garota. Revelara Paloma presa e morta. Mas, se Tella não vencesse o Caraval, se deixasse as cartas trancafiadas no cofre das estrelas, a mãe não morreria nem acabaria em uma cela, toda ensanguentada. Apenas continuaria onde estava, presa dentro de uma carta.

Onde merece estar.

Como se lesse seus pensamentos, Dante completou:

— Não acredito que o que você viu hoje seja uma prova de que sua mãe não te amava. O que ela fez parece uma coisa terrível. Mas julgá-la baseada em um instante como aquele é a mesma coisa que ler só uma página do livro e acreditar que sabe a história toda.

— Você acha que ela teve um bom motivo para fazer o que fez?

— Quem sabe... Ou talvez eu simplesmente queira ter a esperança de que sua mãe seja melhor do que a minha.

Dante disse isso com a mesma indiferença que contou a história de suas tatuagens, como se tivesse acontecido há muito tempo e não tivesse mais a menor importância. Só que as pessoas não tatuam histórias sem relevância no próprio corpo, e Tella ficou com a sensação de que a mãe de Dante ainda era importante para ele. Podia até não fazer mais parte da vida dele, mas ainda estava magoado com ela.

Donatella tateou no escuro até encontrar os dedos de Dante. Em algum ponto do trajeto entre o Templo das Estrelas e aquele local amaldiçoado, algo entre os dois havia mudado. Antes, o relacionamento era bem parecido com o Caraval. Era como um jogo. Mas, no instante em que o rapaz a pôs no chão, nos degraus daquelas ruínas, parecia que os dois tinham entrado na realidade. Tella fez a pergunta seguinte não porque estava tentando descobrir se ele era Lenda. Pelo contrário: estava torcendo, desesperada, para que não fosse.

– O que sua mãe fez com você?

– Acho que pode-se dizer que ela me entregou para o circo.

– Você está falando do Caraval?

– Naquela época, ainda não era o Caraval, só um grupo de artistas sem talento, que morava em barracas e fazia turnê pelo continente. As pessoas sempre dizem que minha mãe fez isso porque acreditava que seria melhor para mim, mas meu pai foi mais sincero. Ele gostava de beber e uma vez me contou, com detalhes, que tipo de mulher ela era.

– Ela era...

– Sei o que você está pensando e não. Mas eu teria mais respeito por minha mãe se ela fosse prostituta. Meu pai falou que essa mulher só dormiu com ele para roubar um objeto que ele tinha trazido de uma de viagem. Os dois só ficaram juntos por uma noite e, quando ela voltou, pouco depois que eu nasci, para me deixar com ele, escreveu uma carta para a esposa de meu pai contando tudo o que havia acontecido. Por causa disso, nunca fui bem-vindo na família.

Tella imaginou o menininho Dante, todo comprido e desajeitado, escondendo a mágoa dos olhos com aquele cabelo castanho-escuro.

– Não precisa ter pena de mim. – O rapaz apertou mais a cintura de Donatella, deu um beijinho na testa dela, perto da orelha, e disse: – Se minha mãe fosse uma pessoa melhor ou mais bondosa, eu poderia ter me transformado em um bom homem, e todo mundo sabe que é muito chato ser uma boa pessoa.

– Com certeza, eu não estaria aqui se você fosse bom. – Tella imaginou a palavra "bom" murchando ao lado de Dante. "Bom" era a palavra que as pessoas usavam para descrever o sono da noite anterior e o pão que sai das chamas do forno. Mas Dante estava mais para as próprias chamas. Ninguém diz que chamas são boas. Chamas são coisas quentes, que ardem, com as quais crianças não devem brincar. E apesar disso, pela primeira vez desde que o conhecera, nem passou pela cabeça de Tella que precisava se afastar dele. Até então, ela achava ridículo pensar que uma garota entregaria o coração para um rapaz mesmo sabendo que, assim, estava entregando para ele o poder de destruí-la. Tella já entregara coisas para outros rapazes, mas nunca o coração e, por mais que ainda não tivesse planos de conceder essa sua parte para Dante, estava começando a entender como alguém poderia entregar o coração pouco a pouco, sem nem se dar conta. Estava começando a entender que, às vezes, basta um olhar ou um raro momento de vulnerabilidade, como esse que Dante acabara de ter com ela, para roubar uma fração do coração da outra pessoa.

Donatella inclinou a cabeça para trás e olhou para ele. O céu havia mudado, enchera-se de fitas de nuvens feridas, parecia que a noite estava andando para trás. Em vez de avançar, dava a impressão de que os céus estavam se dirigindo para o pôr do sol, para uma hora do dia em que não havia nenhuma estrela espiã, deixando os dois a sós, sem ninguém para bisbilhotá-los, naquele jardim amaldiçoado.

– Então... – disse Tella, com todo o cuidado – ... por acaso esse é seu jeito de me contar que você é o vilão?

Ele deu uma risadinha sinistra e respondeu:

– Com certeza, não sou o herói.

– Disso eu já sabia. A história é minha. Óbvio que eu sou a heroína.

Dante esboçou um sorriso e seus olhos brilharam, ficando quase tão ardentes quanto seu dedo, que acariciava o rosto de Donatella.

– Se você é a heroína, o que sobra para mim?

Ele começou a acariciar os ombros dela.

Tella sentiu um calor se espalhar pelo peito. Aquele era o momento de se afastar de Dante. Só que, em vez disso, ela falou, com um leve tom de desafio:

– Ainda estou tentando descobrir.

– Você aceita minha ajuda?

Dante desceu a mão até os quadris de Donatella.

Ela ficou sem ar e respondeu:

– Não. Não quero sua ajuda... Quero você.

Os olhos de Dante pegaram fogo, e ele a beijou na boca.

Aquele beijo não foi nada parecido com o beijo bêbado do chão da floresta, uma combinação bruta de luxúria e desejo de uma diversão temporária. Ele mais parecia uma confissão brutal, verdadeira e sincera, como poucos beijos são. Dante não estava tentando seduzi-la: estava tentando convencê-la de que ser bom não tem muita importância, porque nada do que estava fazendo com as mãos poderia ser considerado bom. Mesmo assim, cada roçar de seus lábios foi doce. Outros lábios teriam exigido, mas os de Dante pediam licença – ele ficou roçando lentamente na boca de Donatella até a garota entreabrir a sua, permitindo que a língua do rapaz entrasse e, nesse instante, ele a sentou no seu colo.

Talvez Donatella estivesse sob efeito do encantamento da fonte, porque, quando os dois pararam de se beijar, tinha esquecido de todos os outros rapazes que já haviam encostado em sua boca.

Dante começou a beijar seu pescoço, mordendo e lambendo de leve, enquanto com as mãos segurou o cordão que havia amarrado na cintura de Tella. Entrelaçando os dedos no cordão, ele a puxou para mais perto de si, até tudo se resumir aos dois. Às mãos, aos lábios e aos pontos em que a pele deles se encostava.

O primeiro beijo mal terminara e Tella já estava pensando em beijar Dante de novo, sem parar, em sentir não apenas o gosto de seus lábios, mas cada uma das tatuagens e das cicatrizes do rapaz, até o mundo terminar e os dois não passarem de sombras e fumaça e ela não conseguir mais se lembrar da sensação de tirar o manto dos ombros dele e passar as mãos em suas costas. Ou da sensação de sentir os lábios de Dante falando baixinho, com os lábios encostados nos dela, palavras que mais pareciam promessas que Donatella torcia para que ele fosse cumprir.

E, pela primeira vez na vida, Tella queria ainda *mais*. Queria que aquela noite se transformasse em eternidade e que Dante lhe contasse mais histórias sobre os Arcanos e sobre o passado dele e o que mais quisesse falar. Naquele momento, no decorrer daquele beijo, queria saber tudo a respeito daquele rapaz. Queria Dante e não tinha mais medo disso.

Ele tinha razão. Donatella queria culpar os Arcanos por seus desenganos, mas era ela que sempre fugia quando encontrava uma possibilidade de amar. E, bem lá no fundo, sabia que não tinha nada a ver com os Arcanos. Tinha a ver com a mãe e com o fato de Paloma tê-la abandonado sem nem sequer olhar para trás.

Tella dizia que não queria amar – gostava de dizer que o amor aprisiona, controla e estraçalha corações. Mas a verdade é que também sabia que o amor cura e sustenta as pessoas e, lá no fundo, era isso que ela mais queria. Gostava de beijar, mas havia um lado seu que sempre torcia para que os rapazes, mesmo depois de rejeitados por ela, a procurassem, implorando para que ela continuasse com eles e prometendo que jamais iriam embora. Tella tinha aceitado as cartas que tirara e as transformara em seu próprio destino porque achou que essa era a única maneira de se proteger depois do abandono da mãe. Mas, se Tella resolvesse rejeitar o que vira nas cartas, quem sabe pudesse ter um novo destino. Um destino no qual não precisaria ter medo de amar.

Quando o beijo chegou ao fim, o manto dos dois estava caído no chão, eles estavam abraçados e o céu tinha voltado para o lugar onde deveria estar, para aquela hora de puro breu, pouco antes de o sol nascer. A lua era a única que ainda se demorava no firmamento. Sem dúvida, depois de testemunhar o que Tella e Dante tinham acabado de fazer, ela desejava também ter lábios.

O rapaz falou com os lábios encostados nos de Donatella, desta vez mais alto, para que ela pudesse ouvir:

– Acho que eu ia gostar de você mesmo que fosse a vilã da história.

Tella sorriu e disse:

– E talvez eu gostasse de você mesmo que fosse o herói.

– Mas não sou – lembrou Dante.

– Então, quem sabe, eu esteja aqui para te salvar.

Então Donatella beijou Dante. Mas não foi um beijo doce como os demais. Tinha um gosto acre. Metálico. Estranho.

Tella se afastou e, naquele momento, jurou que as estrelas tinham voltado e brilhavam um pouco mais, só por crueldade. A luz se projetou em Dante, realçando o sangue que pingava do canto da boca da garota. Espesso, vermelho e amaldiçoado.

34

Tella levantou da fonte, de supetão, e virou de costas para Dante. Nem viu para onde ia enquanto limpava a boca com o dorso da mão. O sangue não parava de escorrer pelos cantos de sua boca, obrigando a garota a voltar para a realidade de uma maneira impiedosa, a voltar ao jogo onde Donatella e Dante eram oponentes. Paloma podia até não merecer mais que sua vida fosse salva, mas Tella ainda precisava salvar a própria pele.

Tum...
Nada.
Tum...
Nada.
Tum...
Nada.

Dava até a impressão de que Jacks estava de tocaia, esperando Donatella ter um raro momento de felicidade para arrancá-lo de suas mãos.

Entre uma batida do coração moribundo e outra, ouviu os passos pesados de Dante, que também levantara da fonte e estava bem atrás dela.

— Por favor, Tella, não fuja.

A voz do rapaz era suave, como a mão que colocara nas costas nuas de Donatella. O corpo inteiro dela gelou, menos onde a mão de Dante havia encostado. Era tão diferente do toque sempre congelante do Príncipe de Copas e seu coração que não batia. E ainda assim, quando tudo aquilo acabasse, Jacks é que sairia triunfante.

Tella até podia ser a única pessoa que poderia tirar o Baralho do Destino da mãe do cofre das estrelas e vencer o Caraval, mas o Príncipe de Copas e os outros Arcanos que ele pretendia libertar seriam os verdadeiros vencedores. Quando entregasse Lenda para Jacks, Donatella não estaria mais amaldiçoada, mas seria escravizada pelas estrelas, por ter usado o anel da mãe. A liberdade pela qual a jovem lutara tanto para conquistar desapareceria. E havia uma grande chance de que Lenda e o Caraval também sumissem.

No fim das contas, Tella era mesmo a vilã da história.

Até achava que entregar Lenda para Jacks poderia ser uma boa solução, se acreditasse que a mãe fosse digna de ser salva. Mas, naquele momento, preferia pensar em Paloma presa dentro de uma carta para sempre.

– Tella, por favor, fale comigo.

– Não vou fugir. Mas preciso de um tempo sozinha, para pensar.

Escondendo o rosto de Dante, a garota voltou para a fonte. Juntou as mãos, enchendo-as de vinho, e limpou o sangue da boca – com cuidado para não engolir o veneno. Quando terminou, cuspiu nos arbustos, pegou a capa, limpou os lábios com ela e a colocou de volta nos ombros. Estava enrolando. Dante já vira Donatella chorando, sangrando e à beira da morte. Não ia ser um pouquinho de sangue no canto da boca que iria afugentar o rapaz.

– Você ainda não confia em mim, né? – perguntou o artista.

Donatella ficou de frente para ele.

A noite ficara ainda mais escura, mas Tella conseguia enxergar o cenho franzido de Dante e suas mãos, tensas nas laterais do corpo, como se o rapaz estivesse se segurando para não encostar nela.

– Não confio em mim mesma – confessou Donatella.

Dante deu um passo para a frente, bem devagar, e falou:

– E não confia porque agora acredita que o Caraval não é apenas um jogo?

– E minha resposta faz diferença? Você diria a verdade, se eu perguntasse se tudo foi real?

– Se precisa perguntar, acho que você não acredita em mim.

– Tente responder.

– Sim. – Dante deu mais um passo. – Tudo real.

– Mesmo o que aconteceu entre nós?

O rapaz baixou um pouco a cabeça e respondeu:

— Depois de tudo que acabou de acontecer, achei que isso seria óbvio.

— Mas acho que quero ouvir mesmo assim. — Mais do que isso: Tella precisava ouvir. Acreditava que o jogo era real. Queria acreditar que o que estava acontecendo entre Dante e ela também era real. Mas sabia que, só porque finalmente tinha acabado de admitir para si mesma que queria ter algo a mais com Dante, não queria dizer que o rapaz também quisesse ter algo a mais com ela. O jogo podia até ser real, mas isso não queria dizer nada sobre a relação dos dois. — Dante, por favor, preciso saber se você só está aqui a mando de Lenda ou se isso é real.

— O que faz algo ser real, Tella? — O rapaz prendeu o dedo no cordão que envolvia a cintura dela. — Ver torna algo real? — Nessa hora, o artista puxou o cordão, trazendo Donatella mais para perto de si, até que a garota só conseguisse enxergar o rosto dele. — Ouvir, quem sabe? — A voz de Dante ficou um pouco rouca. — E sentir, basta para tornar algo real?

Ele colocou a outra mão por baixo da capa de Donatella e a pousou na altura do coração. Se o coração da jovem estivesse funcionando direito, teria pulado na mão do rapaz quando ele baixou a cabeça até ficar bem pertinho da dela. A voz de Dante estava intensa e rouca, e os olhos castanho-escuros refletiam uma profundidade infinita.

— Juro que isso, eu e você, nunca esteve nos planos de Lenda. A primeira vez que te beijei, fiz isso porque eu tinha acabado de morrer e voltar à vida, mas não me sentia vivo. Eu precisava de algo real. Mas, hoje, te beijei porque queria beijar você. Quero isso desde a noite do Baile Místico, quando percebi que estava disposta a arriscar a própria vida só porque queria me deixar bravo. Depois disso, não consegui mais desgrudar de você.

Dante foi subindo a mão lentamente, do coração até a nuca, massageando a pele sensível de Donatella e se aproximando ainda mais.

— Continuei voltando para o seu lado, não a mando de Lenda nem por causa do jogo. Mas porque você é tão real, tão cheia de vida, tão destemida, corajosa e bonita que, se o que existir entre nós não for real, não sei o que pode ser.

O rapaz massageou a nuca da garota e beijou-a na boca novamente, como se só soubesse terminar o que havia começado a dizer dessa maneira.

O beijo não durou muito. Mas Donatella ficou atônita. Ficou pensando se as joias guardadas a sete chaves dentro de porta-joias ficam torcendo para serem roubadas – porque naquele momento, Dante estava, com toda a certeza, roubando o coração de Tella, e a jovem desejava que ele roubasse ainda mais.

Quando o rapaz parou de beijá-la, enlaçou sua cintura com delicadeza, uma carícia que contrastou com o tom severo da voz.

– Agora, me conte por que você estava sangrando.

Donatella respirou fundo.

Estava na hora de confessar a verdade.

– Aconteceu na noite do baile, quando Jacks me beijou – disse ela.

Queria contar tudo de um jeito curto e simples, mas, assim que abriu a boca, as palavras começaram a brotar e a derramar de um jeito rápido e atrapalhado, como a água que se espalha de um jarro quebrado. Toda a história do relacionamento com o Arcano, por que fizera um trato com ele, o fato de não ter conseguido cumprir esse trato, de Jacks ter lhe entregado a carta em que sua mãe estava presa e todas as ameaças que o Príncipe de Copas havia feito, caso Tella falhasse sem cumprir sua parte mais uma vez.

Dante ouviu sem nem sequer se mexer, com uma expressão indecifrável, parecia a estátua atrás deles que derramava aquele fluxo de líquido sem fim. Com exceção dos momentos em que Donatella pronunciava o nome de Jacks: nesses instantes, o rapaz cerrava os dentes. Tirando isso, permaneceu dolorosamente calmo.

– Só para saber se eu entendi direito. Se você não vencer o jogo e entregar Lenda para Jacks, vai morrer.

Tella fez que sim.

Dante ficou mexendo a boca, como se estivesse se preparando para soltar mais uma leva de palavrões.

– E ele falou por que quer pôr as mãos em Lenda?

– Jacks disse que quer todos os seus poderes de volta, mas acho que não é só isso. Acredito que ele quer usar o poder de Lenda para libertar todos os Arcanos que estão presos nas cartas.

O artista apertou ainda mais a cintura da garota e falou:

– Tudo isso é culpa minha. Eu deveria ter dito que seu nome não estava na lista por engano. Se eu não tivesse mentido que você estava noiva...

— Provavelmente, eu teria beijado Jacks mesmo assim — completou Tella. Não queria mais acreditar no destino, mas tinha a sensação de que aquela noite fora predestinada. Mesmo que Dante não tivesse mentido, o Arcano teria encontrado Donatella no baile. A garota não entregaria o que ele queria e as coisas teriam se desenrolado da mesma maneira.
— Não é culpa sua. Foi Jacks quem me amaldiçoou. Ele é que fez isso.
— Eu poderia matá-lo.

Dante soltou Tella, e uma farpa de luar atravessou seu rosto, cortando sua expressão, que já era a de quem estava dividido, ao meio. Seu rosto tinha a mesma feição que as pessoas fazem no meio de uma briga, quando ponderam entre o que *devem* e o que *querem* dizer.

E aí ele passou as mãos na cintura de Donatella de novo, como se tivesse tomado uma decisão repentina.

— Você confia em mim? — perguntou.

Tella respirou fundo. Quando Dante não estava por perto, queria que estivesse. Quando estava, queria que ele ficasse ainda mais perto. Gostava da sensação de ter as mãos do rapaz em seu corpo e do som de sua voz. Gostava das coisas que o artista dizia e queria acreditar nessas palavras. Queria confiar em Dante. Só não sabia se realmente confiava.

— Sim — respondeu, na esperança de que isso pudesse se tornar verdade caso dissesse em voz alta. — Confio em você, sim.

Dante esboçou um sorriso e falou:

— Que bom. Tem um jeito de consertar tudo isso, mas preciso que você confie em mim. Lenda está no auge de seu poder durante o Caraval, e a magia dele tem a mesma origem que a magia de Jacks. Se você vencer o jogo, Lenda pode curá-la. Você não precisa do Príncipe de Copas.

— Mas, para vencer, tenho que me entregar às estrelas e não sei se consigo fazer isso.

— Não precisa fazer — garantiu Dante. — Vou descobrir outro jeito de você entrar no cofre.

— Como? Você ouviu o que Theron disse. Ele falou que o cofre só pode ser aberto pelo meu anel, mas a pedra está amaldiçoada, e essa maldição só será quebrada quando a dívida de minha mãe for paga.

— Então vou encontrar outra maneira de pagar.

— Não!

O sorriso de Dante ficou mais largo.

– Se você está com medo de eu me entregar para as estrelas no seu lugar, não fique: não sou tão altruísta assim.

– O que você vai fazer então?

– Toda maldição tem o jeito certo de ser quebrada e uma brecha. Se as estrelas não aceitarem outra forma de pagamento para quebrar a maldição do seu anel, vou descobrir a brecha.

Tella nunca ouvira a situação por aquele lado, mas achou que fazia sentido. Tinha a ver com o que Jacks havia dito, que existiam duas maneiras de libertar uma pessoa presa dentro de uma carta: quebrar a maldição ou tomar o lugar dessa pessoa. E essa segunda maneira deveria ser a tal brecha. Mas Donatella tinha mais medo disso do que de quebrar a maldição.

– Não se preocupe. – Dante deu um beijinho na testa dela, com seus lábios ardentes, e sussurrou: – Confie em mim, Tella. Não vou deixar nada de ruim acontecer com você.

Então, de repente, Dante passou a ser uma preocupação para ela. Tella não estava acostumada a confiar em outras pessoas nem para contar seus segredos, que dirá para proteger sua vida. Tinha a sensação de que Dante também sentia emoções conflitantes.

Quando ele se afastou, uma nuvem encobriu a lua, que já estava desaparecendo, deixando o rosto do rapaz todo mergulhado em escuridão. Mas Donatella achou que Dante ainda estava com uma expressão dividida.

– Você acha que consegue voltar para o palácio em segurança?

– Por quê? Aonde você vai?

– Ainda tenho que cumprir uma tarefa. Mas não se preocupe: encontro você na escadaria do Templo das Estrelas amanhã à noite, depois da queima de fogos.

A noite seguinte seria a última do Caraval. Os fogos seriam queimados à meia-noite, marcando o fim da Véspera do Dia de Elantine e o início do Dia de Elantine. Quase no mesmo horário do fim do jogo, que seria ao amanhecer.

Tella teve vontade de argumentar, mas Dante já estava chegando aos limites do jardim. Ele ainda estava perto e, se Donatella chamasse, a teria ouvido. Mas, quando deu por si, a garota estava seguindo os passos dele, calada.

Tentou se convencer de que confiava em Dante: só estava seguindo seus passos porque temia o que ele poderia fazer para salvar a vida dela.

Mas a verdade é que queria confiar em Dante mais do que confiava de fato. Um lado seu ainda não descartara a possibilidade de ele ser o verdadeiro Lenda. Mas, se fosse mesmo Lenda e gostasse de Tella, teria quebrado a maldição da garota ali no jardim, com o próprio sangue, e não insistido para Donatella vencer o jogo e pegar as cartas da mãe antes de livrá-la do feitiço.

Das duas, uma: ou Dante realmente estava preocupado com Tella ou era o Mestre do Caraval e não estava nem aí com ela.

Talvez, se ela descobrisse por que aquele rapaz estava sempre fugindo dela, poderia encontrar a resposta para essa pergunta. Mas Tella estava lenta demais. Ou, quem sabe, o artista tivesse percebido que estava sendo seguido. Quando Tella chegou à saída do jardim, Dante havia sumido.

Ela ficou procurando por um bom tempo pelas ruínas ao redor. Até criou coragem de voltar ao parque onde havia roubado o manto que estava usando. Mas nem sinal do jovem, e as pernas de Donatella já estavam ficando bambas de tanto cansaço.

O sol estava quase raiando quando a carruagem aérea em que Tella estava se aproximou do palácio. A constelação em forma de coração feita por Lenda havia sumido. Tochas salpicavam o chão com luz, mas o ar ainda estava gélido, depois de ter passado uma noite inteira longe do sol. Donatella só queria fechar os olhos e desmaiar em seu quarto, lá na torre, mas o cocheiro parou antes de pousar. E a pessoa que estava na carruagem da frente demorou uma eternidade para desembarcar. Tella abriu a janela e pôs a cabeça para fora, como se pudesse fazer os passageiros apertarem o passo só de olhar feio para o veículo em que estavam. E, para sua surpresa, deu certo.

A porta da carruagem se abriu, seguida de um vislumbre de um tecido cor de cereja bem conhecido. Donatella não tinha cem por cento de certeza – além do vestido, só viu um manto de cabelo castanho-escuro bem grosso. Mas, de costas, aquela garota era igualzinha a Scarlett.

Continuou observando, mas sua irmã não se virou. Afastou-se rapidamente, apressada, e saiu de fininho do pavilhão das carruagens antes do veículo em que Tella estava tivesse tempo de se movimentar. E, aí, a porta da carruagem parada à frente se abriu de novo. Donatella também só viu essa pessoa de costas, mas reconheceu na mesma hora o andar displicente, as roupas amarrotadas e os cabelos dourados. *Jacks*.

35

Tella torceu para que o sol raiasse logo, porque aquela noite bizarra tinha que terminar. Se seu mundo virasse de cabeça para baixo mais uma vez, ela iria desmoronar.

O que sua irmã andava fazendo com Jacks?

Claro que Donatella ainda não tinha certeza de que a garota que vira sair da carruagem era Scarlett. Não tinha conseguido ver o rosto dela direito. Mas conhecia a irmã e conhecia Jacks, que era sórdido ao ponto de arrastar Scarlett para o meio daquela confusão.

Tella pulou da carruagem assim que o veículo encostou no chão e quase torceu o pé; o que não a impediu de sair correndo do pavilhão das carruagens, mas retardou seus passos, e acabou perdendo a irmã de vista.

– Você está fugindo ou perseguindo alguém?

O Príncipe de Copas surgiu em um canto do jardim de pedra, impedindo a passagem da garota, e ficou rolando uma maçã roxa e cintilante entre os dedos ágeis. Como sempre, não estava de casaca e usava uma camisa passada pela metade – parecia que o Arcano havia perdido a paciência e a arrancado das mãos da criada antes que ela terminasse de passá-la. As calças não estavam amarrotadas, mas, quando o sol que raiava bateu no couro cor de manteiga, Donatella achou ter visto uma mancha que parecia ser de sangue.

A jovem respirou fundo várias vezes, tentando acalmar o coração acelerado.

– O que você estava fazendo com minha irmã?
– Por acaso estou detectando um certo ciúme?
– Você está delirando.
– Estou, é?

Jacks ficou perambulando um pouco entre os criados eternamente petrificados e foi para o meio do jardim, obrigando Donatella a segui-lo.

– Nosso relacionamento não é real – resmungou. – Como eu poderia ter ciúme?
– Talvez você queira que seja real.
– Você está sempre se elogiando.
– Só porque minha noiva nunca me elogia.

O Príncipe de Copas disse isso com um tom petulante, mas não tirou os olhos de Tella e apoiou uma das pernas na estátua de pedra apavorada que estava bem do lado da garota. Em seguida, tirou uma adaga da bota e começou a descascar a maçã. Como se, de uma hora para outra, tivesse perdido o interesse naquela conversa.

– Você ainda não me contou o que estava fazendo com minha irmã – insistiu Donatella. – Quero que você fique longe dela.

O Arcano tirou os olhos da faca e falou:
– Foi ela que veio atrás de mim.
– E por que minha irmã faria isso?
– Prometi não contar para ninguém.

Tella soltou uma risada e disse:
– Não finja que tem escrúpulos.

Jacks terminou de descascar a maçã e deu uma mordida bem grande.
– Só porque meus princípios morais são diferentes dos seus não quer dizer que eu não tenha princípios.
– Acho que você deveria rever esses princípios. Para a maioria das pessoas, matar é pior do que trair a confiança de alguém.
– E por acaso matei alguém desde que você me conhece?

O Príncipe de Copas passou a língua nas pontas afiadas dos dentes brancos e mordeu a maçã de novo. Um sumo cintilante, vermelho-sangue, pingou do canto da boca do Arcano. Sumo esse que ficou debochando de Tella enquanto Jacks mastigava.

Ele tinha uma atitude displicente e indolente, mas era calculista e autoconfiante. Provavelmente via Donatella como via aquela maçã: algo gostoso para dar uma mordida e depois jogar fora.

Mais uma gota de líquido vermelho escorreu de seus lábios, e Tella foi para cima de Jacks. Derrubou a maçã de suas mãos brancas. E em seguida apertou a garganta dele.

As mãos do Príncipe de Copas seguraram os pulsos da garota em um piscar de olhos.

— Você não pode me matar.

— Mas posso tentar.

Donatella deu um chute em Jacks.

Ele se esquivou com a maior facilidade.

— Você só vai se cansar fazendo isso – disse, calmamente. – E já está com cara de exausta. Poupe suas forças para vencer o jogo.

Donatella continuou chutando.

O Arcano se esquivou dos chutes mais uma vez, sem precisar fazer nenhum esforço. Seu rosto cruel tinha uma expressão entediada.

Mas Tella jurou ter sentido o sangue correr nas veias dele, aquecendo as mãos que ainda seguravam os pulsos dela. Jacks podia até parecer indiferente, mas seu coração estava batendo tão rápido quanto o de Donatella.

A garota interrompeu o chute que ia dar. O coração do Arcano estava batendo.

Tella foi cambaleando para trás, e o Príncipe de Copas soltou as mãos dela.

— Seu coração está batendo.

— Não. Meu coração não bate há muito, muito tempo. Agora é você quem está delirando.

Jacks disse isso com o tom mais frio que Donatella já ouvira, mas essa frieza não apagou a memória ardente de sentir as mãos quentes de Jacks segurando seus pulsos.

— Posso estar diversas coisas, mas sei o que senti.

"Só existia uma pessoa que poderia fazê-lo bater novamente: o único e verdadeiro amor do Arcano. Diziam que o beijo do príncipe fora fatal para todas, menos para ela – que era sua única fraqueza."

— Fiz seu coração voltar a bater – vangloriou-se Tella.

Aquilo era uma loucura, um absurdo, uma ideia verdadeiramente brutal. Mas Donatella também sentiu que era verdade nas batidas do próprio coração, que não estavam mais lentas – haviam acelerado. *Tum. Tum. Tum. Tum. Tum. Tum. Tum.* Seu coração nunca esteve tão forte. Tão livre.

– Sou seu único e verdadeiro amor. Você não pode me matar com um beijo.

A carranca de Jacks ficou ainda mais pronunciada.

– Você não deveria acreditar em qualquer história que ouve por aí. Por acaso estou com cara de quem é apaixonado por você?

– Para mim, você sempre tem cara de monstro. Mas isso não significa que o mito não seja verdadeiro.

E Tella pensou que não precisava amar o Príncipe de Copas para ser o verdadeiro amor dele. Como Jacks era um Arcano e absolutamente maligno, a garota também imaginou que, para ele, o amor não era a mesma coisa que seria para um ser humano. Mas isso não tinha a menor importância. O que realmente importava era que Donatella era o verdadeiro amor de Jacks, e, portanto, imune ao seu beijo mortal. Não precisava mais vencer o jogo para continuar vivendo.

– Isso não muda nada.

O Príncipe de Copas fez uma cara tão mortífera que um punhado de facas perderia de dez a zero.

Só que Tella já estava acostumada com as expressões temperamentais dele. Não poderiam feri-la, nem as caras nem os beijos venenosos do Arcano.

– Não. Isso muda tudo.

– Não para sua mãe. – Jacks esmagou a maçã que Donatella derrubara no chão com o salto da bota, até a fruta se resumir apenas à polpa e ao sumo cor de sangue. – Você ainda precisa de mim se quiser libertá-la.

– Acho que não estou mais preocupada em salvá-la.

Donatella disse isso falando sério, mas as palavras deixaram um gosto amargo em sua boca. Não era bem uma mentira, mas tampouco era verdade.

Jacks, pelo jeito, sentiu sua falta de convicção. Deu um sorriso, mostrando as covinhas, se aproximou e disse:

– Você me chamou de monstro. Até eu acho isso uma atitude fria, Donatella.

As covinhas sumiram e, por um instante, ela viu o rosto do Arcano ficar encovado de pavor, do mesmo jeito que ficara na primeira vez que comentou a sensação de ficar preso dentro de uma carta.

– Se você tiver um pingo de vontade de ver sua mãe com vida novamente, vai mudar de ideia e me ajudar. Lenda tem medo de que, se os Arcanos se libertarem, vão roubar seu poder. E ele quer nossos poderes mais do que tudo. Se o Mestre do Caraval conseguir pôr as mãos no Baralho do Destino que contém os Arcanos, destruirá todos nós, incluindo sua mãe. A única maneira de salvar a vida dela é vencer o jogo e me ajudar a libertar os Arcanos. A menos que você seja tola ao ponto de assumir o lugar dela na carta. E, baseado no que você acabou de dizer, duvido que esteja disposta a fazer isso.

Jacks segurou o queixo de Tella com seus dedos finos e compridos por alguns instantes e em seguida saiu do jardim, como se aquela conversa entre os dois não tivesse mudado absolutamente nada.

Quando Tella voltou para o palácio, se arrastando, pouco depois do amanhecer, a torre dourada já tinha sido decorada para a Véspera do Dia de Elantine. As balaustradas estavam enfeitadas com drapeados de um tecido brilhoso que lembrava o véu de lágrimas da Noiva Abandonada. E Donatella ficou incomodada quando viu que todas as criadas com quem deparou tinham pontos vermelhos pintados nos lábios, parecendo Aias.

A ala de safira, onde Scarlett estava hospedada, estava igual. Tella passou lá primeiro para descobrir por que sua irmã havia procurado Jacks. Claro que Scarlett não atendeu quando ela bateu na porta.

Donatella poderia ter batido com mais força ou esperado um tantinho mais, mas seu corpo implorava por descanso e o que Jacks dissera até poderia ser verdade. Scarlett o procurara com o objetivo de dizer para o Arcano não fazer mal à irmã mais nova. Isso seria algo que Scarlett faria.

A caminho do quarto onde estava hospedada, na torre, Tella passou por mais criadas de lábios costurados. Era provável que estivessem trabalhando desde antes do raiar do sol. Na noite anterior, quando Donatella saiu do palácio, não havia nenhuma porta enfeitada. Mas, já pela manhã, no alto de todos os arcos e de todas entradas do palácio, havia máscaras penduradas, uma antiga tradição que homenageava os Arcanos, na esperança de que eles trouxessem bênçãos e não maldições.

A gaiola de pérolas da Morte Donzela estava pendurada na porta do quarto de Tella. Ela sabia que era apenas mais uma tradição da Véspera do Dia de Elantine. Mas teve a sensação de que era um alerta, mais uma maneira de recordá-la de que teria muito a perder se resolvesse desistir do jogo. Não precisava mais vencer o Caraval para continuar vivendo, mas será que conseguiria deixar a mãe aprisionada dentro de uma carta?

A garota queria odiar a mãe. Quando gritou para os céus que Paloma poderia apodrecer em sua prisão de papel, estava falando sério. E, apesar disso, havia um lado seu que queria libertá-la ainda mais do que antes. Queria provar para a mãe que não era apenas um enfeite inútil que podia ser jogado fora, que era destemida, inteligente, corajosa e digna de ser amada.

O anel amaldiçoado da mãe pesava em seu dedo. Talvez Dante conseguisse encontrar a tal brecha que havia comentado, uma forma de desviar da maldição. Mas Tella sabia que, caso ele não encontrasse, não podia se deixar escravizar pelas estrelas para salvar a vida de uma mulher que, talvez, jamais fosse amá-la.

Mas e se Dante conseguisse encontrar uma maneira de Donatella entrar nos cofres das estrelas, usando o anel, sem precisar se entregar a elas?

Se o rapaz fosse mesmo Lenda, será que Tella conseguiria trair a confiança dele e entregá-lo de bandeja para Jacks, sabendo o que o Arcano pretendia fazer com o Mestre do Caraval?

Tudo estava tão confuso...

Donatella lembrou a si mesma que, se Dante fosse Lenda, não estaria nem aí com ela. Mas, se isso fosse verdade, talvez, não tivesse se oferecido para livrá-la da maldição do Arcano há pouco, no jardim, porque achava que Tella já estava livre do feitiço. Dante pode ter pensado que, quando deu o próprio sangue para a garota beber, para tratar dos ferimentos causados pela Rainha Morta-Viva e por Vossas Aias, salvou a vida dela. Mas, se isso era verdade, por que Donatella tinha sangrado de novo?

Ela queria acreditar que o rapaz tinha a melhor das intenções. E, se ele se preocupava com ela ou não, era algo que não vinha ao caso. Se Dante fosse mesmo Lenda, destruiria os Arcanos sem pensar duas vezes.

Donatella não era de optar pelo caminho mais fácil. Em sua experiência, esse tipo de opção acabava sendo o mesmo que não ter opção, o mesmo que se anular educadamente, permitindo que outras pessoas, com mais poder do que ela, fizessem o que bem entendessem com sua vida. Tanto Lenda quanto Jacks tinham mais poder do que Tella. Mas os dois precisavam da jovem para conseguir a única coisa que desejavam: o Baralho do Destino de Paloma. Sem Donatella, nem o Mestre do Caraval nem o Príncipe de Copas conseguiriam pôr as mãos no baralho amaldiçoado. Sem Donatella, Lenda não poderia destruir os Arcanos e, com isso, a mãe da garota. E, sem Donatella, Jacks não poderia libertar os Arcanos nem roubar a magia de Lenda, para ter de volta todos os seus poderes, incluindo a habilidade de controlar corações, sentimentos e emoções.

Pelo jeito, ambos esperavam que ela vencesse o jogo por eles. Mas, talvez, a única maneira de Tella realmente sair vitoriosa fosse tomar a decisão de não participar mais dos joguinhos dos dois e deixar a mãe onde estava, no mesmo lugar que as cartas amaldiçoadas. Se o baralho continuasse trancafiado no cofre das estrelas, nem Jacks nem Lenda poderiam pôr as mãos nelas.

Donatella sentiu uma pontada, algo bem parecido com culpa, ao pensar em deixar que a mãe continuasse presa dentro de uma carta. Mas Paloma tratara a vida da filha como se fosse uma mera caução. Não era melhor do que Jacks ou Lenda, e ai de Tella se permitisse que qualquer um dos três a fizesse de peão novamente em um jogo de tabuleiro qualquer.

Tella acordou sobressaltada e se sentou na cama. O coração batia forte, a pulsação estava acelerada – mais duas maneiras de confirmar que não estava mais amaldiçoada. Essa constatação poderia ser suficiente para deixá-la com a sensação de que estava preparada para conquistar o mundo. Mas a verdade é que não conseguia se livrar do mau pressentimento de que o mundo estava se preparando para conquistá-la.

Seu primeiro instinto foi consultar o Aráculo para ver se o próprio futuro havia mudado. Mas ela não conseguia mais confiar na carta e estava farta de permitir que os Arcanos ditassem suas decisões.

As sombras que se arrastavam pelo chão e as marcas de tanto dormir em seus braços eram um sinal claro de que Tella ficara desacordada por várias horas. Apesar de não pretender mais participar do jogo até o fim, não queria ter dormido tanto.

O crepúsculo se aproximava. A luz que atravessava a janela tingia tudo o que havia dentro do quarto de um vermelho sinistro, com exceção da carta branca perolada que estava pousada na beira da cama, quietinha, como se estivesse esperando por Donatella.

A garota rasgou o envelope e começou a ler com a vista ainda um pouco borrada. Mas, depois das primeiras duas linhas, sua visão ficou nítida e a cabeça terminou de acordar.

Queridíssima Donatella,

Obrigada pela companhia graciosa no pequeno jantar que ofereci. Foi um prazer inesperado conhecê-la. Depois que você foi embora, me dei conta do quanto você me faz lembrar de alguém especial que conheci. Não se trata exatamente de uma semelhança na aparência física, mas você tem o mesmo espírito indômito e a mesma personalidade vibrante de Paradise, a Perdida. Fiquei pensando que ela pode ser sua mãe desaparecida.

Acho que não deveria te dizer isso, tendo em vista o tipo de pessoa que ela era, mas Valenda perdeu um pouco do brilho no dia em que Paradise desapareceu. Ela era um tesouro. Se Paradise for sua mãe, e eu puder te ajudar, de alguma maneira, a tentar encontrá-la, é só me avisar.

*Até breve,
Elantine*

Quando terminou de ler a carta, Tella já estava completamente acordada. Mas precisou ler a carta mais de uma vez. Quando tirou os olhos do papel e espiou pela janela, o sol já estava quase se pondo. A qualquer instante, Lenda formaria uma nova constelação no céu para avisar a cidade que o Caraval estava começando novamente.

Antes de ler a carta enviada por Elantine, Donatella estava decidida a desistir do jogo e deixar a mãe desnaturada e seu baralho amaldiçoado exatamente no local em que estavam. Se nunca abrisse o cofre, os Arcanos jamais seriam libertados, e Lenda não conseguiria destruir sua mãe. Parecia um meio-termo razoável. Mas, depois de ler a mensagem da imperatriz, a jovem tinha a impressão de que, se fizesse isso, estaria desistindo de lutar. Ficou com a sensação de que estaria se contentando com o quase-final que Armando comentou.

Tella sabia que era uma tolice sonhar com uma versão melhor da mãe do que a que vira no Templo das Estrelas. Mas a carta de Elantine deixou alguma esperança de que aquela fosse apenas uma parte de quem a mãe realmente era, como Dante havia sugerido.

– Entrega – gritou uma voz fraca, do outro lado da porta.

A garota escondeu a carta de Elantine nas cobertas, porque uma criada afoita surgiu dentro do quarto.

A intrusa trazia uma enorme caixa cor de ameixa, arrematada com um laço roxo do tamanho de um melão. Deveria ser a fantasia que Tella usaria na Véspera do Dia de Elantine, encomendada na Minerva Moda Moderna.

– Suponho que, esta noite, a senhorita vá precisar de ajuda para se arrumar. – A criada levantou a tampa da caixa e comentou: – Ai, é a fantasia mais linda que eu já vi na vida! Com certeza, a senhorita vai atrair todos os olhares.

Um brilho faiscante e prateado pairou por todo o quarto quando a criada tirou um vestido de baile prata azulado da caixa. A costureira podia até ter tentado demover Tella da ideia de ir fantasiada de Herdeiro Perdido, mas fizera um traje sublime – apesar da cor lembrar os olhos de Jacks um pouco demais para o gosto de Donatella.

O vestido deixava as costas à mostra, que ficavam cobertas apenas por uma capa diáfana, cor de prata derretida. A criada ajudou Tella a colocar o vestido e depois prendeu a capa de tecido fininho nos ombros dela, junto às delicadas alças bordadas de miçangas que pendiam do corpete azul-fumaça. A transparência do corpete seria indecente se não tivesse folhas reluzentes, banhadas em prateado, costuradas na altura do peito e que depois se espalhavam pelo tronco – parecia que os ventos de uma tempestade mágica haviam sacudido Donatella. A saia rodada combinava azul-noite e metal líquido. Brilhava, em ondas sobrenaturais, toda vez que a garota se movimentava, dando a impressão de que Tella poderia desaparecer com um único e breve rodopio.

— Que magnífico — disse a criada. — Posso colocar a... — Ela deixou a frase no ar quando tirou, do fundo da caixa, a coroa de velas, com seu véu negro macabro. — A senhorita vai fantasiada de Herdeiro Perdido de Elantine? Tem certeza de que isso é de bom-tom?

— Tenho certeza de que não é da sua conta.

Donatella arrancou a coroa das mãos da garota.

— Eu só estava tentando ajudar — desculpou-se a criada, fazendo uma rápida mesura. — Perdoe-me mais uma vez, mas ouvi o que andam dizendo sobre seu noivo e, depois do que aconteceu hoje, pensei que a senhorita poderia querer ser avisada.

Tella tentou se segurar para não perguntar. A última vez que havia dado conversa a uma criada, não tinha dado muito certo, longe disso. Mas aquela garota parecia mesmo estar nervosa, e Donatella pensou ter reconhecido a voz dela, da primeira noite que passou na torre. Era muito parecida com a da pessoa que sentira pena de Tella e a fez pensar em um coelho.

— O que aconteceu? — perguntou Donatella.

— A senhorita não ficou sabendo mesmo? O palácio inteiro está em polvorosa. Andam dizendo que o verdadeiro Herdeiro Perdido, o filho desaparecido de Elantine, apareceu. É claro que ninguém confirmou. — A criada então cochichou: — A imperatriz caiu de cama pouco depois que o boato se espalhou.

— O que ela tem?

— Não fico sabendo desse tipo de informação. Mas parece sério.

— Deve ser apenas alguma coisa ligada o Caraval.

Se Elantine realmente tivesse um filho desaparecido, era coincidência demais esse filho ter reaparecido justamente durante o Caraval.

Mas e se a imperatriz estivesse mesmo doente? Donatella ficou mais perturbada do que esperava com essa possibilidade. Na carta, Elantine falara de Paradise como se a conhecesse e até a chamara de "tesouro". Donatella queria saber por que, mas, se alguma coisa ruim acontecesse com a imperatriz, não teria como descobrir.

— Obrigada pela ajuda. Pode ir embora.

Tella estava vestida. Só precisava coroar a si mesma.

Infelizmente, o diadema de velas que formava a coroa do Herdeiro Perdido era pesado e incômodo, além de ser impossível enxergar através daquele véu grosso.

Antes de pôr a coroa na cabeça, a garota tentou arrancar o tecido do véu. Só que aquela coisa teimosa não queria sair.

Ela puxou de novo.

O véu se soltou com um rasgo, mas a mesma coisa aconteceu com as velas pretas da coroa. Elas se despedaçaram, soltando lágrimas grossas de cera, até restarem apenas cinco pontas afiadas, enfeitadas com opalas negras.

O acessório parecia uma versão inteira da Coroa Despedaçada. A mesma coroa que Tella viu quando Armando leu sua sorte.

A Coroa Despedaçada previa uma escolha impossível entre dois caminhos igualmente difíceis. Donatella sabia que o diadema que estava em suas mãos não era essa coroa. A verdadeira coroa estava aprisionada dentro de um baralho, e a coroa que tinha em mãos não estava totalmente despedaçada. Mas não gostou nada do fato de seus dedos ficarem dormentes toda vez que encostavam nela.

Teve vontade de enfiar o acessório de volta na caixa. Ficou com a sensação de que usá-lo seria uma péssima ideia. Mas Tella decidiu que não teria medo dele e das ideias que o acessório fazia brotar em sua mente.

Olhou-se no espelho e colocou o diadema na cabeça. Estava bem menos pesado do que quando era adornado por velas. Mas, no instante em que a coroa encostou nos cachos de Donatella, ela teve um pressentimento: lhe pareceu que usá-la seria o primeiro passo na direção da escolha impossível que ainda não estava preparada para fazer.

Tentou ignorar essa sensação. Conversar com a imperatriz a respeito da mãe não queria dizer que, para conseguir vencer o jogo e salvá-la, teria que sacrificar a própria vida servindo as estrelas. E, mesmo assim, quando deu por si, Donatella estava guardando a moeda sem sorte que Jacks havia lhe dado no bolso da fantasia, junto com o Aráculo e a carta que aprisionava a mãe.

VÉSPERA DO DIA DE ELANTINE: ÚLTIMA NOITE DO CARAVAL

As estrelas exibiam um ardor espetacular, iluminando toda a cidade de Valenda com seu brilho e esplendor. Lenda havia moldado as constelações até formarem uma ampulheta gigante que emitia luz em um tom de ouro do deserto e vermelho escaldante. Estrelas carmins pingavam feito grãos de areia dentro da ampulheta – sem dúvida, era uma contagem regressiva para o amanhecer e o fim do Caraval.

A ampulheta pairava acima do palácio, já que ele seria o centro da última noite do jogo. Tella a vira de relance, espiando pela janela do quarto. Lá embaixo, o pátio de vidro, que conectava a torre dourada às outras alas do palácio, estava começando a ficar lotado de gente fantasiada de algum dos amaldiçoados Arcanos.

Ainda bem que os jogadores estava proibidos de entrar na torre. A construção ancestral estava mergulhada em um silêncio quase sepulcral. Donatella só ouvia os próprios passos fazendo a escadaria de madeira ranger, enquanto subia, subia e subia até não mais poder.

Durante o jantar oferecido para Tella, a imperatriz comentara que queria assistir à queima de fogos da Véspera do Dia de Elantine no andar mais alto da torre. Até falou para Jacks que gostaria de assistir ao espetáculo na companhia de Tella. Não foi um convite formal, e o Príncipe de Copas não tocou mais no assunto. Mas Donatella estava torcendo para que a imperatriz tivesse falado sério.

Quando chegou ao alto da torre, Tella foi barrada pelos guardas. Devia ter uma dúzia deles, com armaduras que faziam ruídos altos e ríspidos, impedindo Donatella de entrar.

As pernas da garota estavam ardendo de tanto subir escadas, mas ela conseguiu manter uma postura altiva e falar sem ofegar.

– Sou noiva do herdeiro do trono, e Vossa Majestade me convidou para assistir à queima de fogos com ela.

Tella então mostrou a carta que recebera de Elantine, exibindo o selo imperial como se fosse um convite. Mas nem seria necessário.

Os guardas abriram caminho para Tella, como se a presença da jovem fosse esperada. Ela ficou matutando se isso tinha ocorrido porque o convite da imperatriz para assistir à queima de fogos fora mesmo sincero ou se Elantine sabia que, se enviasse aquela carta, Donatella iria encontrá-la. A garota estava farta de permitir que o destino e os Arcanos ditassem seu futuro. Mas tinha a sensação de que aquele encontro com Elantine era inevitável.

O alto da torre era muito mais estreito do que a base e tinha apenas um cômodo, não muito grande. E, apesar disso, na lembrança dela, seria infinito. As paredes e o teto eram feitos de vidro e não tinham emendas – era um observatório, construído para observar, sonhar e desejar. A ampulheta ardente de Lenda contava o tempo tão perto dali que, quando Tella por fim se aventurou a entrar, jurou que conseguia ouvir as estrelas fluindo dentro dela, frigindo e brilhando com uma melodia perigosa.

O recinto em si era de uma elegância discreta. No meio dele, crescia uma árvore de um branco acinzentado, repleta de folhas prateadas, que pareciam estar prestes a cair. Em volta da planta, uma série de divãs capitonê prateados e brancos, como a árvore, estavam dispostos em círculo e de frente para o vidro imaculado. O único ponto de cor mais viva no local era o vaso com um buquê de rosas vermelhas ao lado de Elantine.

A imperatriz estava recostada em um dos divãs, tão perto das janelas que quase encostava no vidro. Pelo jeito, não estava fantasiada, mas havia algo de fantasmagórico em sua aparência, e não era só porque trajava um vestido de baile branco.

Há duas noites, quando Tella foi apresentada para a imperatriz, Elantine era a própria definição de mulher cheia de vida, toda sorrisos e abraços. Mas, talvez, tivesse distribuído abraços e sorrisos além da conta. Elantine estava afundada no divã, com uma aparência adoentada, cor de cera, exatamente como a criada havia dito.

Até a voz de Elantine parecia febril.

— Você se deu o trabalho de subir até aqui, querida. Pode fazer a pergunta que está na ponta da sua língua.

— O que aconteceu com a senhora? — disparou Tella.

A imperatriz ergueu a cabeça. Seus olhos castanho-escuros eram maiores do que Donatella recordava. Ou, talvez, o rosto da governante tivesse se tornado mais encovado. Parecia que tinha envelhecido duas décadas naquele período de dois dias. Tella teve a nítida impressão de que a mulher envelhecera a olhos vistos desde que entrara ali. Rugas novas se formaram em suas bochechas pálidas, quando respondeu:

— Isso se chama morrer, querida. Por que você acha que eu quis uma festa tão magnífica no meu aniversário de 75 anos?

— Mas... mas a senhora parecia tão bem naquela noite.

— Graças a um tônico que Lenda me deu. — Elantine dirigiu o olhar às rosas vermelhas que estavam na mesinha, ao lado dela. — Ele tem me ajudado a esconder minha saúde precária de Jacks.

— A senhora conheceu Lenda, então?

Um sorriso enrugado movimentou a boca da imperatriz.

— Depois de ele ter me ajudado tanto, mesmo que eu soubesse quem Lenda realmente é, não trairia a confiança dele revelando seu segredo. E acho que você não se deu ao trabalho de subir até aqui só para perguntar sobre o Mestre do Caraval.

O olhar da imperatriz pousou na carta que estava nas mãos de Tella.

A garota queria perguntar mais sobre Lenda. Pelo jeito, o Mestre do Caraval estava por toda parte e em parte nenhuma, tudo ao mesmo tempo.

Mas, apesar de Elantine estar quase morrendo, quando falou novamente, foi com um tom firme, ao ponto de eliminar qualquer questionamento.

— Paradise, a Perdida, é sua mãe, não é?

— Para mim, ela se chamava Paloma — confessou Donatella. — E meu pai sempre ficava irritado quando eu a chamava por esse nome e não de "mãe".

A imperatriz estalou a língua e declarou:

– Paradise, infelizmente, sempre teve um péssimo gosto para homens.

Tella teria concordado, mas não estava mais disposta a falar do pai. Então se sentou e perguntou:

– Como a senhora a conheceu?

Ainda não conhecia todos os detalhes da etiqueta imperial, mas lhe pareceu errado continuar de pé, já que a mulher que governava todo o Império Meridiano estava sentada.

Elantine respirou fundo, e seu corpo tremeu mais do que deveria com o esforço.

– A última vez que vi Paradise, ela estava roubando o Baralho do Destino. Avisei que aquelas cartas só atrairiam problemas, mas acho que não usei a palavra correta. Infelicidade ou agonia poderia ter sido melhor. Paradise apenas respondeu que adorava problemas. Mas, para mim, o que ela adorava mesmo era a vida.

A imperatriz espiou pela janela e, lá fora, as estrelas carmins de Lenda continuavam a brilhar, iluminando o jogo que transcorria no pátio, lá embaixo.

– Paradise poderia ter sido muito mais do que um retrato em um cartaz de "Procurada" de uma gráfica qualquer. Era inteligente e esperta, tinha facilidade para dar risada e para amar, só que sempre tentava esconder a profundidade de seus sentimentos. "Criminosos não amam", disse certa vez. Mas acho que Paradise tinha medo de amar porque, quando amava, fazia isso com a mesma ferocidade com que vivia.

Tella pensou que toda aquela conversa tinha o objetivo de fazê-la se sentir melhor. Mas saber que a mãe conseguia amar intensamente e que, ainda assim, não amava a própria filha só a deixou mais magoada.

Deveria ter ido embora e parado de se torturar. Mas a imperatriz demonstrava conhecer Paradise quase intimamente. As duas frases que acabara de dizer eram muito mais profundas do que tudo que Aiko havia contado. Donatella ouvira dizer que Elantine fora uma jovem rebelde, mas não deve ter sido jovem na mesma época em que a mãe da garota.

– Como a senhora a conheceu? – perguntou.

A imperatriz se virou lentamente para ela e respondeu:

– Essa história você terá que pedir para Paradise contar.

– Acho que isso não vai acontecer. – Tella foi se levantando devagar do divã e disse: – Minha busca termina aqui.

— Que pena. Achei que você não era do tipo de garota que desiste com tanta facilidade.

— Ela desistiu de mim primeiro.

— Não sei se consigo acreditar nisso. — Nessa hora, Elantine começou a falar mais baixo. Tella poderia ter pensado que era de cansaço, mas seu tom não transmitia fraqueza. — A Paradise que eu conheci não acreditava em desistir. E, se é mesmo filha dela, tenho certeza de que sua mãe não desistiria de você. Na verdade, imagino que, se Paradise era sua mãe, amava você muito profundamente.

Donatella soltou uma risada debochada.

— Vou fingir que não ouvi isso — disse Elantine. — Tenho certeza de que existe uma lei que proíbe rir da cara da imperatriz. Mas imagino que isso que você acabou de fazer foi mais para sua mãe do que para mim. E, devo admitir: suspeito que meu filho sinta por mim a mesma coisa que você sente por sua mãe. Também fui um fracasso como mãe. Cometi erros que me afastaram de meu filho por muito tempo. Mas isso não significa que eu não o amava. Muitas das decisões que tomei foi acreditando que seriam o melhor a fazer, mas só serviram para nos separar...

— Ouvi dizer que seu filho voltou.

— Esqueci que as notícias se espalham rápido neste palácio.

Elantine deu um sorriso. Estranhamente, por algum motivo, isso fez seus olhos ficarem tristes e não alegres. Quando seus lábios enrugados se ergueram, suas pálpebras se fecharam um pouco. Aquela não era a expressão de uma mulher que havia acabado de reencontrar o filho desaparecido.

No entanto, a imperatriz não desmentiu os boatos. E Tella pensou que a pessoa que estava se fazendo passar por herdeiro do trono poderia não ser o verdadeiro filho de Elantine. Ou talvez fosse apenas uma maneira de impedir que Jacks subisse ao trono, já que a imperatriz estava prestes a morrer.

— Passei boa parte da vida colocando o Império Meridiano acima de tudo, até de meu filho. Agora me arrependo de muitas coisas que fiz, mas é tarde demais para mudar o que foi feito. Acho que é por isso que fiquei pensando em você hoje pela manhã. — A tristeza nos olhos de Elantine ficou mais intensa. — Não sei o que aconteceu com sua mãe depois que ela te abandonou, mas torço para que você a encontre,

Donatella. Não faça como eu, que me contentei com a facilidade de um quase-final, quando pode ter o final verdadeiro.

– Não sei se entendo o que a senhora quer dizer com isso.

– Nem todo mundo consegue ter um final verdadeiro. Existem dois tipos de final porque a maioria das pessoas desiste de parte da história quando tudo vai mal, quando a situação parece irremediável. Mas é aí que precisamos ter mais esperança. Só quem é perseverante consegue encontrar seu final verdadeiro.

Elantine deu um sorriso, mais feliz do que triste, e ficou olhando para a mão de Donatella.

– Veja só. Acho que até o anel de sua mãe concorda comigo.

Tella se assustou e se curvou para trás, porque a opala de seu anel começou a pulsar. A linha dourada, no meio da pedra, ardeu como uma chama, consumindo o violeta e o tom de cereja, até que toda a opala brilhou, com um tom luminescente de âmbar.

A torre balançou, e as pernas da garota tremeram. Tudo não passou de um segundo. Mas Donatella jurou que, naquele momento, até as estrelas lá fora piscaram. O anel sempre fora bonito, mas agora parecia uma coisa de outro mundo e brilhava tanto que toda a sua mão ficou iluminada.

O que Dante havia feito?

Um pânico quente e cegante correu pelas veias de Tella. O rapaz deveria ter descoberto a tal brecha para desviar a maldição do anel. Por que ele tinha que fazer isso por ela? Dante falou para Donatella não se preocupar, que não era tão altruísta assim. Mas devia ter pagado um preço alto para a pedra não estar mais amaldiçoada.

A jovem tremeu, sacudindo a coroa que tinha na cabeça. Levantou o braço para segurá-la. Mas as mãos tremiam tanto quanto as pernas. Em vez de ajeitar a coroa, derrubou. O acessório foi dando piruetas até bater no chão, com um estrondo lírico.

– Deuses! – exclamou Elantine.

E, em seguida, tapou a boca com a mão.

Tella se segurou para não soltar um palavrão. Cinco pedaços pontiagudos de obsidiana, com pontas reluzentes de opala negra, fitavam a garota, do chão. Uma reprodução fiel da Coroa Despedaçada.

Donatella falou com a voz embargada:

– Mil perdões.

– Não precisa se desculpar, criança. Tenho quem limpe isso para mim, e você não fez nada de errado.

Mas Tella estava prestes a fazer algo errado.

Ainda tremendo, ela olhou para a Coroa Despedaçada que estava no chão, e sua escolha impossível se tornou clara, até demais. Dante havia encontrado uma maneira de Donatella entrar no cofre da mãe sem precisar se sacrificar. Claro que não sabia se o rapaz tinha feito isso para salvá-la da escravidão das estrelas ou para ter certeza de que ela ia conseguir pôr a mão nas cartas. Tella não sabia qual das duas alternativas queria que fosse verdadeira. Se Dante tivesse sacrificado alguma coisa para salvar a vida dela, que tipo de pessoa a garota seria se traísse a confiança do artista e o entregasse de bandeja para Jacks? Só que, aí, estaria presumindo que Dante era Lenda. Tella ainda não sabia quem era o verdadeiro Lenda.

E não saberia se não vencesse o jogo.

Talvez fosse melhor *não* vencer o jogo.

"Vencer o jogo custará um preço que, mais tarde, você irá se arrepender de ter pagado."

Nigel havia alertado Tella. Mas, mesmo que não tivesse, a jovem sabia que haveria arrependimentos no futuro. Se optasse por revelar o segredo de Lenda para Jacks, para que ele pudesse roubar o poder do Mestre do Caraval, o Príncipe de Copas libertaria os Arcanos e, provavelmente, destruiria Lenda. Mas, se Donatella não revelasse o segredo de Lenda, se entregasse para o Mestre do Caraval as cartas que aprisionavam os Arcanos, ele iria destruí-los. E, ao fazer isso, também destruiria a mãe, já que todas as cartas eram conectadas.

Tella tirou os olhos da coroa e espiou pela janela. Lá de cima, as pessoas eram pouco mais do que partículas de cor, iluminadas pelas estrelas faiscantes, pelos lampiões acesos e por toda a empolgação febril da última noite do Caraval e da Véspera do Dia de Elantine.

Em outra história, Donatella desceria e se misturaria a essas pessoas. Tomaria vinho de especiarias e dançaria com desconhecidos. Talvez até beijasse alguém sob as estrelas. Era isso que deveria querer. Tentou se convencer a querer. Dar as costas para aquele jogo paralelo em que fora envolvida e para a mulher que lhe dera as costas. Parar de fingir que a mãe gostava dela. Mas o que Elantine disse a respeito de finais verdadeiros e quase-finais ainda a atormentava.

A garota queria dar as costas para a mãe, mas tinha a sensação de que estaria mais desistindo de lutar do que se libertando, contentando-se com pouco quando poderia ter muito mais. Por outro lado, Tella não queria que a mãe a magoasse novamente. Mas e se Elantine tivesse razão e Paloma realmente a amasse?

A mãe de Tella colocara as cartas nos cofres das estrelas para que ninguém tivesse acesso a elas. Talvez seu plano fosse nunca mais encostar no baralho. E se tivesse prometido a filha mais nova para as estrelas sem nunca ter a intenção de entregá-la? Talvez, guardar as cartas dentro de um cofre que só poderia ser aberto por uma chave amaldiçoada tenha sido o jeito que Paloma encontrou para garantir que estariam em um local seguro, onde ninguém teria acesso. Mas aí, sabe-se lá como, a mãe acabou presa dentro de uma carta.

Donatella não saberia dizer quando saiu da torre – mas, quando deu por si, estava descendo as escadas correndo, com pressa de chegar ao pátio onde o Caraval transcorria, pensando apenas na mãe.

Havia tanta magia no ar que ele estava denso, e Tella teve a sensação de que sua língua estava polvilhada de açúcar de confeiteiro, uma doce maneira daquele mundo encantado e obscuro tinha de dar boas-vindas. Havia Arcanos e símbolos desses seres místicos por toda parte.

O pátio palaciano fora transformado em um mercado que mais parecia algo saído de um mito. As barraquinhas tinham nomes como:

Vestidos Mágicos de Vossa Majestade
Empório dos Amuletos da Sacerdotisa, Sacerdotisa
Facas do Assassino e Estolas Matadoras
Óculos Mágicos do Aráculo

E também havia avisos, cartazes gigantes, homenageando outros Arcanos:

Se der um beijo na Senhora da Sorte,
ela vai realizar o maior desejo que há em seu coração.
Para uma noite curta, porém divertida, encontre o Bufão Louco!
Se vir a Criada Grávida, seu futuro está prestes a mudar...

Donatella não queria perder o foco – precisava chegar ao Templo das Estrelas –, mas estava difícil atravessar o pátio, porque as pessoas não paravam de abordá-la. Um vulto obscuro fantasiado de Envenenador a convidou para experimentar seu veneno. Diversas Estrelas Caídas ofereceram uma provinha de pó estelar.

Tella nem se dava ao trabalho de responder: ia desviando da multidão, apressada, o mais rápido que podia. Só teve um instante de atropelo, quando pensou ter visto Scarlett vestida de Noiva Abandonada, com um véu de lágrimas cobrindo o rosto. Parecia que chorava diamantes. Mas, se Scarlett soubesse o que a irmã mais nova estava prestes a fazer, com certeza tentaria impedi-la.

Donatella não queria que ninguém a impedisse. Aquela era a única chance que tinha de salvar a vida da mãe e, se a desperdiçasse, ficaria arrependida pelo resto da vida. Pegou a carruagem para o Distrito do Templos e, durante o trajeto, ainda sentia pontadas de culpa, só de pensar em revelar quem era o verdadeiro Lenda para Jacks. Mas pensou que se sentia assim só porque estava meio apaixonadinha por Dante. Tinha a sensação de que atraiçoar o Mestre do Caraval seria a mesma coisa que trair a confiança do rapaz. Mas, talvez, os dois não fossem a mesma pessoa. E, se Dante fosse mesmo Lenda, ele é que havia traído a confiança de Tella desde o início.

Quando a garota chegou ao Templo das Estrelas, já haviam soado dez badaladas.

Não precisou bater quando chegou às intimidantes portas do santuário. Elas se abriram sem fazer barulho, como se o templo a saudasse com um "oi" inaudível para Donatella.

Theron estava esperando do lado de dentro, era muito alto e parecia ainda mais imponente por causa da estrela brutal de oito pontas marcada, a ferro e fogo, em seu rosto impiedoso. Estava usando o mesmo traje da outra vez em que Tella o vira: uma armadura de couro grossa e uma capa azul-real.

O homem fez a gentileza de não comentar a forma intempestiva com que a jovem saiu do templo na noite anterior. Sua opinião acerca da fuga e do retorno de Donatella permaneceu escondida sob sua postura estoica.

O bater dos sapatinhos de Donatella no chão lustroso era o único ruído que se ouvia enquanto ela acompanhava Theron até uma entrada mais discreta. O chafariz de fogo no meio do recinto ainda não fora aceso, e uma densa camada de frio preenchia o ambiente.

Tella tinha perdido a capa em algum momento, lá no pátio imperial, o que deixava suas costas e seus braços à mostra – era para ela estar morrendo de frio. Apesar disso, seu pescoço pingava de suor quando falou:

– Estou aqui para abrir o cofre de minha mãe.

Os olhos de Theron pousaram no anel da garota.

– Você é uma pessoa de sorte já que tem um amigo tão bom.

Donatella pensou em Dante, e um arrepio de inquietação fez companhia ao suor que pingava de seu pescoço.

– O que ele te deu para conseguir quebrar a maldição do anel?

– Só existe uma maneira de quebrar a maldição. Mas sempre existe uma forma de desviar a maldição. Neste caso, fizemos uma troca que suspende temporariamente a maldição de seu anel. Então, vai querer continuar fazendo perguntas ou gostaria de ver seu cofre?

– Antes, diga o que foi que Dante te deu em troca.

– Seu amigo nos prometeu algo. Não posso dizer o que é. Mas, se está preocupada com ele, é melhor fazê-lo cumprir sua palavra.

– O que acontece se ele não cumprir?

Theron passou o dedo pela marca em forma de estrela que tinha no rosto e declarou:

– Se seu amigo Dante não pagar o que deve, vai morrer.

Donatella ficou com a boca seca.

Sem dizer mais uma palavra, o homem a levou até a porta guardada pelas estátuas de pedra agonizantes nos fundos do saguão. Chegando lá, destrancou o portão com o próprio anel.

Um ar quente com cheiro de mistérios sepultados e magia muito antiga preenchia o anexo octogonal. Ao contrário da entrada, aquela área não exibia ouro reluzente nem brancos perolados. Era de madeira muito velha e tinha a mesma seriedade discreta do andar mais alto da torre dourada de Elantine. Uma luz primeva criava vultos no chão irregular, e uma magia muito mais antiga que a de Lenda ou de Jacks roçou no dorso das mãos de Donatella, lambendo-as com línguas invisíveis.

Theron havia dito que aquele templo não era uma atração turística e estava falando a verdade.

Os cofres ficavam enterrados nos subterrâneos da construção. Do anexo, os dois passaram por uma porta que levava a uma escadaria em espiral com degraus de terra. Ela não contou quantos eram, mas foram tantos que suas pernas começaram a suar dentro do vestido cintilante.

Quando por fim terminaram de descer, passaram por corredores estreitos e escuros, iluminados por uma fileira de velas que parecia brotar do chão. Theron e Tella tinham que desviar delas com todo o cuidado.

No meio de um corredor tão escuro que a garota só conseguia enxergar a silhueta do homem, Theron finalmente parou diante de uma porta de pedra sem maçaneta.

— Essa porta só se abrirá para você. Para isso, basta pressionar seu anel nela. Mas atente-se a isso: o trato que seu amigo Dante fez conosco só permite que você abra este cofre uma única vez. Se decidir tirar ou deixar algum objeto aqui, esteja absoluta certa de sua decisão. Quando fechar essa porta, a única maneira de abri-la será pagando a dívida de sua mãe.

— Se eu nunca mais abrir — perguntou Tella —, o trato que foi feito em meu nome será cancelado?

— Não. Este voto já foi selado. Não abrir o cofre seria desperdiçar o sacrifício feito pelo seu amigo.

As palmas das mãos de Donatella ficaram suadas. Dante não deveria tê-la ajudado. Ela começou a torcer, ainda mais, para que o rapaz não fosse o verdadeiro Lenda. O Mestre do Caraval não tinha fama de se sacrificar pelos outros e, por mais lisonjeada que a jovem ficasse com a possibilidade de Lenda ter mudado por sua causa, Tella rezou em pensamento para que esse não fosse o caso, porque não faria a mesma coisa por ele. Estava ali para salvar a própria mãe a qualquer custo.

Donatella esperou Theron se retirar para abrir a porta do cofre. Ao contrário do corredor, que era estreito, o recinto do outro lado da porta era amplo e cheio de uma luz que vinha de uma fonte invisível. Não havia nada no meio da sala, mas as paredes estavam lotadas de prateleiras de um branco leitoso, repletas de tesouros fantásticos. Quadros realistas, instrumentos musicais de ouro, armas elaboradas, bibelôs dançarinos, relíquias antigas, tiaras de pedras preciosas, livros pesados e frascos sem etiquetas cheios de líquidos vaporosos que poderiam ser mágicos.

Aquela era a vida que Paloma levava antes de ir morar em Trisda.

Tella se permitiu examinar cada centímetro do lugar por um instante. Estava ardendo de curiosidade — e de desejo, por alguns dos objetos mais bonitos —, mas não queria perder tempo nem correr o risco de encostar em alguma coisa que fosse amaldiçoada, como o baralho da mãe.

Com as mãos cruzadas na frente do corpo, procurou com os olhos até encontrar a caixa. Um vento sobrenatural esgueirou-se nos ombros de Donatella. Era uma coisinha simples, de madeira, que não tinha nada de impressionante, a não ser a aura de breu que vibrava em volta da caixa, como se a luz no recinto não conseguisse chegar até ela.

Tella não viu mais nada até se aproximar da prateleira e levantar a tampa da caixa. As cartas eram iguaizinhas às de sua recordação. Um azul-noite tão escuro que era quase preto, com minúsculas partículas de ouro que brilhavam na luz e espirais de um violeta avermelhado bem escuro em relevo. No passado, essas espirais fizeram a garota imaginar flores orvalhadas, sangue de bruxa e magia.

Donatella ficou pensando o que as cartas diriam se tentasse ler o próprio futuro naquele momento, mas não teve coragem de virá-las.

Sem encostar em uma espiral em relevo sequer, Tella colocou o Aráculo em cima do baralho. Em seguida, pegou a carta que aprisionava a mãe, que estava bem escondida, dentro do vestido.

A aura em volta das cartas vibrou e escureceu, como se ganhar mais cartas tivesse tornado o baralho ainda mais poderoso.

Tella ignorou o mau pressentimento que sentiu naquele momento. Soltou o ar, tentando se livrar daquela pressão no peito que dizia para ela parar. Estava quase tudo terminado. Só faltava pegar o baralho e vencer o jogo. E aí poderia ter a mãe de volta.

Sua mão ficou pairando em cima da pequena pilha de cartas, imaginando quanto tempo Lenda demoraria para encontrá-la. Dante deveria ter contado para o Mestre do Caraval que as cartas estavam no templo. Existia a possibilidade de Lenda já estar esperando por ela, na escadaria. E Nigel havia prometido: "Se você vencer o Caraval, o rosto do mestre será o primeiro que verá".

Donatella respirou fundo. Para aquilo dar certo, precisava invocar Jacks antes de vencer oficialmente o jogo e de sair do Templo das Estrelas. Pôs a mão no bolso do vestido prateado, e seus dedos ficaram tateando, procurando a moeda sem sorte que o Arcano lhe dera. A voz de Theron ecoou no cofre instantaneamente.

— Não use essa magia vil aqui, senão vou fechar essa porta, e você nunca mais vai conseguir sair.

Tella tirou a mão do vestido. Seus dedos tremiam.

Devia ter invocado Jacks antes de entrar no templo. Teve a sensação de que não poder chamá-lo naquele momento era mais uma chance para mudar de ideia. Mas já havia tomado sua decisão. Quando pegasse as cartas e saísse do cofre, não poderia voltar atrás. Só precisava ser bem rápida e pegar a moeda sem sorte.

Mas, ainda assim, era um risco. Assim que saísse daquele templo, todos os Arcanos e todas as pessoas aprisionadas dentro das cartas seriam libertados pelo Príncipe de Copas, quando ele recobrasse todos os seus poderes das mãos de Lenda – ou todos os Arcanos e a mãe de Tella seriam destruídos pelo Mestre do Caraval, caso Jacks não chegasse a tempo.

O mundo estava prestes a mudar. Das duas, uma: ou todos os Arcanos e a mãe de Tella seriam libertados ou Lenda destruiria todos eles e se tornaria o homem mais poderoso do mundo.

Não era para menos que as estrelas haviam piscado naquela noite. E, quando Donatella pôs a mão na caixa de madeira, criou coragem para pegar o Baralho do Destino amaldiçoado e venceu oficialmente o Caraval, ela imaginou que no céu as estrelas piscaram mais uma vez.

39

Tella saiu do santuário com o coração disparado. Depois de tudo o que havia acontecido naquela noite, o coração da garota deveria ter esgotado suas batidas, mas conseguiu bater forte e bem rápido enquanto o ar gelado da noite fustigava seu rosto e fazia as folhas prateadas do vestido farfalhar. Ignorando o frio, Donatella pôs a mão no bolso de novo, para pegar a moeda sem sorte que Jacks havia lhe dado.

– Tella... – Uma voz grave, dolorosamente conhecida, a chamou na base da escadaria, seguida pelo eco das pisadas pesadas de Dante.

Ela ficou petrificada.

"Se você vencer o Caraval, o rosto do mestre será o primeiro que verá."

Não. Não. Não.

Donatella fechou os olhos antes que pudesse avistá-lo. Talvez, se não abrisse os olhos e o rapaz fosse embora, ela veria outro rosto, e Dante não seria o verdadeiro Lenda.

Ouviu o jovem se aproximando. As batidas das botas nos degraus eram pesadas e afoitas.

– Achei que você ia me encontrar depois da meia-noite – gritou Tella.

– Tive um pressentimento de que você chegaria mais cedo. – A voz estava um pouco mais perto.

– Você não deveria ter vindo.

– Olhe para mim, Tella. – Mais um passo. E então ela sentiu aquele calor inebriante que, pelo jeito, sempre rodeava aquele rapaz. Esse calor pressionava os ombros e o peito de Donatella, como se Dante estivesse bem diante dela. – Não consigo falar com você assim.

A garota continuou com os olhos bem fechados. Não era isso que deveria acontecer. Suspeitava que Dante era o verdadeiro Lenda, mas não era para tais suspeitas estarem certas.

– Não quero falar com você. Quero falar com Lenda.

– Então abra os olhos e fale comigo.

As pernas de Donatella ficaram bambas.

O rapaz passou os braços em volta dela, para que não caísse, enquanto o mundo da garota se despedaçava.

Dante era Lenda.

Lenda era Dante.

E continuava abraçando Tella. Tirou uma das mãos de sua cintura, e foi subindo até seus dedos acariciarem delicadamente o rosto da garota. Então segurou o queixo de Donatella e aproximou o rosto dela do seu. Tella conseguia sentir as palavras que Dante dizia:

– Fale alguma coisa, Tella.

Donatella abriu a boca para responder. Mas o rapaz estava tão perto que só conseguia sentir os lábios dele encostando nos seus. Eram macios, estavam entreabertos e, de repente, tentavam beijá-la.

Tella nem queria tentar resistir. Mas era muito mais do que isso.

Os dois se beijaram como se o mundo fosse acabar, grudando os lábios como se os céus estivessem se abrindo, e o chão, desmoronando. Como se o mundo estivesse em guerra, e aquele beijo fosse a única coisa capaz de pôr fim ao conflito. Enquanto Dante e Donatella se beijassem, nada mais existiria. Ela não queria abrir os olhos: assim que abrisse, o mundo estaria transformado. Dante desapareceria e só restaria Lenda.

Aquilo era de uma injustiça brutal. Tella havia acabado de descobrir o quanto desejava Dante. Mas, mesmo que o rapaz sobrevivesse àquela noite, Lenda era alguém que Donatella jamais poderia ter. O Mestre do Caraval era como um instante: podia ser vivenciado, mas nunca possuído.

Dante a beijou com mais força, ficou passando a mão no cabelo dela, pôs a outra na cintura da garota e a puxou mais para perto de si, como se tampouco quisesse que aquele beijo terminasse.

Mas tinha que chegar ao fim. Por melhor que fosse aquela distração. Quanto mais durasse, mais perigo Donatella correria.

A jovem se entregou ao momento pela duração de mais uma batida espetacular de seu coração, sentindo os lábios dele pela última vez. E aí se obrigou a parar de beijá-lo. Jamais conseguiria fazer o que tinha de ser feito se continuasse se entregando àquele momento.

Abriu os olhos, a contragosto.

Queria que Dante estivesse com outra cara. Queria que o olhar do rapaz fosse frio e distante. Queria que olhasse para seu rosto como se ele tivesse vencido o jogo. Queria que desse um sorriso cruel e tentasse arrancar o baralho de sua mão. Só que Dante nem sequer dirigiu o olhar para as cartas. Ficou apenas fitando Donatella. E ainda estava com uma das mãos em sua cintura. Uma mão muito mais quente do que deveria estar, naquela noite tão fria.

— Você venceu o jogo — disse Dante.

Em seguida, levantou a outra mão, como se quisesse acariciar o rosto dela. Donatella viu de relance a rosa preta tatuada na pele do rapaz. A rosa poderia ter arrancado uma risada de Tella, porque o desenho tornava sua verdadeira identidade muito óbvia, desde o começo. Então Dante virou o braço, e Tella viu a parte de baixo do pulso dele, logo abaixo da cicatriz do ferimento sofrido pelo artista durante o último Caraval.

Donatella o segurou pelo pulso. Ele se encolheu, mas não tentou impedi-la de levantar a manga de sua camisa.

Ela soltou um suspiro de assombro tão profundo que chegou a doer.

— Por todas as deusas e deuses!

Na parte de baixo do pulso de Dante, estragando uma de suas lindas tatuagens, havia uma marca brutal, em forma de estrela, igualzinha à que havia no rosto de Theron.

Donatella achava que Dante só havia feito aquilo por causa das cartas, não por causa dela. Recordou que era uma questão de conquistar o poder dos Arcanos. Mas, ainda assim, o rapaz ter permitido que o marcassem a ferro e fogo, de um modo tão permanente, lhe parecia errado.

— O que você prometeu para eles? — perguntou Tella.

— Não importa. Fiz isso por você e faria de novo.

Dante girou o pulso até ficar segurando a mão de Tella. Ainda não havia nem olhado para as cartas. Seus olhos castanho-escuros continuaram fixos nos dela, como se Donatella fosse seu prêmio.

E, *pelos deuses*, ela acreditava nele.

Aquilo era muito, muito errado.

Se Dante realmente fosse Lenda, não deveria se importar com Donatella. Não deveria continuar olhando para a garota como se ela tivesse acabado de abalar seu mundo só com um beijo. Deveria rir da cara de Tella, por ser bobinha ao ponto de ter se apaixonado por ele. Não deveria ficar tão perto, como se também tivesse se apaixonado por Donatella. Deveria arrancar as cartas das mãos da jovem e abandoná-la naqueles degraus de pedra da lua. Deveria partir o coração dela.

E Tella não deveria partir o coração de Dante.

O coração de Donatella por fim desacelerou. Não conseguiria fazer aquilo. Não podia roubar mais nada de Dante além do que já havia roubado. O Príncipe de Copas teria que dar um jeito de encontrar outra fonte de poder para libertar a mãe dela e os Arcanos.

– Você precisa ir embora. Imediatamente. – Tella soltou a mão do rapaz e completou: – Acionei a moeda sem sorte que Jacks me deu pouco antes de você chegar. Ele está vindo para cá. Quando chegar, vai roubar seus poderes e libertar todos os Arcanos.

Dante finalmente dirigiu um olhar para as cartas que Donatella tinha em mãos. Ela ainda não estava completamente preparada para pensar que ele era Lenda. Lendas deveriam ser melhores do que a realidade. Sonhos perfeitos, idealizados, e esperanças cristalinas que eram ideais demais para existir de verdade. E, naquele momento, Donatella poderia ter descrito Dante com essas exatas palavras, se a expressão nua e crua que surgiu no rosto do rapaz não doesse mais do que a decepção.

– Você quer entregar as cartas para Jacks?

– Mil perdões.

Tella apertou o baralho com força, e o jovem não tentou pegá-lo. Mas um músculo de seu maxilar ficou saliente, e ele cerrou os punhos até as juntas dos dedos ficarem brancas, como se estivesse lutando, com todas as suas forças, para resistir ao ímpeto de arrancar o baralho das mãos de Donatella.

– É por causa de sua mãe, não é?

– Achei que poderia esquecer dela, mas é minha mãe. Tenho tantas perguntas que gostaria de fazer e, apesar de tudo o que Paloma fez, não consigo deixar de amá-la. – A voz de Tella ficou embargada quando ela completou: — Não posso permitir que você a destrua, junto com o Arcanos.

Dante ficou com uma expressão dividida, como se tivesse sido partido ao meio, uma máscara de duas faces, formada de arrependimento e determinação.

— Se eu pudesse libertar sua mãe, faria isso. Mas a única maneira de libertar alguém preso em uma carta sem quebrar a maldição é ficar no lugar dessa pessoa.

— Não estou pedindo para você libertá-la. Estou pedindo para você ir embora antes que Jacks chegue.

Tella deu um empurrão no peito de Dante, mas ele nem se abalou. Não queria se mexer. O pânico aumentou, e ela deu mais um empurrão. Só que o rapaz não revidou nem saiu correndo. Não estava com medo. Era algo bem pior. Estava com esperança de que Donatella decidisse ficar com ele. Não foi embora nem pegou as cartas porque queria que Tella lhe entregasse o baralho.

Talvez ele tenha imaginado que, se Jacks chegasse, conseguiria derrotá-lo. De qualquer modo, Donatella ainda perderia a mãe ou perderia Dante.

A menos que salvasse a vida de ambos.

De início, essa ideia lhe pareceu frágil. Mas, como todos os pensamentos, foi ganhando força à medida que ela refletia. Aquele tempo todo, Tella havia pensado que o Príncipe de Copas era o único que poderia libertar sua mãe. Mas Donatella poderia assumir o lugar de Paloma dentro da carta. Na peça, Caspar havia explicado como se faz isso. Tella só precisava escrever o próprio nome na carta, com sangue. O sangue que Dante e Julian haviam lhe dado de beber, para tratar de seus ferimentos, ainda corria em suas veias. Se o próprio sangue mortal não bastasse, o sangue dos dois daria um jeito. Até então, não achava que tinha essa opção. O maior medo da garota era de ficar presa. Mas o Amor talvez fosse um ser de outro mundo, assim como o Ceifador da Morte. E, como Donatella abrira o coração para a possibilidade do Amor, ele não deixaria de procurá-la. E o Amor era muito mais poderoso do que a Morte.

Até então, subestimava o Amor. Achava que sentimentos românticos eram um tipo mais forte de desejo carnal — mas aquele momento não tinha nada a ver com desejo carnal e tudo a ver com estar mais preocupada com salvar a vida de Dante e da mãe do que com salvar a própria pele. E esse sentimento tornava Donatella mais destemida que nunca.

Com a opala pontiaguda do anel de Paloma, Tella apertou a ponta do dedo até sangrar.

— O que você está fazendo, Tella?

— Pode ficar com as cartas, mas prometa que irá embora antes de Jacks chegar.

A garota pressionou o dedo ensanguentado na carta que aprisionava a mãe.

— Tella — insistiu Dante —, o que você está fazendo?

— Estou bancando a heroína.

— Não! — O rapaz urrou no instante em que se deu conta do que ela queria dizer com isso. — Não faça isso, Tella. Sua mãe não desejaria que você fizesse isso.

Ele tentou pegar a carta em que Paloma estava, mas era tarde demais. Donatella já escrevera o próprio nome nela, com sangue.

— Está feito — disse Tella.

Então tentou sorrir. Finalmente, era a heroína da história. E apenas lhe custara tudo.

Seus lábios estremeceram, e lágrimas quentes rolaram de seus olhos.

— Tella... — Dante disse o nome dela com a voz rouca, como se estivesse prestes a cair no choro também. — Sei que você não quer acreditar em mim, mas nunca quis que isso acontecesse com você. Quando planejei o jogo, sabia que sua mãe havia escondido as cartas, mas não sabia que estava presa dentro de uma delas. — Nessa hora, ele passou os dois dedões da mão no rosto da garota. Mas, quanto mais lágrimas secava, mais lágrimas caíam. — Sinto muito, muito mesmo, por não ter conseguido salvar você.

Donatella aninhou o rosto nas mãos de Dante. Não passara por sua cabeça que Lenda pediria desculpas, mas a culpa não era dele. Tella havia optado por aquele caminho. Poderia ter optado por outro, se quisesse. Não sabia quanto tempo demoraria para o feitiço surtir efeito, mas achava que seria logo. E, como sua história não teria um verdadeiro final feliz, pelo menos podia tentar ter um último instante bom durante seu quase-final.

— Menti para minha irmã quando disse que não gostei de beijar você.

Dante deu um beijinho na testa dela e falou:
— Eu sei.
— Deixe eu terminar de falar — censurou Donatella. — Quero que você saiba por que eu menti. Não estava com vergonha. Disse aquilo para minha irmã não ficar preocupada, porque acho que já sabia, naquele momento, que eu poderia...

A noite. O mundo. As estrelas que observavam tudo lá do céu. Tudo desapareceu.

E, em seguida, Tella também desapareceu.

40

As pessoas que ainda olhavam para o céu, à procura de pistas apesar de o jogo já ter um vencedor, podem ter percebido que mais estrelas surgiram, estrelas que não eram vistas há séculos. Porque se passara quase a mesma quantidade de tempo desde a última vez que alguém havia feito um sacrifício de tamanha magnitude.

Seres humanos são criaturas egoístas. As estrelas testemunharam isso incontáveis vezes.

Mas, naquela noite, quando as estrelas olharam para o mundo, viram cenas que lhes pareceram verdadeiras atitudes altruístas.

Primeiro, a atitude da garota.

Garota tola.

Ela parecia promissora. E se tornara inútil. Um pedaço de papel.

Mas foi interessante ver a reação do rapaz.

As estrelas se inclinaram, para ver mais de perto. O rapaz estava distraído, permitindo que elas se movimentassem mais livremente do que nas noites anteriores. Era um deleite vê-lo sofrer. Aquele jovem, que parecia não se importar com ninguém, apenas consigo mesmo, tremia de raiva. Ainda bem que não havia feito nenhuma tolice muito grande. Fizera um trato com as estrelas, e as estrelas estavam loucas para que ele o cumprisse. Não adiantaria nada se ficasse preso dentro de uma carta ou morresse.

Não que acreditassem que o jovem sacrificaria a própria vida pela garota. Seres humanos não são tão altruístas. Mas aquele rapaz não era completamente humano.

Ele pegou o anel que caíra da mão dela, quando foi transformada em carta. A pedra do anel ardia em tons de vermelho e violeta – voltara a ser amaldiçoada, mas ainda era bem pontiaguda, capaz de furar a pele. O jovem passou a pedra na palma da mão. O sangue brotou, vermelho como a mágoa e o pavor. Puro poder.

As estrelas observaram com uma curiosidade mórbida o rapaz cobrir o baralho com a magia de suas veias, uma magia maior do que qualquer ser humano deveria possuir. Em seguida, ele disse as palavras, palavras ancestrais, terríveis, que nem deveria conhecer, que dirá estar disposto a pronunciá-las.

O sangue que cobria o baralho escureceu, e o mundo foi transformado mais uma vez.

41

Não era para Tella conseguir abrir os olhos. Há poucos instantes não conseguia respirar, se movimentar e sentir qualquer coisa a não ser que estava presa. Estava inanimada, impotente.

Mas então sentiu a brisa da meia-noite brincando com seus cachos e uma mão quente em suas costas, uma mão que a aninhava contra um corpo ainda mais quente – o corpo de Lenda.

Aquele era Lenda, não Dante. Donatella sentia isso na magia que vibrava nas mãos aquecidas do rapaz – mãos que possuíam tamanha força que poderiam partir mundos ao meio. Mas elas a tocavam com delicadeza, segurando-a e impedindo que seu corpo em recuperação caísse no chão. Tella não sabia quanto tempo tinha ficado presa dentro da carta, mas ainda sentia os efeitos da prisão exaurindo suas forças. O coração batia normalmente, mas as pernas haviam virado geleia, os braços não tinham ossos. Mal conseguia se mover.

Concentrou as forças em piscar, batendo as pestanas até a visão ir voltando, lentamente, e ficar nítida. Ainda estavam na escadaria de pedra da lua do Templo das Estrelas. A noite estava igual, como se o tempo não tivesse passado. Só que, talvez, o céu estivesse um pouco mais iluminado do que antes. Ganhara o brilho de outras estrelas. Mas Tella não queria olhar para as estrelas. Queria olhar para ele.

O rapaz estava com uma expressão tão sombria que parecia ter roubado um pouco do breu da noite. Donatella tinha vontade de esticar a mão e desfazer a ruga profunda que se formava entre os olhos dele, tinha vontade de aliviar a dor que via em seu rosto, mas não tinha forças para se movimentar.

– O que aconteceu? – sussurrou. – Por que não deu certo?

– Deu, sim. – Ele a abraçou com mais força, apertando-a contra o peito, enquanto passava as mãos pelas suas costas, como se quisesse ter certeza de que Donatella ainda era de carne e osso. – Eu vi você sumir e reaparecer no lugar de sua mãe, dentro da carta.

– Mas como estou aqui? E cadê minha mãe?

Tella olhou para os degraus reluzentes, para as estátuas imóveis e poderia jurar que as esculturas observavam os dois com toda a atenção.

– Não se preocupe. Ela está bem – disse Lenda. Sua voz grave estava embargada, ofegante. Como se, para cada palavra que dissesse, houvesse outra, que não tinha coragem de pronunciar. – Imagino que sua mãe esteja no mesmo lugar que estava pouco antes de ser transformada em carta. Senão, estaria aqui conosco.

– Ainda não consegui entender.

As mãos que seguravam suas costas pararam de acariciá-la.

– Sei que você estava disposta a se sacrificar por ela, mas eu não estava disposto a sacrificar você.

O rapaz tirou uma das mãos das costas de Tella, e um raio de luar incidiu na palma cor de bronze, iluminando um corte aberto, bem no meio.

– Eu quebrei a maldição das cartas.

– Mas...

Donatella deixou a frase no ar, sem saber direito contra que parte daquilo tudo queria protestar. Estava disposta a sacrificar tudo, estava preparada para ficar presa dentro de uma carta, para salvar a vida da mãe e a dele. E para impedir que os Arcanos fossem libertados e governassem o Império novamente. Mas um lado seu, muito egoísta, estava tão aliviado... Pelo jeito, sua história poderia ter, um dia, um verdadeiro final feliz, afinal de contas.

Tella poderia ter se jogado nos degraus e chorado, de alívio e de incredulidade. Lenda poderia ter destruído as cartas e roubado o poder de todos os Arcanos. Poderia ter feito tudo o que quisesse. Se tivesse destruído os Arcanos, sua magia seria ilimitada – não precisaria esperar pelo auge que ocorria durante o Caraval. Teria o poder dos Arcanos: a capacidade de prever o futuro do Aráculo; as benesses da Senhora da Sorte; a habilidade de viajar no tempo e no espaço do Assassino; a sabedoria da Dama Prisioneira. E, em vez de tudo isso, optara por salvar a vida de Donatella.

– Não consigo acreditar que você fez isso por mim. – Ela tirou os olhos da mão ferida de Lenda e dirigiu o olhar para o belo rosto do Mestre do Caraval. – Acho que isso significa que você é o herói, afinal de contas.

Lenda fechou a cara ao ouvir a palavra "herói", como se preferisse não ser chamado assim. Mas Tella nem ligou. Lenda era o herói dela.

A garota ainda mal conseguia mexer os braços, mas conseguiu passar a mão na nuca do Mestre do Caraval quando o primeiro dos muitos fogos de artifício explodiu no céu. Ouviu os fogos brilharem e espoucarem quando inclinou a cabeça e beijou os lábios volumosos dele. No primeiro momento, os lábios de Lenda não se mexeram. Donatella entrou em pânico, achando que havia algo de errado, pensando que o Mestre do Caraval poderia ter se arrependido do que fez. Então o beijou com mais cautela e já estava afastando o rosto quando Lenda beijou o canto de sua boca, bem de leve.

Talvez, estivesse com medo de machucá-la.

Quando a beijou de novo, foi com uma delicadeza absurda: suas mãos mal acariciaram a cintura dela, e os lábios foram percorrendo seu rosto lentamente, até descer pelo pescoço. Com uma leveza quase dolorosa. Parecia uma música delicada, o arrebentar das ondas do mar ao longe: perto, mas ainda distantes demais. Tella tinha vontade de eliminar aquela distância. Era para ela estar sentindo que aquilo era o início de algo, mas mais parecia um fim. Como se cada roçar dos lábios leves como uma pluma de Lenda fosse um adeus tácito.

Mais fogos explodiram no céu, dourados e violetas, e mais luminosos do que os anteriores.

A jovem apertou o pescoço do Mestre do Caraval, tentando se apegar a ele e àquele momento, mas Lenda já estava se desvencilhando e a colocando nos degraus.

– Que foi? – perguntou Tella.

– Preciso ir embora. – Lenda fechou os olhos, apertou os lábios em uma expressão severa e a soltou completamente. Colocou o corpo fraco de Donatella no chão, abandonando-a no alto da fria escadaria de pedra da lua. – Adeus, Tella.

Ela sentiu um vazio no estômago. Se estivesse de pé, poderia ter caído.

Lenda estava se afastando. Abandonando Donatella.

– Espere... Aonde você vai?

Ele continuou descendo a escada.

Por um instante, Tella teve medo de que Lenda não fosse sequer olhar para trás. Mas, quando olhou, foi quase pior. Seus olhos, que antes estavam tão afetuosos, tão cheios de emoção, não brilhavam nem reluziam nem faiscavam mais. Estavam vazios, escuros, e ficavam mais frios a cada batida do coração da garota, como os fogos de artifício que se apagavam no céu.

– Tenho um compromisso. E, apesar do que possa parecer, não sou o herói de sua história.

Algo se partiu dentro de Tella. Pode ter sido seu coração, que se partiu enquanto Lenda se afastava – como se o Mestre do Caraval não tivesse acabado de libertar os Arcanos e desgraçado o mundo inteiro por causa dela.

42

Os degraus debaixo de Tella estavam gelados, mas não tinham a frieza do rapaz sem coração que a abandonara ali – longe disso. Donatella já havia sido abandonada por outros rapazes, mas nunca sofrera tanto. Tinha vontade de levantar, de ir embora de cabeça erguida, como se Lenda fosse tão insignificante para Tella quanto ela era para Lenda. Mas ainda tinha a sensação de que suas pernas e braços eram de papel: fracos e ridículos, de tão finos.

Um suspiro dramático interrompeu o refrão dos fogos de artifício que ainda espoucavam no céu. Em seguida, Jacks veio subindo as escadas sem pressa, sacudindo a cabeça. Parecia ter se arrumado para a ocasião e entrado em uma briga de rua logo depois. Seu paletó ajustado tinha detalhes esgarçados, em filigranas douradas. A camisa cor de creme poderia até ser refinada, se a renda não tivesse sido arrancada dos punhos e do colarinho. E também faltavam dois botões no pescoço.

– Eu avisei que era uma péssima ideia entrar em uma carta.

– Como você sabe o que aconteceu?

– Sou Arcano. Sei das coisas.

A garota tentou ficar em uma posição mais digna, mas os braços e as pernas continuaram firmemente plantados na pedra gelada.

– Você sabia que isso ia acontecer desde o início?

– Era uma possibilidade. – O Príncipe de Copas continuou subindo os degraus daquele seu jeito indolente. Podia até estar decepcionado por Lenda já ter ido embora, mas sua voz não deixou isso transparecer. O belo rosto estava com uma expressão indecifrável. Parecia absolutamente indiferente, tirando a ruga minúscula que se formou entre as sobrancelhas. – Dor de cotovelo não cai bem em você.

– Não estou com dor de cotovelo, estou brava – retrucou Tella. Jacks era a última pessoa com a qual gostaria de abrir o coração. Mas, tendo em vista que o Arcano era a única pessoa ali além dela e que seu coração já estava arrebentado, não conseguiu se segurar. – Um dos motivos para eu ter me enfiado naquela carta foi impedir que você roubasse os poderes dele ou o matasse. E ele simplesmente me abandonou nessa escada.

– Sério que você esperava mais de Lenda?

Talvez Donatella não esperasse outra coisa de Lenda, mas queria mais de Dante. Como alguém que tinha aberto mão de tudo, depois de ter se esforçado tanto para conquistar aquilo, simplesmente a havia abandonado? E por que se dera ao trabalho de beijá-la? Deveria tê-la soltado no instante em que encostou os lábios nos dele.

– Você está com dor de cotovelo, sim!

O Príncipe de Copas torceu os lábios com nojo.

– Pare de me recriminar. Só parece que estou com dor de cotovelo porque não consigo me mexer. Se conseguisse, não estaria largada aqui. Estaria com minha mãe.

– Então você sabe onde ela está? – questionou o Arcano, arrastando as palavras.

Tella olhou feio para ele.

– Você não tem nada melhor para fazer, não? Não deveria estar comemorando com todos os demais Arcanos que Lenda acabou de libertar?

– Você tem noção do quanto ficou fraca depois de passar poucos minutos dentro de uma carta? Os demais Arcanos ficaram presos por séculos. Podem até estar fora das cartas. Mas levarão semanas, no mínimo, para reunir forças suficientes para abrir os olhos. E sua mãe também. Quando os Arcanos acordarem, ainda não terão todos os seus poderes, graças a Lenda.

– Então por que você não vai tramar um plano para reaver o resto de sua magia?

– Quem disse que não vou?

O Príncipe de Copas deu um sorriso mostrando as covinhas, aquelas covinhas profundas que Donatella reparou na primeira vez que o viu. Odiou as tais covinhas tanto quanto as odiou naquela ocasião. Covinhas deveriam ser charmosas e bondosas, mas as de Jacks sempre pareciam mais uma forma de atacá-la.

Os braços e as pernas da garota ainda não estavam funcionando, mas ela conseguiu encará-lo com raiva.

– Vá embora.

– Eu vou. Mas você vai comigo.

Com um único e ágil movimento, Jacks a pegou no colo. Seus braços finos eram bem mais fortes do que aparentavam.

– O que você está fazendo? – gritou Tella.

– Vou levar você até sua irmã. Não desperdice a pouca energia que ainda tem lutando contra isso.

Ah, se ao menos Tella conseguisse lutar com ele. Mas não tinha forças e estava tão cansada de lutar... Seu espírito de luta havia morrido naqueles degraus, no instante em que Lenda foi embora. Ela só queria que a noite terminasse e que o sol voltasse. Só para não ter que enxergar todas aquelas estrelas de sangue e lembrar de Lenda quando olhasse para o céu. Seu único triunfo era saber que a mãe estava livre. Mas, até que a visse em carne e osso, ainda teria a sensação de que estava desaparecida.

– Por acaso você está chorando? – perguntou o Príncipe de Copas.

– Não ouse me criticar por isso.

As mãos do Arcano ficaram tensas. Uma onda gelada beijou Tella, lembrando de como Jacks era antes de seu coração começar a bater novamente.

– Se está chorando por causa de Lenda, não chore. Ele não merece. Mas, se for por causa das cartas... – nessa hora, o Príncipe de Copas olhou para a garota e, por um instante que passou com a rapidez de um relâmpago, toda a indolência e toda a falta de sensibilidade se esvaíram de sua expressão – ... fiz a mesma coisa. Você não seria humana se não chorasse.

– Achei que você não era humano.

– E não sou. Mas houve um tempo em que fui. Ainda bem que não durou muito – completou Jacks.

Mas Tella pensou ter ouvido um toque de arrependimento na voz dele.

Espichou o pescoço e olhou nos olhos do Arcano. Que também olhou nos olhos dela, e Donatella jurou que a expressão do Príncipe de Copas se suavizou, graças a algo parecido com preocupação: seus olhos azuis prateados ficaram úmidos, enchendo-se de lágrimas prestes a cair.

— Por que você está sendo tão legal? — perguntou a garota.

— Se você me acha uma pessoa legal, precisa muito conhecer pessoas melhores.

— Não, você está sendo gentil. Está aí, me abraçando, bem pertinho, e revelando coisas íntimas. Por acaso me ama agora?

Ele deu uma risada debochada.

— Você está mesmo convencida disso, não é?

Tella deu um sorrisinho atrevido.

— Fiz seu coração voltar a bater. Isso praticamente faz de mim um Arcano.

— Não — respondeu Jacks, curto e grosso, perdendo qualquer vestígio de bom humor. — Você ainda é bem humana, e eu não te amo.

As mãos do Príncipe de Copas se tornaram tão frias que Donatella ficou meio esperando que ele a soltasse no chão e a abandonasse ali, como Lenda havia feito. Mas, por algum motivo, o Arcano continuou segurando a jovem no colo. Continuou abraçando Donatella e a carregou até uma carruagem aérea de assentos cor de manteiga com bainha azul-real e cortinas do mesmo padrão de cores nas janelas ovais. Tella ficou pensando que aquela poderia ser a mesma carruagem em que vira Jacks pela primeira vez, o mesmo veículo minúsculo onde o Príncipe de Copas ameaçara jogá-la pela janela só para ver o que aconteceria. Só de lembrar, Donatella ficou com o corpo todo tenso, ainda mais por estar, naquele momento, nos braços de Jacks. Ele até podia estar bancando o atencioso, mas estava longe de ser alguém bom e de deixar de ser perigoso.

— Por acaso você acabou de lembrar que não gosta mesmo de mim? — perguntou ele.

— Não tinha esquecido. Estava recordando da primeira vez que nos vimos. Você sabia quem eu era?

— Não.

— Então você costuma ser assim, tão encantador, com todo mundo?

O Príncipe de Copas acariciou lentamente o braço da garota: seus dedos não eram mais tão gelados como antes de seu coração recomeçar a bater, mas ainda eram frios.

— Quando eu podia contar com todos os meus poderes, fazia as coisas mais vis. Eu dizia coisas muito piores do que o que falei para você na carruagem e, ainda assim, as pessoas se dispunham a atraiçoar a própria mãe, ou o grande amor delas, só para me agradar. Apesar de eu não ter mais esses poderes, ser herdeiro do trono tem um efeito bem parecido. — Os olhos que fitavam Tella eram cor de geada e desprovidos de sentimentos e de remorso, em igual medida. — Ninguém gosta de mim, Donatella, mas as pessoas concordam com tudo o que eu digo. Às vezes, a única maneira que tenho de me divertir é ver até onde posso chegar antes que a pessoa se encolha de medo.

— Você não tem sentimentos mesmo, não é?

— Eu sinto.

— Mas não como os seres humanos.

— Não. Demoro muito mais para sentir alguma coisa e, quando sinto, é infinitamente mais forte.

O Príncipe de Copas tirou a mão do braço da garota. Mas, por uma fração de segundo, Tella sentiu que os dedos dele ficaram duros como metal.

Quando o cocheiro pousou no palácio, o ar estava denso, de tanta fumaça comemorativa. Jacks nem perguntou se as pernas de Donatella já tinham voltado a funcionar. Mais uma vez, pegou o corpo inerte dela no colo e a carregou para fora do pavilhão das carruagens no instante em que um último dos fogos de artifício azuis explodiu no céu, derramando um brilho cor de safira sobre cada centímetro do palácio precioso de Elantine.

Os olhos do Príncipe de Copas ficaram com um brilho de relâmpago sob aquela luz, uma expressão um tanto sobre-humana demais para ser chamada de tristeza. E, apesar disso, essa foi a única palavra que Tella encontrou para descrevê-la.

— Por que você não está assistindo à queima dos fogos com a imperatriz? — perguntou a jovem.

— Você não ficou sabendo? O filho desaparecido dela voltou, e Elantine o reconheceu oficialmente. Ou seja: não sou mais herdeiro do trono.

Donatella não sentiu pena do Arcano. O reinado do Príncipe de Copas seria uma desgraça para todo o Império Meridiano. E, apesar disso, algo naquela situação atiçou uma pulga atrás da orelha dela. Quando Elantine comentou, no início da noite, sobre o filho perdido, não falou com um tom de mãe que acabara de encontrar o filho há muito perdido. Tella até ficou achando que o novo herdeiro da imperatriz era um impostor, uma farsa que só existia para impedir que Jacks subisse ao trono.

A atitude calculada da imperatriz para proteger o Império de Jacks era admirável — Elantine fez o que devia ser feito. Mas Donatella tinha a impressão de que havia alguma coisa errada.

— Nada de desmaiar agora. Prefiro não encarar a ira de sua irmã.

— Não vou desmaiar — mentiu Tella. — E, por falar em minha irmã, você não me contou o que vocês dois estavam fazendo juntos, outra noite, na carruagem.

— Estávamos nos beijando com paixão.

Donatella engasgou.

Jacks ergueu um cantinho da boca.

— E nada de morrer agora, garota. Eu estava brincando. Contei para sua irmã que tinha encontrado a mãe de vocês, e ela pediu minha ajuda para também encontrar alguém.

O que era muito melhor. Mas, mesmo assim, desconcertante.

— Quem Scarlett estava procurando?

— Outro rapaz, não aquele que está sentado com ela neste exato momento.

O Príncipe de Copas se virou lentamente para o jardim de pedra.

Ali estava mais quente, como se aquele cantinho do palácio não tivesse sido tocado por nada de ruim. Mas as estátuas, pelo jeito, estavam mais aflitas do que da última vez que Tella as vira. Todas pareciam mais atormentadas do que antes. Como se soubessem que Lenda tinha acabado de libertar os Arcanos e que eles estavam soltos pelo mundo — os mesmos Arcanos que, há tanto tempo, transformaram o jardim cheio de serviçais em pedras imóveis porque queriam uma decoração mais realista.

Donatella tremeu nos braços de Jacks.

Scarlett, pelo jeito, estava alheia a tudo. Ela e Julian estavam sentados, bem juntinhos, em um banco entre as estátuas, com cara de quem tinham voltado a namorar e estavam gloriosamente apaixonados. Tella jurou ter visto dálias que só desabrocham à noite abrirem as pétalas, bem em cima da cabeça dos dois.

Pelo menos, uma das irmãs encontrara a felicidade.

– Vocês dois finalmente fizeram as pazes? – resmungou Tella.

Scarlett e Julian se soltaram de supetão. Em seguida, Scarlett levantou do banco e foi para cima de Jacks e do corpo cambaleante de Tella.

– O que você fez com minha irmã?

Scarlett apontou para o Arcano, e suas luvas de renda branca se transformaram em luvas de couro, de um preto formidável.

Poderia ter feito mais do que apontar, caso Julian não a tivesse segurado pela cintura. O rapaz estava fantasiado de Caos, com uma armadura pesada e duas manoplas farpadas: parecia prestes a entrar em uma batalha. Mas Donatella viu um medo sincero fervendo sob a superfície dos traços rudes do artista. Ao contrário de Scarlett, Julian deveria saber que Jacks era o Príncipe de Copas. E, se fosse mesmo irmão de Lenda, deveria estar se perguntando por que o Arcano continuava vivo.

Jacks simplesmente soltou um suspiro e disse:

– Ninguém nesta família sabe agradecer?

– Sempre que te vejo, minha irmã está machucada – declarou Scarlett.

– Nem sempre.

O Príncipe de Copas mostrou os dentes, tirou os olhos de Julian e os dirigiu para Scarlett. Tella não sabia o que Jacks tentou transmitir com aquele olhar, mas foi o que bastou para a irmã acalmar.

– E não foi culpa minha – prosseguiu o Arcano. – Sua irmã venceu o jogo. Mas isso lhe custou muito caro. Ela desmaiou no Distrito dos Templos, e Lenda, sendo o cavalheiro que não é, simplesmente largou Donatella lá.

– Você conheceu Lenda? – perguntou Scarlett, com um tom que era tanto de curiosidade quanto de desconfiança. E combinava com a expressão dividida de Julian, que também parecia estar surpreso e nervoso ao mesmo tempo. Quando Scarlett estava presente, o rapaz só tinha olhos para ela. Mas, naquele instante, observava Tella, como se tivesse medo do que a garota pudesse dizer.

— Eu...

A língua de Donatella ficou grossa de repente, e os braços de Jacks ficaram tensos na mesma hora. Devia ser por isso que o Arcano estava fingindo tanta preocupação: ainda queria saber qual era a verdadeira identidade do Mestre do Caraval, para conseguir reaver todos os seus poderes e voltar a fazer outras coisas além de matar com um beijo. Mas, mesmo que Tella estivesse disposta a revelar o segredo de Lenda para o Príncipe de Copas, teve a sensação de que, por mais que tentasse, não conseguiria contar nada, de tão pesada que estava sua língua e de tanta pressão que a magia fazia em sua garganta.

— Eu não me lembro direito — desconversou. Em seguida, lançou um olhar para Julian e completou: — Assim que venci, Lenda foi embora.

Os olhos de Julian brilharam de alívio.

Scarlett ficou com uma expressão ainda mais desconfiada.

Jacks respirou fundo, e seu peito subiu e desceu lentamente, apertando as costas de Tella.

— Acho que está na hora de eu ir embora. A mãe de vocês ainda precisa ser encontrada.

— Não! — exclamou Donatella.

Scarlett enrijeceu a postura.

O Arcano franziu o cenho e falou:

— Depois de tudo o que aconteceu, você não quer vê-la?

— Claro que quero vê-la. Só não quero que você ponha as mãos nela.

— Vou usar luvas — retrucou Jacks. E aí falou baixinho, no ouvido de Tella: — Todo mundo sabe que nunca é uma boa ideia fazer tratos com um Arcano. Mas as pessoas fazem, mesmo assim, porque sempre cumprimos nossa palavra. Falei que, se você vencesse o jogo, eu traria sua mãe de volta e é isso que vou fazer.

O Príncipe de Copas colocou a jovem nos braços abertos de uma estátua gelada, com todo o cuidado.

Por um instante, ela sentiu um ímpeto pervertido de agradecê-lo. Mas Jacks era o último ser a quem Donatella agradeceria.

— Continuo odiando você — disse.

— É melhor que seja assim.

O Arcano saiu do jardim com passos silenciosos. Em seguida, Scarlett ajudou Tella a descer dos braços rígidos da estátua.

Donatella ainda tinha a sensação de que suas pernas eram de geleia, mas conseguiria ficar de pé se a irmã a amparasse. Aconchegou-se no corpo macio dela. Ainda estava quente no jardim, mas o frio já se infiltrava. A geada se formava nas estátuas abandonadas, e as dálias noturnas já tinham fechado suas pétalas.

– Podemos voltar para o palácio? – murmurou Tella.

– Claro – respondeu Scarlett.

– Precisam de ajuda? – perguntou Julian.

Scarlett fez que não e algo tácito ocorreu entre os dois. Julian deu um beijinho de leve no rosto dela e então se virou para Donatella. Seus olhos cor de âmbar refletiam algo muito parecido com pesar.

– Desculpe – disse o rapaz. Não chegou a dizer o nome do irmão, mas Tella sabia que Julian estava falando de Lenda. – Ele consegue transformar uma pessoa no centro do seu universo quando ela participa dos jogos. Mas, quando o jogo termina, *sempre* vai embora e nunca olha para trás.

Tella teve a sensação de que Julian estava tentando ajudar, mas conseguiu tornar tudo um pouco pior.

– Não tem problema – falou. – Estou feliz que o jogo terminou.

O rapaz pôs a mão na própria nuca e ficou massageando. Donatella ficou com receio que ele fosse dizer mais alguma coisa, algo mais difícil de ignorar sem demonstrar emoções. Mas achou que Julian estava com mais vontade de encontrar o irmão do que de continuar conversando com ela. Provavelmente ele soube que as coisas não haviam saído como planejado no instante em que Tella surgiu nos braços de Jacks.

Sem dizer mais uma palavra, Julian saiu do jardim e sumiu no meio da noite.

No instante em que ele foi embora, Scarlett se virou para Tella, com os olhos repletos de perguntas. Donatella não sabia se a irmã queria perguntar da mãe, do jogo ou do que Tella havia feito para estar em um estado tão lastimável.

Só sabia que não queria brigar nem discutir nem ver decepção no rosto da irmã. Scarlett merecia ter respostas para suas perguntas, mas Tella não estava preparada para contar toda a história. Só queria que alguém a consolasse e cuidasse dela até o sol raiar.

Scarlett a abraçou bem forte e disse:
— Sou toda ouvidos quando você quiser falar.
— Prefiro esquecer. — Nessa hora, Donatella se encolheu nos braços da irmã. Não queria dizer nada. Mas, quando abriu a boca, as palavras escaparam pelos seus lábios. — Cometi um erro, Scar. Nunca quis me apaixonar por ninguém, mas acho que me apaixonei por Lenda.

DIA DE ELANTINE

43

Foi o Dia de Elantine mais tranquilo de que o Império Meridiano já teve notícia. Depois de uma semana de constelações ardentes e de expectativa, todas as comemorações do aniversário foram canceladas porque a saúde da imperatriz continuava precária. Os súditos foram informados da doença de Vossa Majestade naquela manhã, e toda a cidade de Valenda estava em um clima sombrio. Nem mesmo o sol brilhava como de costume: pelo jeito, contentava-se em ficar escondido atrás das nuvens. Só havia uma brechinha entre as nuvens, e ela permitia que um raio de luz entrasse no quarto onde as irmãs Donatella e Scarlett Dragna estavam acomodadas.

De sua parte, a filha mais nova da família Dragna, Donatella, tinha a sensação de ter entrado em um mundo onde seus sonhos e seus pesadelos haviam colidido.

Sonhara tantas vezes com a mãe... Normalmente, tinha pesadelos em que Paloma a abandonava de novo. Mas, de vez em quando, Donatella sonhava que a mãe havia voltado. O sonho era sempre igual: Tella estava dormindo, e a mãe a acordava dando um beijo afetuoso na testa da filha. Os olhos da garota se abriam lentamente, e então seus braços voavam para enlaçar o pescoço de Paloma, e reinava uma alegria indescritível.

Sempre foi uma sensação de vontade de chorar misturada com necessidade de rir: o tipo de felicidade que é quase dolorosa. E apertava o peito de Tella, deixando-a com dificuldade de respirar e de falar. E era para a sensação ser ainda mais potente, já que Paloma havia voltado.

Ela estava ali, deitada na cama de Scarlett, tranquila como uma donzela em perigo, com o rosto pálido, o cabelo castanho-escuro e os lábios muito vermelhos de um jeito que não era natural. Tella tentou não se preocupar com a coloração exagerada dos lábios e da pele da mãe, recordando que, por anos, ela fora um desenho em uma carta, não uma mulher.

A mãe das duas estava livre, e era graças a Donatella. Esse triunfo, por si só, deveria ter dado a Tella asas que permitiriam a ela sair voando pelo quarto, atravessar a janela e ir além do pátio de vidro do palácio. Mas, ao pensar em asas, a garota recordou de um par de asas tatuado nas belas costas de alguém. Que, em seguida, invocou lembranças da única pessoa na qual Donatella não deveria estar pensando. *Lenda*.

Seu sangue ferveu só de pensar no nome dele.

Não fazia ideia de para onde o Mestre do Caraval havia ido depois de abandoná-la nos degraus da escada, na entrada do Templo das Estrelas. E não queria nem imaginar. Não tinha a menor vontade de ficar repassando na cabeça cada uma das vezes que o encontrou, cada palavra que ele dissera, cada olhar que lançara ou cada beijo dos dois. Todas as lembranças doíam, atrás dos olhos, nos pulmões e na garganta, onde havia um nó que incomodava e crescia toda vez que Donatella se lembrava do último momento que passaram juntos.

Continuar pensando em Lenda lhe parecia uma fraqueza. A jovem sabia que, depois de tudo que viveram juntos, tinha que se tornar uma pessoa absolutamente insensível e desprovida de sentimentos para conseguir bani-lo de seus pensamentos. Só que Tella jamais quis ser desprovida de sentimentos. E tampouco queria ser consumida por Lenda.

A única maneira de parar de pensar nele era continuar se concentrando na mãe, que estava ali e, em algum momento, acordaria.

Tella ainda estava abismada com o fato de Jacks ter cumprido a promessa e lhe devolvido Paloma. Talvez o Arcano estivesse mesmo apaixonado por ela. Donatella *era* o único e verdadeiro amor do Príncipe de Copas. Mas Tella achava que ser o objeto do afeto de um Arcano era uma coisa perigosa. Mas, por enquanto, não estava preocupada com seres místicos. Jacks havia deixado bem claro que eles demorariam mais do que sua mãe para acordar.

Ela passou um pano úmido na testa da mãe, não que fizesse alguma diferença. Paloma não estava com febre. Mas a filha mais nova se sentia melhor se fizesse alguma coisa.

— Parece que ela não envelheceu nada desde o dia em que foi embora — comentou Scarlett. — Isso não é natural.

— Tenho quase certeza de que não existe nada de natural em ficar aprisionada dentro de uma carta — retrucou Tella.

O comentário deixou a careta de desaprovação da irmã mais velha ainda mais marcada.

Na noite anterior, assim que as duas chegaram ao palácio, Donatella caiu no sono, na cama de Scarlett. Acordou quando o Príncipe de Copas voltou, trazendo a mãe delas, inconsciente. Não disse onde a encontrou, mas deixou escapar um comentário sobre o que acontecera para Paloma ser aprisionada dentro de uma carta e também disse que Tella havia feito um grande sacrifício para salvar a vida da mãe.

Donatella torceu para aquela ser mais uma das ocasiões em que a irmã preferia ignorar o assunto da mãe. Mas é meio difícil ignorar alguém que está deitada no mesmo quarto, com uma aparência amaldiçoada. Scarlett interrogou Tella incansavelmente até a garota confessar tudo. E ela não tinha gostado de quase nada que ouvira, principalmente a parte em que a irmã mais nova assumira o lugar da mãe dentro da carta. Depois de implorar para Donatella nunca mais fazer algo tão arriscado, dirigiu a raiva para a mãe: não conseguia olhar para Paloma sem fazer uma careta.

Tella não podia recriminar a irmã. Por baixo de toda aquela raiva, detectou que Scarlett cultivava uma boa dose de culpa por não ter tomado conhecimento de tantas coisas que aconteceram durante o Caraval. Nem de que o jogo, daquela vez, era muito real. Mas nada disso era culpa dela.

Para surpresa da própria Donatella, ela não se arrependia de nada do que havia feito. Só gostaria de não ter se apaixonado tão intensamente por Lenda. Ainda bem que, pelo menos nesse assunto, a irmã não tocava.

Tella estava curiosa para saber se Julian havia contado para Scarlett que Dante era Lenda já que, pelo jeito, o verdadeiro nome dele era a única palavra que seu corpo era incapaz de pronunciar. Scarlett havia dito que resolvera dar mais uma chance para Julian. Sabendo dos sentimentos que Tella nutria por Lenda e pelo Caraval, Scarlett não entrou em detalhes quanto a reaproximação com Julian. Mas Tella achava que Scarlett não teria perdoado Julian se o rapaz só tivesse lhe dado mais uns beijos e lançado mais alguns olhares sedutores. E isso fazia Tella suspeitar que a irmã mais velha sabia mais sobre a verdadeira identidade de Lenda do que ela deixou transparecer na noite anterior.

— E se a gente jogasse alguma coisa? — sugeriu Tella. — Você tem um baralho comum aí?

Donatella começou a abrir a gaveta da mesinha de cabeceira que havia ao lado da cama da irmã.

— Não!

Scarlett se levantou com um pulo.

Se sua reação não tivesse sido tão exagerada, Tella poderia ter fechado a gaveta sem ficar olhando muito. Mas, no instante em que Scarlett gritou, o interesse de Donatella aumentou.

A gaveta abrigava um livro com uma encadernação sofisticada de couro vermelho. E dava para ver, debaixo dele, uma carta de aparência igualmente refinada.

— O que é isso? — perguntou Tella.

E tirou a carta debaixo do livro. Estava endereçada para Scarlett. Tella não conheceu o endereço do remetente, mas o nome escrito logo acima não lhe era estranho: Conde Nicolas d'Arcy.

Donatella ficou sentada, sem palavras, porque achava que gritar não seria uma boa ideia.

Scarlett, que estava com o rosto inteiro corado, logo disse:

— Eu posso explicar.

— Achei que você estava dando outra chance para Julian.

— E estou. Mas também quero dar uma chance para Nicolas.

— Nicolas? Agora está tratando seu ex-noivo pelo nome e não pelo título?

Tella torceu, desesperada, para que a irmã estivesse brincando, querendo se vingar dela por todos os segredos que Donatella havia guardado. Mas, se a história do conde fosse verdade, os olhares constrangidos que Scarlett e Jacks trocaram no jardim faziam sentido.

— Foi para encontrar essa pessoa que você pediu a ajuda de Jacks?

— Jacks contou que eu pedi a ajuda dele?

Scarlett parecia surpresa, como se realmente confiasse no Príncipe de Copas.

— Vi você sair da mesma carruagem que ele em uma dessas noites — declarou Tella.

Scarlett pôs as mãos no rosto, escondendo as bochechas, que ficavam cada vez mais coradas.

– Procurei por ele depois que você falou que Jacks havia conseguido localizar nossa mãe. Tentei encontrar Nicolas por conta própria, mas não dei sorte. E pedir ajuda para Jacks foi uma desculpa para interrogá-lo e descobrir quais eram as intenções dele com você. Não que ele tenha sido sincero em algum momento.

– Acho que nem eu nem você estamos em condições de criticar quem quer que seja por não ter dito a verdade – alfinetou Donatella.

– Eu ia te contar do Nicolas, mas estava esperando a hora certa. – Scarlett olhou feio para a mãe, que lembrava, de forma silenciosa, que ela não era a única que tinha segredos. – Não teria escondido isso de você, mas sei que nunca gostou dele.

– Continuo não gostando. Ficar se correspondendo com ele é um erro.

– Não se preocupe. Não pretendo me casar com Nicolas. Mas agradeço se você não contar isso para Julian. Acho que ter um adversário pode fazer bem para ele.

– Então é para isso? – Tella estava bem perplexa. – Você quer fazer uma competição entre Julian e o conde?

– Eu não chamaria de "competição". Não pretendo passar desafios para os dois cumprirem. Mas como posso ter certeza de que Julian é o homem certo para mim se não tenho com quem compará-lo? Achei que você teria orgulho de mim. Foi você que sempre quis que eu tomasse decisões por conta própria.

Scarlett deu um sorriso, um sorriso malicioso; parecia um gato que acabou de aprender como sair escondido de casa para passear pelo mundo afora.

Donatella sempre achou que a irmã mais velha a subestimava – mas, talvez, ela é que tenha subestimado Scarlett.

Continuava não gostando da ideia do conde. Apesar de não acreditar mais no que o Aráculo havia mostrado, tinha um pressentimento terrível em relação ao conde Nicolas d'Arcy. Sempre achara as cartas dele muito perfeitas demais. Era a própria definição de cavalheiro: ninguém é assim tão educado na vida real. Das duas, uma: ou ele era absolutamente chato ou era uma fraude. E, mesmo assim, apesar de suas reservas, Tella estava orgulhosa da irmã por ter tomado uma decisão tão ousada.

– Scarlett, eu...

Badaladas. Longas, graves e pesarosas badaladas ecoaram pelo palácio.

Donatella estremeceu ao ouvir aquele som trágico e esqueceu instantaneamente o que estava dizendo, porque as badaladas continuaram a ecoar. Não eram de relógio marcando a hora. Aquelas badaladas eram de luto e entoavam um lamento de perda.

A mãe da garota estremeceu na cama. Não acordou do sono amaldiçoado, mas ficou claro que as badaladas a perturbaram. Em meio à melodia fúnebre, Tella ouviu um burburinho de atividade, vindo do saguão. Passos apressados. Vozes tagarelando. Muitos prantos de soluçar. E foi aí que teve certeza.

A Imperatriz Elantine estava morta.

Donatella só havia estado na presença da imperatriz duas vezes. Mas sentiu uma onda surpreendente de emoção ao pensar que a vida dela chegara ao fim, ao pensar no corpo de Vossa Majestade ficando rígido, seus olhos se fechando para sempre.

Scarlett não deveria ter tanta certeza do falecimento de Elantine ou, então, não fazia a menor ideia. Levantou e abriu a porta bem na hora em que uma criada passava correndo.

– Por que tanto rebuliço? – perguntou.

– Vossa Majestade faleceu – confirmou a criada. – Estão dizendo que o novo herdeiro do trono, o filho desaparecido, vai fazer sua primeira aparição pública agora na torre dourada. Todo mundo está se dirigindo ao pátio de vidro para vê-lo. A senhorita deve ter uma vista da torre da janela de seu quarto.

A criada saiu correndo, e Tella foi até o outro lado do quarto para abrir as cortinas da maior das janelas. A luz entrou, clara e densa como mel. O sol havia conseguido sair de trás das nuvens – por fim –, e, pelo jeito, estava tentando se redimir pelo trabalho malfeito daquela tarde. Com as badaladas de luto ainda ecoando, parecia errado estar brilhando tanto, irradiando luz por todo o pátio, que estava mesmo ficando lotado.

– Não acredito que a imperatriz morreu – disse Scarlett.

– Você ia gostar dela – murmurou Donatella. – Ela me abraçou como eu sempre quis que vovó Anna nos abraçasse.

– Vovó chegou a te abraçar?

– Uma vez. Pode acreditar: você não perdeu nada.

Tella não chorou quando vovó Anna morreu. Apesar de a mulher ter se esforçado um pouco para criá-la, a neta nunca sentiu afeto por ela. Mas Donatella tinha gostado da imperatriz. Conhecia Elantine havia pouco tempo, mas Vossa Majestade mudara a vida dela: se nunca tivessem se encontrado, a mãe da garota ainda poderia estar presa dentro de uma carta.

Tella espichou o pescoço para conseguir enxergar a torre dourada, que ficava depois do pátio de vidro. Todas as janelas e sacadas estavam abertas, e, delas, criadas e servos atiravam pétalas de flores pretas na multidão que se reunia. Aquela homenagem póstuma era ainda mais triste do que as badaladas.

Só havia uma sacada da qual não caíam flores. Um terraço no qual tremulavam bandeiras azul-real com o vistoso emblema do Império Meridiano. No meio delas, havia uma pessoa.

Todos os pelos do corpo de Tella se arrepiaram ao vê-la.

Não conseguia enxergar o rosto, mas conseguia ver a cartola. A elegante, preta e inconfundível cartola de Lenda.

Aquele canalha.

Donatella sabia que Lenda tinha muitos segredos, mas um segredo como aquele nunca passaria pela sua cabeça. O Mestre do Caraval estava se fazendo passar pelo filho desaparecido de Elantine. Foi por isso que abandonou Tella na escada assim que a queima de fogos começou: foi assistir ao espetáculo com a imperatriz. Mas Tella achava que Lenda a teria abandonado de qualquer jeito.

A reação era tão inadequada, mas a jovem não conseguiu segurar o riso que tomou conta dela. Donatella pensava que era a chave para decifrar o jogo do Mestre do Caraval. Mas é claro que Lenda tinha seus joguinhos paralelos. Não estava em Valenda apenas para destruir os Arcanos e roubar o poder de todos eles. Escolhera aquela cidade como tabuleiro do Caraval para conseguir subir ao trono.

Epílogo

Nos contos de fadas, é com 16 anos que as garotas descobrem que têm poderes mágicos e, na verdade, são princesas disfarçadas. Ou descobrem que são amaldiçoadas e precisam de um belo príncipe que as ajude a quebrar um encantamento obscuro. Tella não sabia o que seu 17º ano de vida lhe reservava. Mas, o que quer que fosse, seria mais espetacular do que essas alternativas.

Com toda a tristeza do Dia de Elantine, quase esqueceu do próprio aniversário. Mas acordou, magicamente, à meia-noite, no primeiríssimo momento dele.

Ainda estava com o coração um pouco pesado, mas havia decidido que carregá-lo no peito, pelo mundo afora, o fortaleceria.

Há duas noites, quando assumiu o lugar da mãe naquela carta, Tella tinha medo de que aquele fosse o verdadeiro final de sua história. Mas era jovem demais para ter finais. Suas aventuras estavam apenas começando. E seriam mais do que promessas, mais cintilantes que constelações. No final de todas, Donatella é que seria lendária.

Lenda ia se arrepender de tê-la abandonado naquela escada sem nem sequer dizer adeus.

Ou, talvez, já tivesse se arrependido...

Tella se sentou na cama, sem fazer barulho. O quarto estava na penumbra, preenchido pela noite e pelas sombras. E, apesar disso, a garota viu o presente, claro como a luz do dia. Uma única rosa vermelha, com caule de um branco imaculado, na mesinha de cabeceira. Debaixo da flor, um envelope prateado conseguira a façanha de brilhar. Porque, claro, tudo o que vinha de Lenda brilhava no escuro.

Donatella pegou o cartão, saiu de fininho da cama e foi, pé ante pé, até a janela.

Ainda estava furiosa com ele. Faria Lenda se arrepender de tê-la abandonado. Mas, pelo jeito, seu coração se esquecera disso. Pulava, vibrava e batia em um ritmo atrapalhado quando abriu o cartão que Lenda deixou para ela.

Tinha o cheiro dele: nanquim, segredos e magia perversa. A letra tinha traços grossos e obscuros. Tella leu a mensagem tentando não sorrir, mas algo parecido com esperança começou a crescer em seu coração.

Donatella,

Creio que seja seu aniversário. Também creio que temos assuntos pendentes: ainda te devo um prêmio, por ter vencido o Caraval. Me procure quando quiser recebê-lo.

Estarei esperando.

Lenda

Relação de termos e arcanos

BARALHOS DO DESTINO: Método de previsão do futuro. Os Baralhos do Destino contêm trinta e duas cartas, que formam um conjunto de dezesseis imortais, oito lugares e oito objetos.

ARCANOS: De acordo com os mitos, os Arcanos retratados nas cartas dos Baralhos do Destino já foram seres mágicos de carne e osso. Supostamente, teriam governado um quarto do mundo, séculos atrás, até desaparecerem de maneira misteriosa.

ARCANOS MAIORES
O Rei Assassinado
A Rainha Morta-Viva
O Príncipe de Copas
A Morte Donzela
A Estrela Caída
A Senhora da Sorte
O Assassino
O Envenenador

ARCANOS MENORES
O Bufão Louco

A Dama Prisioneira
A Sacerdotisa, Sacerdotisa
Vossas Aias
A Noiva Abandonada
Caos
A Criada Grávida
O Boticário

OBJETOS MÍSTICOS
A Coroa Despedaçada
O Vestido de Vossa Majestade
A Carta em Branco
O Trono Ensanguentado
O Aráculo
O Mapa de Tudo
O Fruto Imaculado
A Chave de Devaneio

LUGARES MÍSTICOS
A Torre Perdida
O Pomar Fantástico
O Zoológico
A Biblioteca Imortal
O Castelo da Meia-Noite
O Imaginarium
O Mercado Desaparecido
O Fogo Eterno

MOEDAS SEM SORTE: Têm o poder mágico de rastrear pessoas. Na época em que os Arcanos ainda reinavam sobre a Terra, se um desses seres místicos ficasse obcecado por algum ser humano, colocava, discretamente, uma moeda sem sorte na bolsa ou no bolso da pessoa para poder seguir seus passos aonde quer que ela fosse. As moedas sem sorte eram consideradas objetos de mau agouro.

ALCARA: Antiga cidade-sede do governo dos Arcanos, que hoje recebe o nome de Valenda e é a capital do Império Meridiano.

Agradecimentos

As pessoas me avisaram que escrever o segundo livro era difícil, mas concluir *Lendário* parecia quase impossível. Eu não poderia ter feito isso sozinha. Agradeço a Deus pelos milagres, por atender às minhas orações e pelas pessoas incríveis que me ajudaram com esta história.

Sou muito grata à minha família, ao meu pai, à minha mãe, ao meu irmão, à minha irmã e ao meu cunhado. Quando comecei a escrever, não imaginava que todos nós embarcaríamos em uma aventura tão grande. Este livro foi uma parte especialmente difícil dessa aventura, e nem imagino como eu teria enfrentado tudo isso sem o amor e o incentivo infinito de vocês, e se não tivessem me ouvido todas as vezes em que chorei. Tenho a melhor família do mundo e amo muito todos vocês.

Sarah Barley, você é a verdadeira fada-madrinha dos livros. Obrigada por lançar sua magia nesta história: você me ajudou a fazer de *Lendário* um livro melhor do que ele seria se eu tivesse escrito sozinha. Obrigada pela paciência de ler versão após versão, pelo entusiasmo e pelo amor que tem por essas duas irmãs e por essa série. E também por conhecer tão bem o coração do Caraval. Houve momentos em que me desviei do caminho, e fico feliz de poder ter contado com você para me ajudar a voltar.

Jenny Bent, você é demais. Eu poderia preencher essas páginas com uma lista de motivos pelos quais sou grata por ter você como agente. Obrigada por nunca desistir de mim, especialmente naqueles momentos em que eu desisti de mim mesma.

Ida Olson, nunca vou deixar de ser grata a você por ter surgido, como uma super-heroína, para me ajudar a salvar este livro.

Obrigada à tremenda equipe da Flatiron Books. Eu não poderia pedir uma casa melhor para esta série. Superobrigada a todos que trabalharam neste livro, com um agradecimento bem especial para Amy Einhorn e Bob Miller: sou muito grata por ter vocês como editores.

Para a maravilhosa equipe da Macmillan Audio, muito obrigada por seu entusiasmo interminável e por ter incluído *Lendário* em seu catálogo. Rebecca Soler, a incrível locutora dos meus audiolivros: sou tão grata por você ter dado vida, com sua locução fantástica, tanto a *Caraval* quanto a *Lendário*.

Outro agradecimento especial vai para Patricia Cave. Se, algum dia, você deixar o ramo da divulgação, vou chorar. Obrigada por ser a primeira a amar Jacks e por todas as suas palavras de sabedoria.

Erin Fitzsimmons, você se superou com esta capa. Muito obrigada por emprestar a sua magia a este livro.

E por falar em magia, obrigada, Kate Howard, e a todas as pessoas encantadoras da Hodder and Stoughton por terem dado um lar fantástico no Reino Unido para esta série. Muito obrigada, Molly Ker Hawn, por ter encontrado esse lar e pelo tremendo apoio que me deu.

Eu me sinto absolutamente abençoada por poder contar com todas as incríveis editoras estrangeiras que publicam meus livros. Obrigada por terem levado *Lendário* e *Caraval* às mãos de tantos leitores ao redor do mundo.

Um obrigada enorme para todas as minhas amigas maravilhosas! Stacey Lee, obrigada por ter me emprestado sua criatividade quando a minha secou, pelas constantes sessões de *brainstorming*, pelas ideias geniais e por ser a amiga de que eu tanto precisava. Amanda Roelofs, obrigada por sempre ser a primeira pessoa a ler meus livros e por continuar sendo minha amiga apesar de todas as coisas confusas que eu te mandei: esta história ficou muito mais feliz por sua causa. Obrigada, obrigada, obrigada, Liz Briggs e Abigail Wen, por terem lido as primeiras versões e por terem me ajudado com elas com tanta generosidade (leitores, acho que vocês também vão querer agradecer a Liz: por causa dela, o livro tem mais cenas de beijo). Katie Nelson e Roshani Chokshi, obrigada pelos telefonemas, dos quais eu tanto precisava, e por terem largado tudo para ler as partes deste livro logo no início, quando eu não sabia se a história estava indo na direção certa. Kerri Maniscalco, Julie Dao e Julie Eshbaugh: obrigada pela maratona de conversas ao telefone, pelo incentivo e pelo tesouro que é contar com a amizade de vocês. A todas as encantadoras e apoiadoras escritoras locais – Jessica, Shannon, Val, Jenny, Kristin, Adrienne, Rose e Joanna – agradeço muito pelos jantares e por poder chamar vocês de amigas.

Também quero agradecer aos incríveis leitores desta série! Meu coração fica quentinho de tanto amor e apoio que recebo de vocês. Obrigada pelo entusiasmo, pela empolgação, pelos comentários, pelas fotos e por terem escolhido este livro para ler.

Este livro foi composto com tipografia Adobe Garamond Pro e
impresso em papel Off-White 70 g/m² na Formato Artes Gráficas.